DES AMIES DE TOUJOURS

DU MÊME AUTEUR

Alors, heureuse ?, Belfond, 2002 ; Pocket, 2004
Chaussure à son pied, Belfond, 2004 ; Pocket, 2006
Envies de fraises, Belfond, 2005 ; Pocket, 2007
Crime et couches-culottes, Belfond, 2006 ; Pocket, 2008
La Fille de sa mère, Belfond, 2009 ; Pocket, 2011

JENNIFER WEINER

DES AMIES DE TOUJOURS

Traduit de l'américain
par Hélène Colombeau

belfond
12, avenue d'Italie
75013 Paris

Titre original :
BEST FRIENDS FOREVER
Publié par Atria Books, une division de Simon & Schuster, Inc., New York

Ce livre est une œuvre de fiction. Les noms, les personnages, les lieux et les événements sont le fruit de l'imagination de l'auteur ou utilisés fictivement, et toute ressemblance avec des personnes réelles, vivantes ou mortes, des événements ou des lieux serait pure coïncidence.

Si vous souhaitez recevoir notre catalogue
et être tenu au courant de nos publications,
vous pouvez consulter notre site internet,
www.belfond.fr
ou envoyer vos nom et adresse,
en citant ce livre,
aux Éditions Belfond,
12, avenue d'Italie, 75013 Paris.
Et, pour le Canada,
à Interforum Canada Inc.,
1055, bd René-Lévesque-Est,
Bureau 1100,
Montréal, Québec, H2L 4S5.

ISBN 978-2-7144-4766-1

À Susan Abrams Krevsky,
mon amie de toujours.

« I can't say that I'm sorry for the things that we done
At least for a little while sir
me and her we had us some fun. »

Bruce SPRINGSTEEN, « Nebraska »

PREMIÈRE PARTIE

Réunion

1

Dan Swansea reprit conscience dans le noir, incapable de se rappeler qui il était et où il se trouvait. Il porta une main à sa tête et gémit en voyant ses doigts couverts de sang. Puis, lentement, tout lui revint. Son nom. Il était dehors sur un parking, allongé sur le dos au milieu des graviers, gelé jusqu'aux os. À l'exception de ses chaussettes et de ses chaussures, il était complètement nu.

En s'asseyant, il crut vomir de douleur. Il se passa de nouveau la main sur la tête, quelques gouttes de sang tombèrent par terre. C'est une fille qui l'avait entraîné jusqu'ici. Il avait son prénom sur le bout de la langue. Une fille du lycée, une ancienne copine de promo, avec des dents blanches éclatantes et des semelles rouges sous ses chaussures. « Viens dans ma voiture, lui avait-elle murmuré. On sera au chaud. » Ils s'étaient embrassés pendant un moment, la fille adossée à la portière côté conducteur, sa bouche en feu sous la sienne, leurs souffles fumant dans la nuit. Puis elle l'avait repoussé. « Déshabille-toi, lui avait-elle dit. Je veux te voir.

— Mais ça gèle ! » avait-il protesté, tout en commençant déjà à déboutonner sa chemise et à défaire sa ceinture, parce que malgré le froid elle était tellement chaude qu'il n'allait sûrement pas laisser passer cette chance.

Il s'était déshabillé en vitesse, avait retiré son pantalon sans enlever ses chaussures et jeté ses vêtements en tas sur les graviers, et quand il avait relevé la tête, tout nu et frissonnant, cachant son sexe d'une main, elle braquait quelque chose sur lui. Son cœur avait cessé de battre. Un flingue ? avait-il pensé une seconde. Mais non, c'était un téléphone portable.

Le flash l'avait aveuglé.

« Hé ! Qu'est-ce que tu fous ?

— Tu vas voir, avait-elle lancé, hargneuse. Tu vas voir l'effet que ça fait, quand tout le monde se moque de toi ! »

Il s'était jeté sur elle pour attraper le téléphone.

« C'est quoi, ton problème ?

— Mon problème ? »

Elle avait sautillé en arrière dans ses chaussures à semelles rouges.

« C'est toi, mon problème. Tu m'as pourri la vie ! »

Elle avait plongé dans la voiture et claqué la portière avant qu'il ait eu le temps d'atteindre la poignée. Alors qu'elle démarrait dans un vrombissement de moteur, il avait sauté devant elle, pensant qu'elle s'arrêterait. Mais, à en juger par les blessures qu'il avait sur un côté du corps et la douleur atroce qui lui déchirait la tête, elle n'avait sans doute pas pris cette peine.

Il se leva en grognant, puis se tourna vers le country-club, désert et fermé. Dans l'obscurité, il distinguait les courts de tennis, le terrain de golf derrière le bâtiment, les remises et les annexes un peu à l'écart sous un bosquet de pins. D'abord, trouver des vêtements, décida-t-il en boitillant douloureusement vers le bâtiment le plus proche. Des vêtements, et ensuite… la vengeance.

2

Quand j'y repense, j'aurais dû avoir peur en entendant frapper à la porte. Ou au moins être surprise. Ma maison – celle qui m'a vue grandir – se situe dans le dernier virage d'un cul-de-sac à Pleasant Ridge, dans l'Illinois, une banlieue de Chicago de quatorze mille âmes avec des rues tranquilles, des pelouses bien entretenues et de bonnes écoles publiques. On rencontre rarement des piétons dans Crescent Drive. La plupart du temps, le seul signe de vie après dix heures du soir se résume au passage des phares sur le mur de ma chambre les jours où ma voisine, Mme Bass, revient de ses réunions de la Shakespeare Society. Je vis seule, et je suis généralement couchée à dix heures et demie. Quand bien même. Lorsque j'ai entendu frapper, mon pouls ne s'est pas accéléré, mes mains ne sont pas devenues moites. Quelque part dans mon inconscient, là où, selon les scientifiques, se trouvent nos souvenirs, j'attendais depuis des années ce « toc-toc-toc », ce moment où, me dirigeant vers la porte, ma main se poserait sur le cuivre froid de la poignée.

En ouvrant, j'ai retenu mon souffle, les yeux écarquillés. Ma meilleure amie de toujours, Valerie Adler, à qui je n'avais pas adressé la parole depuis l'année de mes dix-sept ans et que je n'avais pas vue depuis la fin du lycée, se tenait sous la lumière du porche. Valerie, avec son visage en forme de cœur, ses lèvres bien dessinées et ses cils aussi denses et sombres que des ailes de papillon de nuit. Elle gardait les mains jointes devant elle, comme pour prier. Une tache sombre marquait l'une des manches de son trench.

Nous sommes restées un instant figées dans le froid, à nous dévisager dans le cône de lumière, et l'idée qui m'a traversé l'esprit avait la chaleur d'un rayon de soleil et la douceur du miel. Mon amie, ai-je pensé en regardant Val. Mon amie est revenue.

J'ai ouvert la bouche – pour dire quoi, je n'en savais trop rien –, mais Val a parlé la première.

« Addie. »

Ses dents brillaient, parfaites et régulières ; sa voix était comme dans mes souvenirs, un peu voilée, une voix qui semblait dire : « J'ai un secret » et qu'elle employait actuellement avec talent pour présenter la météo aux informations du soir, sur la troisième chaîne de télévision la plus regardée à Chicago. Son arrivée à l'écran, six mois plus tôt, avait été annoncée en fanfare, à grand renfort d'affiches le long de l'Interstate. (« Regardez ce que le vent nous amène ! » lisait-on sous une photo de Val, les cheveux détachés, un sourire rouge vif aux lèvres.)

« Écoute. Il est arrivé quelque chose de… de vraiment grave. Tu peux m'aider ? S'il te plaît ? »

Je n'ai rien répondu. Vacillant sur ses talons aiguilles, Val s'est passé les mains dans les cheveux en déglutissant, avant de tripoter la ceinture de son imper. Étais-je consciente qu'elle portait cette coupe de cheveux, cette couleur blond doré, cette longueur en dégradé jusqu'aux épaules avec des mèches qui bouclaient sous la pluie, lorsque j'avais donné le feu vert à mon coiffeur ? Même si je me faisais un devoir de ne pas regarder sa chaîne, j'avais peut-être entrevu Val en zappant, ou bien les panneaux publicitaires m'avaient marquée, car, bizarrement, je me retrouvais là, en pyjama de flanelle et grosses chaussettes en laine, avec les cheveux de mon ex-meilleure amie sur la tête.

« Ma parole ! s'est exclamée Valerie, stupéfaite. Tu es devenue mince !

— Entre, Val. »

Si le temps était une dimension, et non une ligne droite, si l'on pouvait regarder à travers comme on regarde dans l'eau, s'il pouvait onduler et bouger, j'avais déjà ouvert la porte auparavant. J'avais déjà vécu cette scène, et je la revivrais toujours.

3

J'ai conduit Valerie à la cuisine, en écoutant le martèlement de ses talons sur le parquet derrière moi. Elle a enlevé son manteau et l'a installé soigneusement sur le dossier d'une chaise, avant de m'observer de haut en bas.

« Tu n'étais pas à la réunion, a-t-elle fait remarquer.

— J'avais un rendez-vous. »

Elle a haussé les sourcils. Je lui ai tourné le dos pour remplir la bouilloire et la mettre sur le feu, n'ayant aucune envie d'en dire plus.

Ma soirée n'avait pas bien commencé. Sur les conseils du site de rencontres, j'avais rejoint un type au restaurant, le sixième avec qui j'avais pris rendez-vous en six semaines. (« N'invitez SURTOUT PAS un étranger chez vous ! avertissait le site. Rencontrez-le dans un lieu public, prenez votre téléphone portable, vos clés de voiture et/ou assez d'argent pour vous payer un taxi, et dites à un(e) ami(e) où vous allez. ») J'avais bien respecté les premières consignes en prenant ma voiture, mon téléphone portable chargé à bloc et assez de liquide dans mon portemonnaie pour payer la note, mais je n'avais pas pu suivre le dernier conseil, étant, pour le moment, sans amis (et sans ennuis ?). J'avais donc imprimé une note en caractères gras, police dix-huit, et je l'avais accrochée au frigo : NOUS SOMMES LE VENDREDI 23 NOVEMBRE ET JE PARS REJOINDRE

MATTHEW SHARP. S'IL M'EST ARRIVÉ QUELQUE CHOSE, C'EST PROBABLEMENT SA FAUTE. J'avais ajouté le numéro de téléphone du type, le nom et l'adresse du restaurant, ainsi qu'une photocopie de ma carte d'assurée. Et, après avoir réfléchi quelques secondes, j'avais écrit : P.-S. : JE VOUDRAIS DES OBSÈQUES MILITAIRES... parce que, honnêtement, qui n'en rêvait pas ?

« Vous êtes Addie ? avait demandé l'homme qui se tenait au comptoir d'accueil. Bonjour, je suis Matthew Sharp. »

Il était à l'heure, et grand, comme annoncé. Ce qui constituait un progrès : les cinq hommes que j'avais rencontrés avant lui ne s'étaient pas révélés, pour la plupart, comme annoncé. Matthew Sharp était habillé avec soin, veste sport en tweed, chemise bleu foncé boutonnée jusqu'en haut, pantalon repassé, mocassins. Son haleine, lorsqu'il s'est penché pour me serrer la main, sentait la cannelle, et une moustache ornait sa lèvre supérieure. Bon, ai-je pensé. Je peux faire avec. Certes, la moustache était une mauvaise surprise, et il avait perdu quelques cheveux depuis qu'il avait posé pour sa photo en ligne, mais pouvais-je vraiment me plaindre ?

« Enchantée, ai-je répondu en ôtant mon manteau de laine noire.

— Merci d'être venue. »

Il m'a regardée de la tête aux pieds, s'attardant brièvement sur mon corps avant de revenir à mon visage. Il n'a pas paru épouvanté, et ne s'est pas non plus rapproché de la porte. C'était bon signe. J'avais mis ce qui était devenu mon uniforme de rendez-vous : une jupe noire qui s'arrêtait pile au milieu du genou (pas trop courte pour ne pas avoir l'air d'une pute, pas trop longue pour ne pas passer pour une vieille fille), un chemisier en soie rouge sombre, des collants noirs et des bottes noires à talons plats, au cas où il aurait menti sur sa taille ou, moins probable mais possible quand même, au cas où j'aurais besoin de courir.

« Notre table est prête. Voulez-vous prendre un verre au bar, pour commencer ?

— Non merci. »

Le site recommandait de s'en tenir à un seul verre de vin. Je préférais garder l'esprit clair et ne lui donner aucune raison de penser que j'avais un problème avec l'alcool.

L'hôtesse a pris nos manteaux et a tendu un ticket à Matthew. « Après vous », a-t-il dit, tandis que je rangeais mon écharpe et mon bonnet dans mon sac à main, en secouant mes cheveux. J'avais enfin suffisamment maigri des mollets pour pouvoir refermer mes bottes jusqu'en haut. J'étais allée chez mon coiffeur le matin, au départ pour une simple coupe, mais à force d'entendre Paul répéter le mot « Sensationnel ! » – et vu sa tête en me voyant entrer –, j'avais fini par me laisser convaincre de perdre six heures et cinq cents dollars pour une coupe, une couleur et moult produits chimiques. J'étais ressortie avec un carré dégradé dont Paul jurait qu'il me faisait paraître seize ans sous certains angles, des mèches blond miel, et une crème traitante avec un nom français, censée garder mes cheveux lisses et brillants pour les quatre mois à venir.

J'ai commandé un verre de chardonnay, une salade César sauce à part, et de la sole grillée. Matthew a pris du cabernet, des calmars en entrée, et un steak.

« Vous avez passé de bonnes fêtes ? m'a-t-il demandé.

— Oui, c'était bien, ai-je répondu. Très calme. J'ai passé la journée en famille. »

C'était vrai. J'avais apporté le repas complet de Thanksgiving – soupe de courge musquée, dinde rôtie farcie aux marrons, purée de patates douces sous une couche de marshmallows caramélisés, et l'incontournable tarte à la citrouille – à mon frère Jon, dans son foyer médicalisé de South Side. On avait mangé assis par terre dans sa petite chambre surchauffée, adossés au lit, en regardant *Starship Troopers*, son film préféré. Je l'avais quitté à trois heures et j'étais arrivée chez moi à quatre. Là, je m'étais servi une tasse de thé relevé d'un peu de whisky, avant de sortir une assiette remplie de morceaux de dinde arrosés de sauce pour le petit chat noir qui fréquente mon jardin. J'avais passé la soirée assise dans mon salon, une main sur le ventre, à regarder disparaître les tons gris et lavande du ciel, jusqu'à ce que la lune se lève.

« Et vous ? »

Matthew m'a expliqué qu'il avait déjeuné avec ses parents, sa sœur, le mari de celle-ci et leurs enfants. C'est lui qui avait préparé la dinde, qu'il avait frottée avec du beurre et de la sauge avant de la faire rôtir doucement sur un lit d'oignons. Il m'a confié qu'il aimait cuisiner, et je lui ai avoué que ça me plaisait aussi. Je lui ai raconté mes aventures avec le guacamole. Il m'a parlé des émissions qu'il regardait sur Cuisine TV et du nouveau restaurant branché de Chicago qu'il mourait d'envie d'essayer.

Le serveur nous a apporté nos plats. Matthew a fait disparaître un tentacule dans sa bouche.

« Votre salade est bonne ? »

Un bout de panure était resté collé à sa moustache, et j'ai dû me retenir pour ne pas le lui enlever.

« Très bonne. »

En fait, il y avait beaucoup trop de sauce, les feuilles dégoulinaient d'huile, mais ce n'était pas grave – j'étais prête à avaler une salade dégueulasse si c'était le prix à payer pour rencontrer enfin un type bien. Nous avons échangé un sourire.

« Parlez-moi de votre travail, a repris Matthew.

— Je peins des illustrations pour des cartes de vœux. »

Il a semblé réellement intéressé, ce qui changeait par rapport aux mecs précédents. Comment avais-je démarré dans ce métier ? (Grâce à ma mère, qui écrivait les messages de ces cartes et qui avait montré l'une de mes aquarelles, sans m'en parler, des années plus tôt.) Est-ce que je travaillais chez moi ? (Oui, j'avais installé mon atelier dans le salon, avec mon chevalet près de la fenêtre, là où la lumière était la meilleure.) Il m'a posé des questions sur mes horaires, sur ma formation, a voulu savoir si je ne me sentais pas seule, à travailler chez moi plutôt que dans un bureau. J'aurais pu lui faire tout un discours sur la solitude, mais je me suis contentée de répondre : « Ça ne me dérange pas d'être seule. »

Il m'a parlé de son boulot de gérant d'une chaîne de garde-meubles dans l'Illinois et le Wisconsin. Je lui ai demandé où il avait grandi et où il vivait actuellement, tout en portant un croûton ramolli à mes lèvres, avant de changer d'avis et de le reposer sur mon assiette sans y avoir goûté. J'attendais le moment où Matthew se mettrait, comme tous les autres, à dénigrer son ex-femme. Sur les cinq hommes que j'avais rencontrés, quatre avaient déclaré leur ex folle (l'un d'eux avait même poussé son diagnostic jusqu'à « bonne à enfermer »). Le cinquième était veuf. Sa femme avait été une sainte, ce qui était presque pire à entendre quand on se trouvait à la place de la remplaçante potentielle.

Il est sympa, ai-je pensé tandis qu'il me racontait avec enthousiasme la randonnée qu'il avait faite le week-end précédent avec le Sierra Club.

« Je sors avec eux plusieurs fois par mois, a-t-il dit spontanément. Vous pourriez peut-être venir avec moi ? »

Ma première réaction a été de croire à une plaisanterie. Moi, faire de la randonnée ? Où ça ? De la pâtisserie Cinnabon au glacier Ben & Jerry's ? Et puis je me suis rappelé qu'à présent j'étais de corpulence à peu près normale, et que Matthew ne m'avait pas connue avant.

« Pourquoi pas ? Ç'a l'air sympa. »

Une randonnée dans les bois. Je m'imaginais déjà en polaire rouge, un bonnet assorti à mes mitaines, et une thermos de café chaud dans mon sac. Je nous voyais assis sur une couverture au milieu des feuilles, en train d'écouter le chant d'un ruisseau tout proche.

Nos plats principaux sont arrivés. Mon poisson était farineux sur les bords et translucide au milieu, avec un goût de mort comme s'il n'avait jamais été vivant. J'ai réussi à en avaler deux bouchées tandis que Matthew me racontait l'histoire de son collègue Fred, un cadre moyen d'une cinquantaine d'années, qui s'était mis subitement en tête de se faire faire un lifting des paupières.

« Quand il est arrivé au bureau, il avait l'air... Enfin, d'après l'une des secrétaires, on aurait dit un écureuil avec quelque chose de coincé dans le... »

Il s'est interrompu. Une petite fossette est apparue sur sa joue.

« Un écureuil surpris, quoi. Comme si ses yeux essayaient de sauter de leurs orbites. Il paraît que sa petite-fille s'est mise à pleurer quand elle l'a vu, la première fois. »

Matthew a eu un petit rire, et j'ai souri. Aime-moi, ai-je pensé tout en sirotant mon vin. J'ai fait glisser délicatement l'ongle de mon pouce manucuré le long de mon décolleté, où ma poitrine se gonflait, parée de dentelle piquante et soutenue par des armatures renforcées.

Matthew s'est penché sur la table. Sa cravate pendait dangereusement au-dessus du sang de bœuf qui formait une flaque dans son assiette.

« Vous êtes quelqu'un de vraiment unique. »

J'ai souri, mettant de côté mes doutes sur la pertinence de cette remarque.

« Je me sens tellement à l'aise avec vous. J'ai l'impression de pouvoir tout vous dire », a-t-il ajouté.

J'ai continué à sourire tandis qu'il me regardait intensément. Il avait de beaux yeux derrière ses lunettes. Des yeux gentils. Peut-être arriverais-je à le convaincre de raser cette moustache. Je nous voyais tous les deux, sur une pente couverte de feuilles mortes, mes mitaines autour d'une tasse de café fumant. Je t'en prie, arrête de parler, l'ai-je supplié par télépathie. Chaque fois que tu ouvres la bouche, tu mets en péril notre magnifique vie à deux.

Malheureusement, Matthew n'a pas compris le message.

« Il y a six mois, a-t-il commencé, son regard rivé au mien, je me suis réveillé et j'ai vu une vive lumière qui brillait à travers la fenêtre de ma chambre. Un énorme disque vert planait au-dessus de ma maison.

— Ha ! Ha ! Ha ! Ha ! »

J'ai ri jusqu'à ce que je me rende compte que lui ne riait pas… Il ne plaisantait pas.

« J'ai des raisons de croire, a-t-il continué avant de marquer une pause, les lèvres entrouvertes sous sa moustache, que j'ai été enlevé par des extraterrestres, ce soir-là. »

Il était tellement près de moi que je sentais son haleine de bœuf sur mon visage.

« J'ai été *sondé.*

— Un dessert ? » a demandé le serveur en nous présentant la carte.

J'ai réussi à faire « non » de la tête, incapable de parler. J'étais seule, d'accord. J'étais désespérée, d'accord. J'avais couché avec un seul homme à l'âge scandaleusement avancé de trente-trois ans. Je n'avais jamais entendu les mots « Je t'aime » prononcés par quelqu'un d'autre qu'un parent. Mais tout de même, je n'allais pas ramener chez moi un type qui prétendait avoir été violé par des extraterrestres. Il y a des limites.

Quand on nous a apporté l'addition, Matthew a glissé sa carte bancaire dans le livret de cuir et m'a regardée d'un air piteux.

« J'imagine que je ne devrais pas évoquer l'enlèvement par les extraterrestres dès le premier soir.

— C'est possible, ai-je répondu en rajustant mon décolleté. Généralement, j'attends le troisième soir pour parler de ma queue.

— Vous avez une queue ? »

C'était à son tour de se demander si je plaisantais.

« Une petite.

— Vous êtes marrante. »

Sa voix avait quelque chose de désespéré, un ton que je connaissais bien. Aidez-moi, suppliait-elle. Tendez-moi une perche, faites-moi un sourire, dites-moi que tout va bien. Je me suis levée tandis que Matthew cherchait dans ses poches quelques pièces à donner à la fille du vestiaire, puis je l'ai suivi jusqu'à la porte du restaurant, qu'il m'a tenue ouverte.

« Vous avez l'air d'être quelqu'un de bien », a insisté Matthew sur le parking, en tentant de me prendre la main. Je me suis écartée suffisamment pour qu'il ne puisse pas me toucher. Vous vous trompez, ai-je pensé. Je ne suis pas quelqu'un de bien.

Dehors, la brume de fin d'après-midi s'était transformée en brouillard glacé. Les réverbères luisaient sous des halos de lumière dorée. Matthew s'est passé les doigts dans les cheveux. Malgré le froid, il transpirait. Je voyais de petites gouttes de sueur briller à travers sa moustache.

« Je pourrai vous appeler ?

— Bien sûr. »

Évidemment, je n'avais pas l'intention de lui répondre, mais je me suis bien gardée de le prévenir.

« Vous avez toujours mon numéro ?

— Toujours. »

Il a souri, reconnaissant et pathétique. Puis il s'est penché vers moi. Il m'a fallu une seconde pour me rendre compte qu'il voulait m'embrasser, et une autre pour comprendre que j'allais le laisser faire. Sa moustache a effleuré ma lèvre supérieure et ma joue. Je n'ai absolument rien ressenti. Il aurait aussi bien pu presser un tampon à récurer contre mon visage ; ça m'aurait fait le même effet d'embrasser le revers de sa veste ou le capot de ma Honda.

Quand je suis rentrée chez moi, il m'avait déjà laissé un long message d'excuse. Il était désolé de m'avoir fait peur. Il me trouvait super. Il avait hâte de me revoir, peut-être dimanche ? Il y avait un film avec une bonne critique dans le *Chicago Tribune*. Ou alors on pourrait aller pique-niquer… Sa voix était pleine d'espoir. « Bon, concluait-il, j'attends votre coup de fil. » Il rappelait ensuite son numéro de téléphone. J'ai appuyé sur la touche trois pour effacer le message, envoyé valser mes bottes, attaché mes beaux cheveux tout neufs avec une barrette, avant de m'asseoir au bord de mon lit, le visage entre les mains, et de m'autoriser un bref sanglot de célibataire. Ne te fais pas trop d'illusions. Ça ne faisait pas partie des recommandations du site Internet, mais c'était ce que je me répétais pour me vacciner contre le fantasme, aussi tenace que les mauvaises herbes, que l'un de ces hommes pourrait être le bon ; que je pourrais tomber amoureuse, me marier, avoir des bébés, être normale. Ne te fais pas trop d'illusions. Je me répétais ça comme un mantra en allant à ces rendez-vous au Starbucks ou à l'Applebee's, ou même, avec le Numéro Quatre, au bowling, où le type avait eu l'idée ingénieuse de combiner un premier rencard avec la fête d'anniversaire de son fils de cinq ans (son ex-femme n'avait pas eu l'air ravie de faire ma connaissance, et le garçonnet non plus, d'ailleurs). Ne te fais pas trop d'illusions… Mais chaque fois je m'en faisais, et chaque fois je repartais avec mon imbécile de cœur brisé.

« Tant pis », ai-je dit tout haut. *Marrante.* Ça faisait plaisir à entendre. Mais c'était si injuste ! Pour espérer rencontrer quelqu'un par le biais d'Internet, une femme devait être beaucoup de choses, à commencer par « mince », mais aussi : « séduisante, agréable, à l'écoute et de bonne compagnie ». Jeune, bien sûr. Encore fertile, encore mignonne, avec un corps correct, un boulot décent et une famille présente (mais pas trop). Les hommes, eux, n'avaient même pas besoin d'être sains d'esprit.

J'ai regardé l'horloge ancienne que je m'étais offerte pour mon anniversaire, une belle comtoise émaillée de rose et de vert, posée sur des pieds potelés en or. Il était un peu plus de dix heures. La réunion devait battre son plein. Merry Armbruster m'avait appelée dans l'après-midi pour me supplier une ultime fois de venir. « Tu es superbe, maintenant ! Et je suis sûre que tout le monde a oublié l'histoire de… Enfin, tu vois de quoi je parle. On a tous grandi. Les gens auront envie de parler d'autre chose. »

Merci, mais non merci. J'ai pris mes vitamines avec un verre d'eau, avant d'avaler mon jus d'herbe de blé (deux ans que je buvais la chose et j'avais toujours l'impression d'ingurgiter une purée de gazon tondu). J'ai raccroché mon uniforme de rendez-vous, remplacé le soutien-gorge à dentelles par un autre en coton beaucoup plus confortable, enfilé mon pyjama en flanelle préféré, une paire de chaussettes, et je me suis rassise sur mon lit, soudain épuisée. Ces derniers temps, j'avais beaucoup repensé à la petite fille que j'avais été, et à la façon dont elle aurait considéré la femme que j'étais devenue. Je l'imaginais, debout devant ma chambre qui avait été celle de mes parents, dans son pull bien propre et sa jupe plissée, ses cheveux bruns attachés en queue-de-cheval par un ruban assorti à ses chaussettes. Dans un premier temps, elle serait enchantée par la couleur vive des murs de la chambre, par le tableau à l'huile que j'avais peint, accroché au-dessus de la fenêtre, et qui représentait un phare projetant son faisceau d'or sur la surface de l'eau. Elle aimerait aussi le vase émaillé sur la table de chevet, la couverture en lin éclatante de propreté et la tête de lit en fer forgé, mais elle se rendrait vite compte qu'il s'agissait de la chambre de mes parents. Encore là ? penserait-elle, et je serais obligée de lui expliquer que je n'avais pas eu l'intention de rester, que j'avais essayé d'aller à l'université, que je voulais vivre dans une grande ville, avoir un petit copain et un travail intéressant, me faire des amis, voyager, habiter un appartement que j'aurais décoré avec des souvenirs, des statues et des photos rapportés de mes voyages autour du monde. Oui, je voulais faire tout ça, mais…

Je me suis tournée sur le côté. Mon cerveau bourdonnait et mes pensées partaient dans tous les sens, sautant de mon rendez-vous qui avait paru si prometteur au site Internet où je l'avais dégoté, pour finir sur mon ex-petit ami, Vijay, « ex » depuis quatre mois et qui n'avait jamais vraiment été mon petit ami. Je ne pouvais sans doute pas le désigner ainsi, vu que nous n'étions sortis ensemble qu'une seule fois en public, mais je l'avais aimé avec l'intensité réservée au premier homme que l'on a désiré et qui vous a brisé le cœur.

J'ai fermé les yeux très fort, puis j'ai posé la main sur mon ventre et appuyé en retenant mon souffle. Toujours là. La grosseur – plus une tension qu'une grosseur – était toujours là, entre l'os de mon pubis et mon nombril. Je l'ai touchée, poussée du bout des doigts. Ça ne faisait pas vraiment mal, mais ça ne semblait pas non plus très normal. Je ne savais pas depuis combien de temps elle était là – pendant des années, j'avais été tellement grosse que j'aurais pu être enceinte de jumeaux sans m'en apercevoir – mais je savais ce que c'était. N'avais-je pas vu ma mère mourir de la même chose ? D'abord ses seins, puis son foie, ses poumons, ses os, et puis tout, partout.

J'avais pris rendez-vous avec mon médecin pour la semaine suivante, elle ne pouvait pas avant. La voix guillerette de la secrétaire s'était refroidie lorsque j'avais donné mon nom, et je savais pourquoi. L'année dernière, j'avais appelé, paniquée, après avoir senti une protubérance bizarre sur le côté de mon abdomen… qui n'était en fait que l'os de ma hanche. Bon, comment pouvais-je le savoir ? ai-je pensé, aussi maussade que je l'avais été quand l'infirmière avait rendu son verdict, avant de sortir de la salle d'examen pour rire comme une baleine. Passez dix ans aux alentours de cent soixante kilos, et on verra si vous saurez reconnaître vos os quand vous les retrouverez.

Mais cette fois-ci ce n'était pas pareil. C'était gros, d'une fermeté étrange, et ça enflait de jour en jour. Je savais ce que c'était, et au fond de moi j'avais toujours su que ça arriverait. La malchance me rattrapait toujours. J'étais le genre de fille à ne pas avoir de bol. Le cancer avait dévoré ma mère et s'était régalé, et maintenant, il revenait à Crescent Drive pour voir si j'avais le même goût. Peut-être que ce ne serait pas si affreux que ça, ai-je songé, allongée sur mon matelas de luxe, les yeux rivés sur les moulures que j'avais fixées au plafond à la colle chaude, tandis que mon horloge faisait entendre son doux tic-tac à côté de moi. Je pourrais tout laisser tomber, à commencer par les sites de rencontre. Finis, les mecs bizarres et les moustaches-surprises ; finis, les types qui avaient l'air normaux mais qui sortaient tout droit de la quatrième dimension. Je pourrais me contenter de lire, de rester au lit à manger des gâteaux et de la glace, en attendant la fin… C'est à ce moment-là que j'ai entendu frapper à la porte, que je suis descendue et que ma meilleure amie est apparue sur le seuil, comme au bon vieux temps.

4

Quand Jordan Novick, chef de la police de Pleasant Ridge, arriva sur le parking du drugstore ouvert de nuit, la jeune femme était au bord des larmes.

« Je ne comprends pas ce qui se passe, dit-elle en brandissant sa clé électronique et en haussant la voix pour couvrir les braillements du bébé dans ses bras. C'est une voiture toute neuve. Normalement, il suffit de s'en approcher avec la clé, on n'a même pas besoin d'appuyer sur quoi que ce soit. Mais la porte refuse de s'ouvrir depuis tout à l'heure.

— Ne vous inquiétez pas », dit-il, tout en la jaugeant d'un rapide coup d'œil (réflexe purement professionnel, bien sûr).

Un mètre soixante-cinq, soixante kilos, blanche, cheveux bruns, yeux marron. Jogging, queue-de-cheval, tache de vomi ou de compote séchée sur son tee-shirt, sac à langer sur l'épaule, sac de courses en plastique recyclé à la main, lueur de panique dans des yeux cernés.

« Et si vous vous mettiez au chaud dans ma voiture, vous et le petit ? »

Elle acquiesça, pleine de reconnaissance, et bafouilla des remerciements tandis qu'il l'accompagnait jusqu'à son véhicule pour la faire asseoir sur la banquette arrière. Il prit la clé électronique – qui n'était même pas une clé, d'ailleurs, mais un rectangle en plastique –, ferma la portière et resta planté là un instant, promenant son regard sur le parking. Le drugstore se situait à une extrémité du petit centre-ville de Pleasant Ridge, dont Patti aimait dire, pour plaisanter, qu'il avait été classé « mimi ». À côté du parking se trouvait l'hôtel de ville, un majestueux bâtiment en brique orné de colonnes doriques, devant lequel était érigé un monument en marbre à la mémoire des morts de la Seconde Guerre mondiale. Suivaient le magasin bio, une cafétéria où l'on pouvait s'acheter un scone à quatre dollars ou un cappuccino à cinq, le bureau de poste, une librairie, et une poignée de boutiques qui vendaient des articles comme des pots-pourris ou des poteries. Jordan frotta pensivement sa mâchoire mal rasée, puis agita la clé électronique près de la portière de la Prius que la dame lui avait indiquée. Rien. En balayant du regard les rangées de voitures garées sur le parking, il repéra trois autres Prius. La deuxième avait un siège-auto à l'arrière, et ses serrures s'ouvrirent docilement lorsqu'il s'en approcha. « Affaire classée », dit Jordan, avant de se retourner pour s'assurer que personne ne l'avait entendu.

Lorsqu'il revint à sa voiture, la femme avait relevé son tee-shirt pour allaiter son bébé. Jordan aperçut son ventre blanc et l'arrondi de son sein, et détourna aussitôt les yeux.

« Je suis vraiment désolée, murmura-t-elle, honteuse. Je n'avais plus de paracétamol et mon mari est en déplacement. Je ne savais pas quoi faire d'autre que vous appeler.

— Vous avez bien fait, répondit Jordan. Je crois que j'ai élucidé le mystère. »

Il lui expliqua, sans la regarder, qu'elle s'était trompée de voiture.

La femme s'effondra contre la banquette en se frappant le front de sa main libre.

« Vous devez penser que je suis la plus grosse imbécile du monde.

— Non, madame », dit-il très sincèrement.

Le plus gros imbécile du monde, c'est le type – le *policier* – que sa femme trompe avec son dentiste et qui ne s'est pas étonné de la lingerie toute neuve, ni de l'inscription à la salle de gym, ni du fait qu'elle se balade subitement avec la bouche pleine de dents d'une blancheur aveuglante.

« Ce sont des choses qui arrivent », ajouta-t-il.

Il attendit qu'elle ait fait faire son rot au bébé (celui-ci s'appelait Spencer, et Jordan ne savait pas si cela en faisait une fille ou un garçon), puis il la raccompagna jusqu'à sa voiture.

« Soyez prudente sur la route », dit-il tandis qu'elle attachait Spencer dans son siège.

Elle boucla sa ceinture et lui fit un signe las en partant.

Les mains enfoncées dans les poches de sa parka, Jordan observa le ciel nocturne. Quelque chose va arriver, songea-t-il, mais il était incapable de savoir pourquoi il avait cette impression, ni ce qu'il sentait venir au juste. La neige, probablement – la neige arrivait souvent vers la fin du mois de novembre à Chicago… Mais peut-être s'agissait-il d'autre chose, de quelque chose de meilleur. Jordan inspira profondément, puis monta dans sa voiture pour rentrer au poste et taper son rapport sur l'« Affaire de la Prius qui ne voulait pas s'ouvrir », de loin le plus gros événement de sa soirée. Quelque chose allait arriver, et il ne lui restait plus qu'à espérer qu'il serait prêt le moment venu.

5

La famille de Valerie Adler a emménagé dans la maison vert et brun clair en face de chez nous en juin 1983, l'année de mes neuf ans. Ils sont arrivés un samedi matin. Mon frère, ma mère et moi étions assis à la table de la cuisine quand la camionnette de déménagement a tourné au coin de la rue dans un rugissement de moteur. Attirés par le bruit, nous sommes allés au salon pour regarder dehors. J'entendais ronfler la tondeuse à gazon de nos voisins (M. Bass était certainement derrière, en maillot de corps et sandales de cuir qui laissaient voir ses ongles jaunes et épais, pendant que sa femme surveillait les opérations depuis leur véranda, un livre de poche à la main, lui indiquant les endroits où il n'était pas passé.)

« De nouveaux voisins ! a crié Jon à mon père, resté à son poste aux fourneaux, où il préparait ses délicieux pancakes.

— C'est vrai ? »

Posant les mains sur les épaules de Jon, ma mère s'est hissée sur la pointe des pieds. Elle a observé le camion quelques secondes avant de retourner dans la cuisine. Ce matin-là, elle portait son peignoir bleu en coton, et elle s'était fait une grosse tresse qu'elle gardait devant son épaule. Sa poitrine se balançait au-dessus de sa ceinture qui faisait à peine le tour de sa taille, et ses pieds larges forçaient sur les coutures de ses mules.

C'était l'année où j'avais commencé à comprendre que la plupart des mères ne ressemblaient pas à la mienne, que ma famille se distinguait des autres familles de Pleasant Ridge. Parmi les mamans de mes camarades de classe, il y en avait des maigres et des rondelettes, mais ces dernières étaient bien loin d'atteindre la corpulence de ma mère, pour qui se lever d'une chaise ou sortir de notre break représentait un effort surhumain, et qui était obligée de rester debout pendant les réunions parents-professeurs, ne tenant pas derrière les petites tables.

« Waouh, t'as vu ça ! » avais-je entendu Lauren Felsey chuchoter à Kara Tait, le jour où maman était venue à l'école pour présenter son métier. J'avais été furieuse contre Lauren, mais aussi contre ma mère, parce qu'elle n'avait rien d'une maman normale, en jean ou pantalon de toile, bien coiffée et dynamique. Ma mère était grosse, douce, rêveuse, et jusque-là je l'avais toujours trouvée belle. Elle avait la peau claire et les joues roses comme une poupée peinte, des yeux bleus tout ronds et des cheveux châtain clair qui lui tombaient jusqu'au bas du dos. Le soir, j'adorais m'allonger sur son lit pour la regarder brosser ses cheveux, aussi légers et duveteux que les boules plumeuses des pissenlits passés. Elle avait une voix magnifique, et même si elle se déplaçait lentement, elle le faisait avec grâce et légèreté, comme mue par d'invisibles coups de vent. En maternelle, je l'avais dessinée avec un corps fait de nuages sur un fond au crayon bleu ; grosse, cotonneuse et aussi immatérielle que l'air. Je m'étais représentée sur le sol, une patate courtaude couleur chair avec des gribouillis marron en guise de cheveux, retenant ma mère par le lacet de sa chaussure comme pour la garder reliée au monde.

Mes parents s'étaient rencontrés en colonie de vacances l'été de leurs dix-sept ans. Ma mère s'occupait de la chorale et écrivait la comédie musicale de fin d'été au camp Wa-Na-Kee-Tah, tandis que mon père, bronzé et large d'épaules, animait l'atelier tir à l'arc au camp pour garçons installé de l'autre côté du lac. Ils ne m'avaient jamais expliqué comment ils s'étaient connus. Parfois, j'imaginais que cela s'était passé dans l'eau ; que par un bel après-midi d'été ma mère avait entrepris de traverser le lac à la nage pour rapporter la hampe d'une flèche perdue, et que mon père avait nagé à sa rencontre.

Ils étaient tous deux allés à l'université, puis mon père avait servi au Vietnam. Ils s'étaient retrouvés lors d'une réunion des anciens animateurs du camp, l'été de leurs vingt-cinq ans. Mon père enchaînait les petits boulots – il avait conduit des cars scolaires pendant un temps, et faisait à l'époque la plonge dans un restaurant. Ma mère travaillait au grand magasin Marshall Field's, rédigeait des publicités pour les journaux, et chantait le soir dans les représentations du théâtre communautaire. Elle habitait un appartement au centre-ville avec deux colocataires. « Je suis allé la voir et je lui ai dit : “Comment va la plus jolie fille du dortoir numéro huit ?” » Voilà comment mon père racontait leurs retrouvailles. « Oh, Ron », le grondait alors ma mère en lui donnant une tape avec sa main ou un torchon. Mais on voyait que l'histoire lui plaisait. Ils se sont mariés huit mois après cette réunion, avec les colocataires de ma mère comme demoiselles d'honneur.

Mes parents ont emménagé à Pleasant Ridge, ont eu un petit garçon, mon frère Jon, puis moi, dix-huit mois plus tard. Au quatorze Crescent Drive, tout était calme, sans éclats de voix, sans la moindre porte claquée. En grandissant, j'ai appris que c'était à cause de ce qu'avait vécu mon père pendant les quatre mois dont il ne parlait jamais, les mois qu'il avait passés à la guerre. Il était aussi beau que sur les photos du camp de vacances, mais plus pâle, plus pensif, nerveux et mal à l'aise quand il n'avait pas un marteau, un tournevis ou n'importe quel autre outil dans la main. Mon père tressaillait si l'on refermait la porte du réfrigérateur un peu trop vite, ou si l'on ouvrait une canette de soda sans qu'il s'y attende. Un jour, alors qu'on était assis à table, une voiture avait pétaradé dans la rue, comme un coup de feu dans l'air tranquille de l'été. Mon père avait sursauté, surpris comme sous l'effet d'une gifle. Ma mère l'avait conduit au salon, l'avait pris dans ses bras en lui murmurant des paroles inaudibles, tout en dégageant les cheveux de son front.

« Maman ? avais-je chuchoté en me glissant dans la pièce.

— Addie, va chercher un verre d'eau pour ton père », avait-elle dit sans le lâcher, sans même me regarder.

J'avais couru à la cuisine, et en revenant, je les avais trouvés assis sur le canapé. Des gouttes de transpiration perlaient sur le front de mon père, mais il avait quand même réussi à me sourire, et sa main avait à peine tremblé lorsqu'il avait pris le verre.

« Excuse-moi, l'amie, m'avait-il dit. Juste un petit moment de faiblesse. »

Une fois adulte, j'ai compris que c'était la guerre qui l'avait affaibli. Mon père avait été un élève studieux à l'université, promis à un avenir brillant dans le droit ou la gestion, mais ce qu'il avait vu ou fait à l'étranger avait coupé court à ces perspectives. Il était incapable d'exercer un métier avec des horaires de bureau, il ne supportait pas de rester enfermé toute la journée, ne pouvait pas faire face aux contraintes telles que respecter des délais, obéir à un supérieur ou être en contact avec le public. Il travaillait donc comme homme à tout faire : petites réparations, peinture, pose de bardeaux, déneigement des allées en hiver. Une fois tous les deux ou trois mois, je l'aidais à afficher des annonces à l'épicerie et au bureau de poste. BESOIN D'UN HOMME BRICOLEUR ? JE SUIS LÀ POUR FAIRE CE QUE VOTRE MARI NE FAIT PAS ! Je les décorais avec un dessin de mon père juché sur une échelle, en train de peindre une maison ou de changer les ampoules d'un lustre. Il me jurait que les annonces illustrées recevaient le double d'appels par rapport à celles qui ne l'étaient pas.

Ma mère travaillait à plein temps. Au début, elle rédigeait des publicités, puis elle a commencé à écrire des messages pour les cartes de vœux Happy Hearts – faire-part de naissance, cartes d'anniversaire, de prompt rétablissement, de condoléances. Au cours des années 1980, elle s'est mise à rédiger des cartes pour Hanoukka, Kwanzaa et la fête des Secrétaires. À la fin, elle travaillait exclusivement pour la collection Moments modernes, qui proposait, entre autres, une carte à envoyer à quelqu'un qui suivait une cure de désintoxication (« *J'apprends avec plaisir / Que tu as pris cette décision importante / D'aller chercher l'aide dont tu as besoin / Pour toi-même et pour ceux qui t'aiment* »).

Notre maison, de style rustique, était construite sur deux niveaux, briques en bas et peinture jaune pâle en haut, avec trois chambres à l'étage (une petite et deux minuscules), une cuisine et une salle à manger-salon au rez-de-chaussée, ainsi qu'un sous-sol, mon endroit préféré. D'un côté se trouvait la salle de jeux, avec un bout de moquette rouge et bleu venant de la chambre de Jon posé sur le sol en béton, et un coffre à jouets en bois dont la peinture verte était écaillée ; de l'autre côté l'atelier de mon père. Il avait mis un tapis en laine de couleur vive par terre, un canapé en cuir noir usé contre un mur, et une vieille télévision sur une table basse juste devant. Ses outils – poinçons et marteaux, niveaux à bulle, burins et scies – étaient suspendus en rang sur un plateau perforé, et il avait installé un long établi sur des tréteaux à côté d'une scie à onglets. Des boîtes en plastique remplies de morceaux de tissu, de fils, de perles, de tubes de peinture et de rouleaux de fil métallique trônaient au bord de la table, près d'un tourne-disque placé dans une valise en plastique granuleux avec une poignée orange vif, qui permettait à mon père d'écouter ses enregistrements de spectacles comiques (Bill Cosby, George Carlin, Richard Pryor, Steve Martin, Bob Newhart et les Monty Python) tout en fabriquant ses pantins, des marionnettes complexes aux membres et à la mâchoire articulés et au visage peint.

Jon et moi étions les principaux destinataires de ses créations. Mon frère avait une collection complète de pantins vikings (ils ramaient sur un bateau en bois sculpté), une dizaine de soldats vêtus de minuscules manteaux de feutre rouge, et un Superman qui avait vraiment l'air de voler, suspendu au-dessus de son lit par du fil de pêche. Moi, j'avais Flora, Pâquerette et Pimprenelle, en plus d'Aurore, de *La Belle au bois dormant*, et une paire de marionnettes qui ressemblaient à mes parents (les cheveux de la maman avaient été fabriqués à partir de boules de coton dont j'avais séparé et peigné les fils, et le papa portait un cardigan miniature exactement comme celui de Mister Rogers). Pour mon anniversaire, mon père travaillait déjà sur un personnage à mon effigie, avec des cheveux en fil brun-or et un exemplaire tout petit de *Anne. La Maison aux pignons verts* collé dans les mains. Mon père réalisait aussi des pantins pour les nièces et les neveux de ma mère, plus des dizaines d'autres qu'il rangeait dans des boîtes en carton pour les apporter dans des foyers à Chicago, chaque année en décembre. « Tu pourrais les vendre », lui avais-je suggéré un jour. Il avait réfléchi, avant de secouer la tête. « Ils ne sont pas assez sophistiqués pour que les gens les achètent », m'avait-il répondu. Ils n'étaient peut-être pas sophistiqués, mais moi, je les trouvais merveilleux.

Pendant que ma mère écrivait sur la petite véranda, mon père rangeait la maison – il appelait ça du « maintien de l'ordre ». Il faisait la vidange du break, réparait un robinet qui fuyait ou un gond qui grinçait. Il nettoyait le réfrigérateur à fond, sortait les étagères vitrées, les arrosait de produit et les essuyait avec du sopalin avant de les remettre en place. Il balayait et passait la serpillière dans le garage, triait les affaires dans nos armoires pour mettre de côté celles qui étaient devenues trop petites, et faisait les courses deux fois par semaine. L'après-midi, il redescendait au sous-sol. La lampe col de cygne qu'il avait récupérée sur un trottoir un jour de ramassage des ordures était alors orientée de manière à projeter un cône de lumière vive sur son ouvrage – qu'il s'agisse de découper un manteau ou une robe en miniature, ou de peindre une paire de chaussures sur les pieds d'un pantin. Un de ses disques passait en fond sonore et, parfois, une canette de bière ouverte était posée sur l'établi. « Salut, l'amie », disait-il. Il me tendait le balai, et je faisais un petit tas odorant avec les copeaux de bois avant qu'il monte à l'étage rejoindre la famille.

L'été, Jon passait ses après-midi à la piscine. L'hiver, il allait faire du patin à glace à Kresse Park. Il balançait son sac à dos dans le placard et repartait en coup de vent à peine quelques minutes plus tard, ses patins attachés ensemble et jetés par-dessus son épaule. Il jouait au football en automne et au tee-ball[1], puis au base-ball, au printemps. De mon côté, je ne faisais partie d'aucune équipe, ma timidité et mon manque de coordination

1. Sorte de base-ball pour enfants. *(Toutes les notes sont de la traductrice.)*

s'étant révélés très handicapants assez tôt dans ma vie. Mes chevilles flageolaient quand je patinais, et quand je nageais, je restais toujours du côté où j'avais pied, une main prête à s'agripper au rebord. Je passais donc la plupart de mes après-midi dans l'atelier de mon père, assise sur le canapé, faisant mes devoirs, dessinant et peignant pendant qu'il sciait, ponçait et riait avec les Monty Python. « Ceci, monsieur, est un ex-perroquet ! » récitions-nous en chœur. Il y avait au sous-sol un petit réfrigérateur où il gardait ses bières et du jus de raisin pour moi et, de temps en temps, une barre chocolatée que nous partagions. Il avait aussi installé une bouilloire électrique dans laquelle il préparait du café soluble ou du chocolat chaud en hiver.

Je savais, en observant les autres familles de Crescent Drive et les enfants de l'école, que j'étais la seule dont le père restait à la maison pendant que la mère travaillait. La plupart des papas prenaient le train de sept heures quarante-quatre pour Chicago. Mon car scolaire passait tous les matins devant eux, et je les voyais alignés sur le quai dans leurs costumes, mallette à la main, en train de lire un journal plié en trois. En vérité, j'aimais avoir mon père à la maison ; rien ne me plaisait plus que de me lover sur le canapé du sous-sol pour travailler sur de longues divisions, des fractions ou de l'orthographe, et de l'entendre m'appeler « l'amie ». J'adorais ce petit nom. À l'école, je n'étais l'amie de personne. Même si je connaissais la plupart de mes camarades de classe depuis la maternelle, elles semblaient avoir noué des alliances secrètes à mon insu ; c'était comme si chacune des filles avait déjà sa meilleure copine, et moi je restais toute seule, sauf quand la maîtresse avait pitié de moi et me laissait manger mon casse-croûte à mon bureau ou peindre pendant les récrés. Plus tard, je me suis aperçue qu'avoir vu tous ces spectacles comiques ne m'avait pas aidée. Ce n'était pas en récitant mot pour mot le sketch de Bill Cosby sur les dentistes ou le numéro de George Carlin sur l'absence douteuse d'aliments bleus qu'on s'attirait la sympathie des autres petites filles.

Jon et moi regardions donc par la fenêtre quand une Coccinelle VW d'un rouge décoloré s'est garée derrière la camionnette de déménagement. Une femme grande et bronzée, vêtue d'une jupe longue en tissu indien enroulée assez bas autour des hanches, les cheveux blonds relevés en chignon, est descendue de la place du conducteur. Elle portait des lunettes de soleil de star, énormes et opaques, des tongs en cuir, et une enfilade de bracelets turquoise et argent autour d'un poignet.

« Des hippies », a dit mon père. Il avait fini par s'approcher de la fenêtre, le saladier de pâte à crêpes coincé sous le bras. Il était rasé de près, et ses cheveux peignés en arrière dégageaient son grand front blanc. J'étais prête à parier qu'il avait encore dormi dans le canapé du salon, cette nuit-là. « Il fait des cauchemars », m'expliquait ma mère quand je lui posais la question. Jon avait une autre théorie : selon lui, mon père couchait au sous-sol parce que nos parents ne s'aimaient plus. « Maman est une grosse vache », avait-il lancé, et je l'avais frappé de toutes mes forces sur le bras, avant de me mettre à pleurer. Il m'avait dévisagée un moment, puis m'avait serrée un peu rudement contre lui avec son bras valide. « Ne pleure pas, m'avait-il dit. Ce n'est pas ta faute. » Ce qui ne revenait pas à admettre que ce n'était pas vrai.

« Des hippies dans Crescent Drive ? » a crié ma mère depuis la cuisine.

Jon a failli siffler quand la femme aux bracelets s'est étirée, les bras au-dessus de la tête, exposant une partie de son ventre. Puis la porte de la Coccinelle s'est ouverte du côté passager, et une fillette qui devait avoir à peu près mon âge en est sortie. Elle portait un short en jean informe et un tee-shirt blanc miteux. Elle avait de vieilles tennis blanches montantes aux pieds (des tennis de garçon, ai-je songé, et j'ai rougi pour elle). C'était une grande perche aux coudes noueux et aux poignets étroits.

« Regarde, l'amie, ils ont une fille, a observé mon père.

— Mais c'est super ! a crié ma mère. Addie, tu pourrais peut-être aller les saluer. »

J'ai fait non de la tête. Il y avait des gens – mon frère, par exemple – pour qui parler à des inconnus n'était pas un problème. Et puis il y avait ceux, comme moi, qui devaient réfléchir à ce qu'ils allaient dire, répéter les mots dans leur tête, et qui se retrouvaient quand même, le moment venu, avec la bouche sèche, à bégayer ou à débiter de longues tirades de Bill Cosby.

« Allons, a insisté ma mère. On pourrait leur préparer des cookies ! »

L'idée était alléchante, mais pas suffisamment. J'ai de nouveau secoué la tête. Ma mère est revenue au salon, m'a pris les mains et les a serrées. Je sentais son odeur, un mélange de savon Ivory, de vanille et de laque, en plus de son parfum Anaïs Anaïs.

« Addie, a-t-elle dit en se penchant pour me regarder. Imagine-toi à la place de cette petite fille. Tu viens d'arriver dans une nouvelle ville, tu ne connais personne... Ça ne te ferait pas plaisir que quelqu'un vienne t'accueillir dans le quartier ? »

Je n'ai pas répondu. Je ne savais pas quoi penser de cette fille qui semblait plus à l'aise que je ne l'avais jamais été, et qui n'avait pas l'air de se rendre compte que ses vêtements, ses chaussures et sa coiffure n'allaient pas du tout.

Jon a jeté un autre coup d'œil par la fenêtre.

« Elle nous regarde », a-t-il fait remarquer.

J'ai retenu mon souffle tandis que la fille observait notre maison, les mains dans les poches. Une marelle était dessinée à la craie dans notre allée, à côté de mon vélo avec sa selle banane et ses serpentins mauves et argent sur le guidon. On aurait aussi bien pu dresser une pancarte dans notre jardin avec, écrit en gros : ICI, FILLETTE DE NEUF ANS !

La fille a scruté la fenêtre, et l'espace d'un instant j'ai eu l'impression qu'elle me regardait droit dans les yeux. Puis elle a traversé la rue d'un pas décidé pour venir jusque chez nous. Nous l'avons entendue frapper à la porte, et je me suis tournée vers ma mère.

« C'est toi qui ouvres ! » ai-je chuchoté.

Elle m'a regardée, sidérée.

« Adelaide, tu peux y aller toute seule. »

J'ai secoué la tête, tout en me demandant si j'avais le temps de courir à la cuisine pour engloutir un demi-pancake. Jon a soupiré, puis il s'est levé.

« Allez, viens. »

Il m'a prise par la main – avec une certaine gentillesse –, m'a traînée jusqu'à la porte et l'a ouverte.

« Bonjour », a dit la fille.

Elle avait une voix grave, un peu voilée. Une voix unique.

« Je suis Valerie Violet Adler. Et vous ?

— Moi, c'est Jon, et voici Addie. Ravi de te rencontrer. »

Mon frère m'a tapotée dans le dos pour m'encourager, et il m'a laissée plantée là. Nous nous sommes dévisagées pendant un moment, la fille et moi. Elle avait les pommettes criblées de taches de rousseur et des dents de lapin tout ébréchées. Autour d'une cheville, elle portait un bracelet de perles aux couleurs vives enfilées sur un fil bleu. C'était la première fois que je voyais ça, mais j'avais subitement la certitude que je ne pourrais plus vivre un jour de plus sans en avoir un moi aussi.

« On vient de Californie, a-t-elle dit en ramenant derrière son oreille les cheveux qui s'étaient échappés de sa queue-de-cheval.

— Salut, ai-je murmuré, d'une voix si faible que j'ai eu du mal à m'entendre moi-même.

— J'aime bien ton vélo.

— Tu veux que je te le prête ? »

Oh non, ai-je pensé en rougissant jusqu'aux oreilles. Ce n'était pas la bonne question. J'aurais dû lui demander si elle avait un vélo, lui proposer d'aller faire un tour…

« Non, j'ai le mien là-bas, a-t-elle répondu en montrant la camionnette avec son pouce. On pourra peut-être se balader plus tard. Tu me feras visiter. »

J'ai regardé cette nouvelle fille, prête à lui offrir ce que je possédais de plus précieux, le secret que personne d'autre ne lui révélerait probablement.

« La dame qui vivait dans ta maison est morte ici. »

Ses yeux se sont agrandis.

« C'est vrai ? Elle est morte dans la maison ?

— Oui. C'était en plein milieu de la nuit, et quand l'ambulance est arrivée, ç'a réveillé tout le monde. »

Je ne lui ai pas dit que M. DiMeo sanglotait en tenant la main de sa femme lorsqu'elle avait été emmenée sur un brancard, ni qu'il était parti une semaine plus tard en maison de retraite, où il avait fini par mourir. Je gardais ça pour après.

« Oh, a fait Valerie. C'était ma grand-mère.

— C'est vrai ? »

Je me suis demandé pourquoi je ne l'avais jamais vue avant.

Elle s'est passé la langue sur ses dents de devant.

« C'est arrivé dans quelle pièce ?

— Dans la grande chambre, je crois. »

J'avais déjà envie de lui demander si elle voulait bien être ma meilleure amie, tout en n'étant pas certaine d'oser le faire.

« Mais ne t'inquiète pas. C'est sans doute tes parents qui dormiront dedans.

— Ma mère, a-t-elle rectifié. Je vis avec ma mère. Mes parents sont divorcés.

— Oh. »

Je ne connaissais personne dont les parents étaient séparés. Ça me semblait à la fois tragique et très glamour. Surtout tragique, me suis-je dit en pensant à mon père, au sous-sol, lorsqu'il sortait son canif en chantonnant pour couper un Snickers et m'en donner la moitié.

« C'est pour ça qu'on a déménagé. Mon père est cascadeur, alors il ne pouvait pas quitter la Californie. C'est là qu'on tourne les films.

— Oh, ai-je répété. Waouh. »

On est restées là un moment, Valerie sur le seuil avec ses taches de rousseur, ses croûtes et ses cheveux emmêlés, et moi la main sur la poignée, avec ma jupe empesée qui bruissait autour de mes genoux. Je me souviens du pansement aux bords crasseux qu'elle avait sur le coude, de l'odeur de mélasse et de bacon, de la brume de pollen dans l'air humide. Je me souviens d'avoir éprouvé, même alors, le sentiment que ma vie était en équilibre au sommet d'un triangle – un pivot, m'avait précisé mon père –, sur le point de basculer d'un côté ou de l'autre.

Sur le trottoir d'en face, la belle femme nous a adressé un signe de la main. Ses bracelets d'argent ont glissé le long de son bras en cliquetant. Je l'ai saluée à mon tour tandis que Valerie jetait un coup d'œil morose derrière elle.

« Je peux entrer ? a-t-elle demandé. Ma mère veut sans doute commencer à défaire les cartons. »

Elle a bâillé à s'en décrocher la mâchoire.

« On a roulé toute la nuit, m'a-t-elle confié en rejetant sa queue-de-cheval par-dessus son épaule. Enfin, pas toute la nuit. On s'est arrêtées sur une aire de repos et on a dormi dans la voiture. Tu as déjà fait ça ? »

J'ai secoué la tête. Quand on voyageait en voiture avec mes parents, on partait toujours armés d'une carte routière et de réservations dans des hôtels le long de la route. Ma mère préparait des pique-niques, avec des sandwichs à la dinde, des œufs durs, des bâtonnets de carotte et une thermos remplie de lait.

« Tu pourrais camper dehors, a suggéré Valerie. Dans ton jardin. Je te montrerai comment fabriquer une tente. Il suffit d'un vieux drap. »

J'ai acquiescé. Je nous imaginais déjà, côte à côte sous un drap blanc éclatant qui formerait un triangle parfait, nos visages éclairés par des lampes de poche. Valerie s'est mise à renifler.

« Vous êtes en train de prendre le petit déjeuner ?

— Tu as faim ? »

Son ventre a gargouillé avant qu'elle ait eu le temps de répondre. J'ai ouvert la porte toute grande en faisant une petite révérence avec mon bras, un geste que j'avais dû voir à la télé.

Je l'ai invitée à entrer, et c'est ce qu'elle a fait.

6

Dans la cuisine, la bouilloire s'est mise à siffler. J'ai baissé le feu, puis j'ai observé ma vieille amie. Sous son manteau, une robe rouge, très échancrée dans le dos, lui moulait la poitrine et les hanches. Elle portait une ceinture à larges maillons dorés et des escarpins à talons hauts et bout pointu. Des diamants étincelaient à ses oreilles et sur sa main droite, et un grand sac à main rouge en cuir souple pendait à son épaule.

« Tu es seule ? »

Non, j'ai une troupe de Chippendales dans ma chambre, tout luisants d'huile pour bébé et vêtus de toges minuscules !

« Oui, Valerie, je suis seule. Qu'est-ce que tu veux ? ai-je dit sur un ton un peu sec.

— Je n'arrive pas à croire que tu habites toujours ici », a-t-elle murmuré en contemplant la cuisine, qui avait beaucoup changé depuis la dernière fois qu'elle était venue.

J'avais enlevé le lino et posé des carreaux de terre cuite vernissée. J'avais arraché la crédence en miroir, véritable relique des années 1970, et banni le Formica jaune et l'électroménager vert avocat, pour les remplacer par des tons plus doux : crème, blanc, et un somptueux rouge sur les murs. L'évier en porcelaine, équipé d'un robinet magnifiquement arrondi qui m'avait coûté les yeux de la tête, était installé sous la fenêtre qui donnait sur le jardin. Il y avait aussi une nouvelle table ronde en chêne, des rideaux crème repassés avec soin autour des fenêtres neuves, des meubles que j'avais peints moi-même. Mais les alcools, la collection de bouteilles poussiéreuses de Chivas ou de rhum Ronrico dont certaines m'avaient été offertes et d'autres dataient du mariage de mes parents se trouvaient toujours au même endroit, dans le meuble au-dessus du réfrigérateur.

Val s'est hissée sur la pointe des pieds pour attraper une bouteille de vodka, avant de farfouiller dans le congélateur et d'en sortir une poignée de glaçons.

« Tu bois quelque chose ? »

J'ai secoué la tête. Elle a jeté la glace dans un verre, versé un peu de vodka par-dessus, et tout avalé d'un trait. Puis elle s'est juchée sur le plan de travail à côté de l'évier – son vieux perchoir préféré, où je l'avais vue des centaines de fois balancer ses longues jambes, avec ses chaussettes blanches crasseuses et ses genoux décorés de croûtes ou de pansements.

« Où sont Ron et Nancy ? »

Elle se forçait à prendre le même ton qu'avant, cette gaieté insouciante avec laquelle elle avait l'habitude de s'adresser à mes parents (comme cela l'avait amusée d'apprendre qu'ils portaient les mêmes prénoms que ceux de notre président et de la première dame !).

J'ai pris la bouilloire sur la cuisinière.

« Ils sont morts.

— Tous les deux ?

— Oui. »

Un voile de chagrin a assombri le visage de Valerie. Ses lèvres ont tremblé ; ses sourcils soignés se sont rapprochés. Elle prenait sans doute la même expression pour annoncer aux habitants de Chicago et des alentours que des orages allaient éclater juste pendant un week-end de trois jours.

« Je suis désolée. Depuis que ma mère a déménagé, je ne sais plus ce qui se passe dans le quartier ! C'était quand ?

— Ça fait un moment déjà. »

J'ai pris deux tasses sur l'étagère, sorti des petites cuillères, des sachets de thé et du sucre.

« Tu veux du thé, ou tu préfères continuer avec l'alcool fort ? »

Val a secoué la tête. J'ai remis une tasse à sa place et rempli l'autre pour moi, tandis qu'elle se frottait les cuisses, puis serrait ses bras autour d'elle.

« Et Jon ? »

Elle a sauté du plan de travail pour faire le tour de la pièce, s'arrêtant devant un tableau d'une pomme Granny Smith dans une coupe en cuivre.

« C'est toi qui l'as fait ? »

J'ai acquiescé.

« Joli, a-t-elle dit, avant de s'approcher du réfrigérateur pour lire la note que j'avais accrochée là. Des obsèques militaires ? Tu t'es engagée dans l'armée ?

— Valerie, ai-je soupiré. On ne s'est pas parlé depuis des années, et tu débarques en plein milieu de la nuit avec du sang sur ton manteau…

— Je peux tout expliquer », a-t-elle répondu en se ratatinant dans sa robe rouge.

Sa voix n'était plus seulement voilée, mais rauque.

« Je vais tout te raconter, mais il faut que tu me promettes que tu vas m'aider. »

Je ne te promets rien du tout, ai-je voulu protester, mais je n'ai pas eu le temps.

« C'est à propos de Dan Swansea », a ajouté Val.

Ce nom m'a donné la chair de poule. Ma bouche est devenue toute sèche.

« Eh bien ?

— Il était à la réunion. »

J'ai haussé les épaules. Rien de bien surprenant là-dedans. Dan Swansea avait été une star de l'équipe de foot et le plus beau garçon de notre promo. C'était également un fauteur de troubles, claqueur de bretelles de soutien-gorge, instigateur de batailles de nourriture et de séchage de cours, tricheur créatif et invétéré, le genre de type qui tuait le temps, à l'occasion, en enfermant un pauvre gars dans un vestiaire. Pendant la majeure partie du lycée, il avait aussi été l'objet de mon béguin ultra-secret. Mais, la dernière année, tout avait changé.

« Il était là, a-t-elle répété. Je ne pensais pas que…

— Pourquoi ? » ai-je demandé d'une voix aussi indifférente que possible.

Dan Swansea et ses amis avaient été exclus de la cérémonie de remise des diplômes, mais j'imaginais que personne n'avait pensé à l'époque à leur interdire de participer aux futures réunions des anciens élèves. En l'occurrence, ils avaient pris leur punition à la rigolade. La moitié de la promo, en solidarité avec les garçons, avait séché la cérémonie, et j'avais appris plus tard que Dan et ses copains avaient fait la tournée de toutes les soirées les plus en vue organisées après la remise des diplômes, celles qui s'étaient tenues dans les quartiers ouest de la ville et pour lesquelles les parents avaient fait venir de la bière en tonneau et payé des disques-jockeys. Ils étaient allés à ces fêtes en short de plage et tee-shirt aux initiales du lycée, avaient joué au water-polo dans les piscines privées et porté des filles en bikini sur leurs épaules pour des combats dans l'eau. J'avais reçu mon diplôme sous les huées sporadiques de l'assistance, et passé l'après-midi avec mon père à nettoyer à la brosse les mots « GROSSE PUTE » marqués à la bombe sur notre allée, pendant que Dan et ses amis étaient en train de boire, de danser et probablement de baiser les copines pom-pom girls de Val sur les banquettes arrière des voitures offertes par leurs papas.

« Tu sais quoi ? C'est non, ai-je conclu en reculant ma chaise pour me lever. Je crois que tu devrais partir. »

Comme sur commande, ses grands yeux bleus, qui semblaient plus vifs que dans mes souvenirs (lentilles de couleur, peut-être ?), se sont emplis de larmes. Valerie a cligné des paupières et de grosses gouttes ont coulé sur ses joues, traçant des sillons dans son maquillage. Et sous le fond de teint et la poudre sont apparues ses taches de rousseur, témoins d'une époque où tout était plus simple.

« S'il te plaît, a-t-elle dit en tendant vers moi sa main délicate. S'il te plaît, aide-moi.

— Et si je n'en ai pas envie ? »

Je voulais adopter un ton froid et détaché. Au lieu de ça, on aurait dit une petite fille de trois ans annonçant à ses parents qu'elle n'avait pas l'intention de descendre du manège.

« Addie, s'il te plaît ! »

Les larmes ont coulé de plus belle.

« Ne sois pas si dure.

— Oh, arrête », ai-je grommelé.

Je ne suis pas allée plus loin. Tu m'as brisé le cœur, voilà ce que j'avais envie de lui lancer, mais je ne pouvais pas. C'était ce qu'on reprochait à un petit copain, pas à sa meilleure amie. Elle se serait moquée de moi. Et on s'était assez moqué de moi. J'avais travaillé dur pour que cela cesse, pour ne plus évoluer dans la vie comme une cible vivante, pour qu'il n'y ait plus que moi, mes pinceaux, mes peintures, et mon grand lit vide tous les soirs.

« Tu ne t'es pas comportée comme une véritable amie, ai-je préféré dire.

— Je sais, a-t-elle chuchoté. Tu as raison. Mais, Addie… »

Elle m'a regardée avec ses grands yeux, essuyant ses larmes, braquant sur moi toute la force de sa beauté et de sa vulnérabilité comme un projecteur ou un phare de tracteur, quelque chose qu'on ne peut pas ignorer et à quoi on ne peut pas résister.

« Je suis dans la merde. S'il te plaît. »

Je n'ai rien répondu mais, quand je me suis rassise à la table de la cuisine, son visage s'est éclairé.

« Alors tu vas m'aider ?

— Raconte-moi ce qui s'est passé.

— C'est une longue histoire, a-t-elle répondu en se perchant de nouveau sur le plan de travail.

— Tu peux peut-être me donner la version courte ? »

J'ai regardé ostensiblement l'horloge au-dessus de la cuisinière.

« Je travaille, demain. »

C'était vrai. Valerie n'avait pas besoin de savoir que je travaillais chez moi, et que je n'avais donc pas à pointer à neuf heures pétantes le lendemain. Peindre des cartes de vœux, ce n'était pas comme sauver des vies, même si j'aimais penser que j'apportais de petits bonheurs éphémères aux gens en leur offrant quelque chose de beau et de joyeux pour moins de trois dollars. Ces jours-ci, je peignais un bouquet de jonquilles avec une tulipe rouge-orange éclatante qui émergeait au milieu. Tu es la plus belle d'entre toutes, pourrait-on lire à l'intérieur de la carte.

Valerie s'est tamponné délicatement les yeux avec un torchon.

« Dan Swansea, donc », ai-je dit.

Elle a poussé un petit soupir tremblotant.

« Tu savais qu'il y avait une réunion ?

— Oui, je savais. »

Ces neuf derniers mois, des cartes postales aux couleurs de l'école avaient envahi ma boîte aux lettres, adressées à Adelaide Downs 1992, pour m'inviter à dîner et à danser au country-club de Lakeview, là où s'était tenu le bal de fin d'année auquel je n'avais évidemment pas participé. « Apportez des photos ! » demandaient les cartes. « Donnez des nouvelles ! » Je les avais toutes jetées sans même prendre la peine de les mettre dans la poubelle de tri, n'ayant aucune envie de croiser ces rectangles rouge et crème chaque fois que je passais devant.

« Dan était là… »

Elle s'est remise à se frotter les cuisses.

« Et ?

— Et je crois que je l'ai peut-être tué. »

Je me suis redressée brusquement sur ma chaise.

« Quoi ?

— Tué. Je crois que je l'ai peut-être tué. Je n'en suis pas sûre. »

Je suis restée bouche bée.

« Tu as tué Dan Swansea ?

— De toute façon, il méritait de mourir ! a crié Val avant de descendre du plan de travail et de se mettre à faire les cent pas, ses yeux lançant des éclairs, ses talons claquant sur le carrelage.

— Valerie… »

Je me suis levée pour l'attraper par les épaules, mais elle ne m'a pas laissée faire.

« Valerie ! »

Elle s'est retournée et m'a regardée comme si elle venait de se rappeler ma présence. Je lui ai pris la main pour l'obliger à s'asseoir sur une des chaises autour de la table où se trouvaient le sucrier, ma tasse de thé et ma cuillère, son verre et la bouteille de vodka, exactement comme avant. Je me suis forcée à me calmer, j'ai prié pour garder une voix posée. Si je ne paniquais pas, elle ne paniquerait pas non plus, et elle me raconterait toute l'histoire, une histoire qui aurait du sens, avec un début et une fin, une histoire sans cadavre.

« Raconte-moi ce qui s'est passé. Commence par le début, d'accord ? Commence par Dan.

— Je l'ai vu au bar, a-t-elle dit en baissant les yeux. Il était avec ses amis. »

Valerie a pressé ses mains l'une contre l'autre.

« J'avais décidé de l'ignorer, mais il est venu vers moi. Au début, tout s'est bien passé. Il m'avait vue à la télé, et trouvait super que quelqu'un de notre promo soit devenu célèbre. »

Elle a prononcé le mot « célèbre » avec délectation. Je n'ai pas eu le cœur de lui faire remarquer que présenter la météo ne faisait pas vraiment d'elle une star. Mais après tout elle avait raison : si l'on considérait les curriculums des deux cent quatre-vingt-seize membres encore en vie de notre promotion, Valerie était bien la plus célèbre… À moins que cette place ne revienne à Gordon Perrault, qui s'était bousillé le dos en ramassant des feuilles mortes, avait développé une dépendance malheureuse aux patches de fentanyl (un opioïde puissant), et purgeait actuellement une peine de cinq ans de prison pour avoir braqué une pharmacie, le visage caché derrière un masque de Burger King.

« Je m'amusais bien, j'ai parlé avec plein de gens et j'ai bu quelques verres. La soirée touchait à sa fin quand je l'ai entendu, au bar. Il était avec Chip Mason et Kevin Oliphant, tu te souviens d'eux ? »

J'ai acquiescé, revoyant vaguement deux grands gaillards en maillot de foot.

« Kevin a lancé quelque chose à Dan, du genre : “Hé, Valerie est là, ce soir. Tu veux remettre ça ?” Et Dan a rigolé. Il a rigolé ! »

Je n'ai pas répondu. Bien sûr qu'il avait rigolé. C'était ce que les types comme Dan faisaient tout le temps.

« Ils ne savaient pas que je l'avais entendu, a continué Val, d'une voix de plus en plus aiguë. Alors je suis retournée au bar, et j'ai commencé à le brancher. Tu vois le genre. Je lui touchais le bras, je lui posais plein de questions... Je lui ai proposé de me rejoindre dehors... et de le raccompagner chez lui. Je l'ai attendu, il est sorti, on s'est embrassés et puis... »

Elle a dégluti.

« Je lui ai dit de se déshabiller.

— Pourquoi ? lui ai-je demandé, ahurie.

— Parce que c'est humiliant, a-t-elle répondu, comme si cela coulait de source. Et il fait froid, dehors. Rétrécissement *majeur.* J'ai pris une photo avec mon portable...

— Normal, quoi », ai-je murmuré.

Val a ignoré ma remarque.

« Je suis montée dans ma voiture, je voulais m'en aller, tu vois, le laisser là pour qu'il sache comme c'est agréable d'être la risée de tout le monde. J'ai démarré, mais il s'est accroché au rétroviseur, alors j'ai appuyé sur l'accélérateur, et je crois qu'il s'est jeté devant la voiture. J'étais peut-être en première et pas en marche arrière, et puis... je l'ai... »

Elle s'est caché le visage dans les mains.

« Tu l'as renversé ? »

Elle a baissé la tête, secouée de sanglots silencieux.

« Tu l'as renversé, ai-je répété, sauf que cette fois-ci ce n'était plus une question.

— C'était un accident, a-t-elle murmuré, avant de me lancer un regard de défi. Je crois que c'est la faute de la voiture. J'ai une nouvelle Jaguar, je ne suis pas encore habituée à la puissance du moteur. »

Elle a ramené ses cheveux derrière ses oreilles, d'abord d'un côté, puis de l'autre, un geste que je connaissais bien.

« Il le méritait, a-t-elle ajouté. Pour ce qu'il m'a fait. »

Incapable de parler, je ne pouvais que la regarder. Valerie se tordait les mains sur ses genoux.

« J'ai essayé de ne pas y penser... de ne pas penser à ce qui est arrivé. À ce qu'il... À ce qu'il m'a fait, et à ce qu'il t'a fait. Je regrette tellement, Addie. Tu me voulais du bien, je le sais, maintenant.

— Ce n'est pas grave. »

J'avais la gorge nouée, mes yeux me brûlaient.

« C'était il y a longtemps.

— Mais tu étais mon amie ! » La voix de Valerie s'est brisée, et j'ai détourné la tête, sachant que, si elle se mettait à pleurer, je pleurerais aussi et que les souvenirs m'envahiraient. Je me souviendrais, par exemple, d'un carton rempli de fils de marionnettes emmêlés, ou du visage sans expression, hébété, de mon frère tandis que le proviseur adjoint lui demandait avec impatience qui avait jeté son sac à dos dans l'escalier, ou de la nuit d'Halloween et de la voiture de police garée devant chez moi avec le gyrophare allumé, qui colorait les murs en rouge et en bleu. Je me souviendrais de la voix de Mme Bass au téléphone, lorsqu'elle m'avait appris la nouvelle à propos de mon père. Je me souviendrais de l'instant où j'avais recouvert le corps de ma mère avec la couverture que j'avais tricotée, en lui disant de reposer en paix.

« Que s'est-il passé ensuite ? ai-je demandé.

— Il était allongé à côté des poubelles. En sang. Sa... sa... »

Elle a porté une main à sa tempe.

« Il ne bougeait plus. J'ai essayé de le faire parler, mais il avait l'air sonné. Au moment où j'allais prévenir les secours, j'ai pensé qu'ils pourraient retrouver l'origine de l'appel et qu'on en parlerait dans les journaux. Alors j'ai pris tous ses vêtements, je les ai mis dans la voiture et je suis venue ici, parce que je ne savais pas quoi faire d'autre. »

Elle a levé les yeux vers moi.

« On doit y aller. Il faut que tu viennes avec moi. Il faut qu'on aille voir s'il est… s'il est…

— Mort ? »

Elle a fait un petit bruit qui ressemblait à un miaulement, et s'est emparée de la bouteille de vodka.

« Si je comprends bien, tu n'as pas essayé de revenir au country-club ? Tu n'en as parlé à personne ? »

Val s'est resservi de la vodka.

« J'avais tellement la trouille ! J'avais du sang sur les mains et sur mon manteau ! Et tu sais que j'ai toujours eu horreur du sang.

— Justement, ç'aurait dû te dissuader de renverser quelqu'un avec ta Jaguar », ai-je fait remarquer d'un ton songeur.

J'ai décroché le nouveau téléphone sans fil qui remplaçait celui à cadran de mes parents et je l'ai tendu à Valerie.

« Appelle la police.

— Pour dire quoi ? “Bonjour, je crois que je viens d'écraser un type du lycée, est-ce que vous pourriez aller jeter un œil ?”

— Par exemple.

— On va juste vérifier ! m'a-t-elle implorée. S'il est vivant, on appelle une ambulance, je le promets !

— Et s'il est mort ? »

Elle a vidé son verre, s'est essuyé les joues, puis relevé le menton.

« Alors j'appellerai la police pour me rendre. »

Ah. Valerie Adler n'était pas du genre à appeler la police pour se rendre. Elle était plutôt du genre à voler une voiture et à traverser la frontière pour se planquer au Mexique. Et embarquer son ancienne meilleure amie avec elle comme otage/complice lui ressemblait bien aussi. Elle était toujours prête à faire les quatre cents coups, et c'est pour ça que je l'avais tant aimée quand on était gamines.

« On devrait appeler une ambulance au lieu de rester assises là sans rien faire.

— Tu as raison, a-t-elle répondu en me prenant la main. Va t'habiller, on y va. »

Non, insistait la partie rationnelle de mon cerveau, tandis que je montais dans la chambre que je considérais encore comme celle de mes parents, pour enfiler un jean, un pull et des chaussures noires et lourdes. Tu n'es pas obligée de faire ce qu'elle te dit !

J'ai rassemblé mes affaires en regardant mes mains bouger comme si elles appartenaient à quelqu'un d'autre. Et je l'ai retrouvée dehors. Le brouillard s'était transformé en bruine glacée, les boucles d'oreilles en diamants de Val brillaient au clair de lune ; et quelque part dans le ruisseau du temps, les eaux se déplaçaient. J'avais déjà vécu cette scène, mais je ne le savais pas encore.

Elle m'a tendu ses clés.

« Tu sais conduire ?

— Mieux que toi, apparemment.

— Ah, ah », a-t-elle fait. Puis elle m'a suivie jusqu'à la Jaguar. Elle s'est installée côté passager. J'ai cherché des traces de l'accident – un creux, une aile froissée, un phare couvert de sang –, sans rien repérer. Le savoir-faire britannique est vraiment impressionnant. Je me suis assise derrière le volant, j'ai reculé prudemment dans l'allée, avant de prendre la direction de l'autoroute.

7

Les Adler ont emménagé fin juin, et en juillet Valerie et moi étions déjà inséparables. Chaque matin, dès mon réveil, j'allais lui faire coucou depuis la fenêtre du salon, et elle me répondait en souriant. À midi, quand Jon et moi revenions du centre de loisirs, nous la retrouvions assise devant notre porte, avec son short coupé et ses tongs trop grandes. Parfois, elle lisait un livre du *Club des Cinq*, ou elle faisait rebondir une balle rouge en caoutchouc qu'elle gardait toujours dans sa poche, mais la plupart du temps elle se contentait d'attendre patiemment dans la chaleur moite de l'été. Ma mère nous préparait un casse-croûte et, s'il était à la maison, mon père nous rejoignait pour manger des sandwichs, des chips, des pickles et des fruits, le tout servi avec de la limonade Country Time que nous buvions directement au goulot.

Au bout d'une semaine, nous avions pris l'habitude d'ajouter une assiette à table et de préparer plus de sandwichs. J'en mangeais généralement un ou un et demi, jambon-gruyère ou beurre de cacahouète-confiture, Jon en prenait toujours deux, mais Valerie était capable d'en avaler trois, ainsi qu'une multitude de chips, plusieurs verres de limonade, une pêche, une prune ou les deux, et même, une fois, une barquette entière de myrtilles.

Pendant le repas, mes parents nous posaient des questions : qu'avions-nous fait le matin ? Qu'avions-nous fabriqué en atelier de travaux manuels ? Avec qui avions-nous joué ? Jon, la bouche pleine de pain complet et de viande, débitait les noms d'une demi-douzaine de garçons tout en continuant à enfourner la nourriture dans sa bouche sans que ma mère y trouve rien à redire. Moi, je gardais le silence, je laissais Jon parler. Il y avait une fille, Heather, qui me permettait de m'asseoir à côté d'elle pendant la collation, mais seulement si je lui donnais mes gâteaux. Quand j'avais dit ça à ma mère, elle avait eu l'air triste et m'avait conseillé de rester avec les moniteurs.

Après le déjeuner, ma mère retournait sur la véranda avec un cahier et un pichet de thé glacé. Mon père regagnait le sous-sol ou le garage. Jon posait son assiette et ses couverts dans l'évier, enfourchait son vélo et disparaissait jusqu'au dîner. Et moi, je préparais un goûter – cerises et bretzels, pommes et barres de céréales – et j'attendais que Valerie décide du programme de l'après-midi. Elle débordait d'idées, et j'étais bien contente qu'elle m'en fasse profiter. « Et si on tentait de descendre Summit Drive en skate-board ? » proposait-elle, et hop, nous partions emprunter une planche à roulettes pour essayer. Ou alors : « Viens, on prend nos vélos et on va au ciné ! » Faire du vélo sur des routes très fréquentées me terrifiait, mais l'idée de le lui avouer et de la voir me délaisser pour une autre fille me terrifiait encore plus, alors je la suivais, le cœur battant la chamade, les mains moites agrippées au guidon pendant les trois kilomètres du trajet.

La plupart du temps, cependant, nous allions à la piscine. Jon et moi avions des cartes d'abonnement pour l'été à la base de loisirs de Kresse. Dès que Val avait pu récupérer son vélo dans la camionnette de déménagement, nous y étions allées ensemble. Tandis que j'attachais soigneusement ma bicyclette au garage à vélos, Val avait regardé la pancarte qui indiquait les tarifs d'entrée.

« Je n'ai pas d'argent.

— Oh. » J'avais rougi. Je n'avais pas du tout pensé à ça.

« On peut retourner chez moi. J'ai mon argent de poche...

— Attends... Je reviens ! » avait dit Val, avant de remonter aussitôt sur son vélo.

Quelques minutes plus tard, elle était revenue, tout essoufflée et transpirante, l'air satisfait.

« Bon, voilà ce qu'on va faire. »

Elle voulait que je présente ma carte à la fille du guichet, une adolescente qui semblait toujours s'ennuyer et passait le temps en lisant un magazine et en mastiquant du chewing-gum, puis que j'aille étendre ma serviette dans le coin le plus éloigné de la terrasse, près du grillage. Là, je ferais passer ma carte à Valerie, qui s'en servirait pour entrer à son tour.

« Mais c'est du vol, non ?

— Non. En fait, on paie surtout pour les maîtres nageurs, et je n'en ai pas besoin. Je suis une très bonne nageuse. En Californie, je nageais dans l'océan. »

Elle avait dit ça pour m'impressionner, et ç'avait marché. J'ai attaché mon vélo, présenté ma carte à la fille derrière le comptoir – qui a à peine levé le nez de son *Cosmopolitan* –, et je me suis dirigée vers l'extrémité de la terrasse en béton. Valerie m'attendait. J'ai roulé ma carte en forme de tube pour la glisser à travers le grillage, et quelques minutes plus tard Valerie me rejoignait, une vieille serviette coincée sous le bras, le nœud de son maillot de bain dépassant du col de son tee-shirt, dans son dos.

« Tu vois, a-t-elle dit en étendant sa serviette à côté de la mienne. C'était facile. »

Les jours de pluie, nous préparions dans la cuisine des mixtures avec du beurre de cacahouète, de la noix de coco en poudre et tout ce que nous pouvions dénicher dans les placards, ou bien nous descendions au sous-sol pour faire des allées et venues avec mes vieux patins à roulettes, chacune à son tour, en écoutant le disque favori de Val (et, semble-t-il, le seul), un 45-tours de « The Gambler » de Kenny Rogers. Parfois, mon père chantait en même temps.

Un samedi matin, Val a frappé à notre porte, puis, comme elle avait pris l'habitude de le faire, elle est entrée directement dans la cuisine.

« Addie, tu peux venir chez moi ? Avec ma mère, on va peindre ma chambre. »

J'ai regardé mes parents. Mon père préparait des œufs brouillés. Ma mère rinçait des verres en fredonnant.

« Pas de problème, a-t-elle dit. Vous voulez prendre le petit déjeuner, d'abord ? »

Valerie n'était pas contre. Juchée au bord de sa chaise, avec ses grandes jambes maigres et ses coudes couverts de croûtes, elle a englouti une pleine assiette d'œufs, de pain perdu et de bacon, puis elle a attendu en trépignant que ma mère se décide sur la tenue que je devais porter (après en avoir rejeté deux) : un vieux short et un tee-shirt déchiré destiné à rejoindre la pile de chiffons. Nous nous sommes précipitées dehors et avons traversé la rue en courant, main dans la main.

À la mort de ses parents, Mme Adler avait hérité de la maison de Crescent Drive. Son frère, l'oncle de Val qui vivait à Sheboygan, avait récupéré tous les meubles, et jusque-là, Mme Adler n'avait rien acheté de neuf. Il y avait une table pliante et deux chaises en métal dans la cuisine, un poste de télévision posé sur quatre caisses à bouteilles de lait dans le salon et, devant, le vieux canapé des DiMeo, une antiquité massive en velours rouge et bois sombre sculpté dont l'oncle n'avait sûrement pas voulu, ou qu'il n'avait pas pu faire passer par la porte.

À l'époque des DiMeo, la chambre du haut était meublée d'un lit à deux places, de deux tables de chevet et d'un fauteuil club trapu recouvert d'un tissu imprimé de roses. À présent, la pièce était presque vide, et une couche de plastique recouvrait la moquette jaune, en parfait état aux emplacements du lit et du fauteuil, délavée et tachée partout ailleurs. Plus exactement, une multitude de morceaux de film étirable avaient été posés par terre, et quelqu'un – Valerie ou Mme Adler – les avait scotchés ensemble. Les interrupteurs à nu dépassaient des murs, et les bords du plafond et du sol avaient été protégés avec du ruban adhésif. Une troisième bande de Scotch séparait les murs à mi-hauteur. Deux moules en fer-blanc, l'un rempli de peinture rose, l'autre de peinture verte, étaient posés sur le film étirable. La commode en bois branlante et le lit en métal de Val avaient été poussés au centre de la pièce. Mme Adler était allongée sur le lit, appuyée sur un coude.

« Bonjour, Addie », a-t-elle lancé de sa voix traînante.

Son short, en coton bleu marine avec des liserés blancs, était aussi court que celui de Daisy Duke dans les rediffusions de *Shérif, fais-moi peur !*, et elle ne portait pas de soutien-gorge sous son tee-shirt blanc. Elle sentait la cigarette mentholée et le shampooing Breck, et ressemblait plus à une adolescente qu'à une maman normale avec ses pieds nus, son bandana bleu dans les cheveux et sa fine chaîne en or autour du cou.

« Elle fait quoi, ta mère, toute la journée ? » avais-je demandé un jour à Val, alors que nous barbotions dans le grand bassin de Kresse Park (je restais suffisamment près du bord pour m'y accrocher si besoin).

Toutes les autres mamans que je connaissais étaient très occupées. Elles s'en plaignaient tout le temps : « Je n'en peux plus », disaient-elles, ou : « Je suis épuisée ! » Elles amenaient les enfants du quartier à l'école ou au collège, elles organisaient des réunions de scouts et donnaient des cours de catéchisme le dimanche ; elles faisaient les courses, le jardinage, la cuisine, le ménage. Certaines travaillaient à mi-temps ou à plein temps dans des cabinets médicaux, des banques ou des magasins. Sans oublier cette pauvre Mme Shea, à l'angle de Crescent Drive, qui avait onze enfants et passait toutes ses journées à faire des lessives ou à aller à l'épicerie chercher ses quinze litres de lait quotidiens. Mme Adler, elle, semblait ne rien faire du tout. Elle restait toujours chez elle, pelotonnée sur le canapé, regardant des feuilletons à l'eau de rose, ou bien allongée sur une serviette dans son jardin, vêtue d'un bikini blanc crocheté, écoutant de la musique sur la petite radiocassette qu'elle branchait sur la véranda.

« Mon père lui verse une pension alimentaire, m'avait répondu Val, avant de m'expliquer ce que cela signifiait.

— Mais qu'est-ce qu'elle fait de ses journées ?

— Elle attend que ce soit la nuit. »

Dans la chambre de Val, j'ai dit bonjour en baissant timidement les yeux. Mme Adler me mettait mal à l'aise. Non seulement elle ressemblait à une adolescente, mais elle se comportait aussi comme telle. Elle disait des gros mots, fumait, et passait des heures au téléphone, assise dans un coin de la cuisine, se disputant avec son petit copain resté en Californie. Elle n'avait aucune notion d'un repas équilibré, trouvait qu'un bol de pop-corn et une soupe en sachet faisaient bien l'affaire pour le dîner, voire pour le petit déjeuner. Parfois, elle laissait Val passer plusieurs jours sans se doucher – si elle était allée à la piscine, disait-elle, cela revenait au même. Val n'avait pas d'heure limite pour se coucher. Elle pouvait regarder ce qu'elle voulait à la télé, même des films et *Les Contes de la crypte* sur la chaîne payante HBO, alors que Jon et moi devions toujours nous brosser les dents ou bien faire nos devoirs. Mme Adler, qui n'arrêtait pas de dire : « Appelez-moi Naomi », me faisait parfois penser à une baby-sitter impatiente de voir les vrais parents de Valerie rentrer pour qu'elle soit libérée de ses obligations et puisse retourner à sa vraie vie.

Ce matin-là, elle était donc allongée sur le lit de Val, lovée autour d'un coquillage qu'elle avait utilisé comme cendrier.

« Ma fille veut une chambre rose et vert, a-t-elle soupiré.

— C'est superjoli ! a protesté Val.

— Qu'est-ce que je peux faire ? » ai-je demandé.

J'avais hâte d'enlever mes chaussures, de m'attacher les cheveux avec un bandana emprunté à Mme Adler et de me mettre au travail.

« Prends un rouleau. »

La mère de Val s'est mise à bâiller, puis elle a sorti de sa poche un briquet nacré et un paquet de Salem Lights.

« Pff, maman ! Le cancer du poumon, tu connais ?

— On va tous mourir un jour », a-t-elle répondu gaiement.

Je l'ai regardée, émerveillée, tandis qu'elle prenait une cigarette du paquet à moitié écrasé, la tapotait contre le plastique froissé, l'allumait et aspirait la fumée.

« Elle me dégoûte », a déclaré Val.

J'ai attendu la réprimande, le « On ne parle pas comme ça à sa mère » qui aurait sans aucun doute suivi ce genre de remarque chez moi. Mais rien. Mme Adler m'a lancé un regard entendu – « Ah, cette Valerie... C'est quelqu'un, hein ? » –, puis elle a soufflé deux panaches de fumée par le nez, avant de tapoter la cendre de sa cigarette sur le bord du coquillage.

J'ai traversé la chambre pour aller chercher un rouleau, mes pieds nus collant au film plastique. Je sentais que Mme Adler m'observait d'un air amusé.

« Addie Downs (elle adorait parler de moi comme si je n'étais pas là), la bonne influence. »

J'ai mis une touche de peinture rose sur le mur en acquiesçant. Pendant ce temps, Valerie étalait à grands coups de rouleau une épaisse couche de vert sur sa partie du mur, projetant dans sa hâte des gouttelettes de peinture par terre. Je l'ai regardée faire, les sourcils froncés, tandis que la peinture dégoulinait sur la tapisserie.

« Hum », ai-je fait.

Mme Adler a levé les yeux vers moi.

« Est-ce que ce n'est pas mieux d'enlever le papier peint avant de peindre ?

— Euh... »

Valerie a jeté son rouleau sur le plastique, laissant une grosse tache de couleur vert menthe.

« Maman ! » a-t-elle hurlé.

Je m'attendais à ce que Mme Adler lui dise de lui parler correctement, mais elle s'est contentée de hausser les épaules.

« Chérie, je n'ai jamais prétendu être une experte, a-t-elle répondu en écrasant sa cigarette dans le coquillage.

— On pourrait demander conseil à mon père. Il a refait la chambre de Jon, l'hiver dernier. Il a loué une machine à vapeur quelque part. Il faut mouiller le papier avant de l'enlever avec un racloir. Ensuite on peint le mur avec un truc blanc.

— Ah, a fait Mme Adler. Ça devient compliqué, tout ça. »

Pendant ce temps, Valerie, le menton tremblant, regardait le mur à moitié peint.

« T'es vraiment nulle ! T'es la pire des mères ! On n'a rien fait comme il fallait ! »

Mme Adler s'est relevée lentement puis s'est étirée, les mains sur les hanches. Ses cheveux se sont échappés du bandana pour venir frôler le bas de son dos.

« Tu as raison, a-t-elle répondu sans paraître franchement désolée. J'ai merdé. Mais, encore une fois, je n'ai jamais prétendu que j'étais une professionnelle.

— Je ne te demandais pas d'être une professionnelle ! Il suffisait de lire, de se renseigner !

— C'est vrai. Laisse-moi me rattraper », a dit Mme Adler en posant ses mains sur les épaules de Val.

Celle-ci s'est dégagée brusquement, faisant cliqueter les bracelets d'argent de sa mère.

« Tu ne pourras pas te rattraper. C'est un vrai désastre ! Je voulais juste une jolie chambre, avec du rose et du vert, une jolie chambre comme celle d'Addie, et tu m'as promis que je pouvais...

— Mon père peut nous aider », ai-je de nouveau proposé.

Mais ni l'une ni l'autre ne m'écoutait.

Malgré l'atmosphère tendue, j'ai rougi de plaisir : Val voulait une chambre comme la mienne !

« Un désastre, a admis Mme Adler. Tu as tout à fait raison. Je vote pour qu'on aille à la pêche aux palourdes.

— Je n'ai pas envie d'aller à la pêche aux palourdes ! a répondu Val en reniflant. Je veux peindre ma chambre, et tu m'avais juré qu'on le ferait !

— C'est l'un des derniers beaux week-ends de l'été, profitons-en ! On pourra peindre ta chambre n'importe quand.

— Et comment comptes-tu aller au cap Cod ? a demandé Valerie, les sourcils froncés.

— En voiture. »

Je me suis rapprochée de la porte de la chambre, ne sachant pas s'il s'agissait d'une conversation privée, mais n'ayant pas non plus envie de partir. Trois ans plus tôt, mes parents, Jon et moi étions allés au lac Charlevoix, où nous avions loué une maison pour une semaine, remplie de toiles d'araignée et sentant le renfermé. Sur la route, j'avais partagé la banquette arrière avec Jon, qui avait passé tout le trajet à classer l'odeur de ses pets (« Celui-ci sent le hamburger... Oh, et voilà de la bouffe pour bébé »). Je m'étais pincé le nez en lui donnant des coups de pied et en lui hurlant de rester de son côté de la banquette. Jon avait attrapé ma ceinture et l'avait tirée jusqu'à ce que je n'arrive plus à respirer. « Ça suffit, tous les deux ! » avait grondé mon père, et ma mère avait tenté de nous distraire avec le jeu des plaques d'immatriculation.

« Ça prendrait au moins deux jours », a dit Val.

Elle avait sorti un atlas de sous son matelas et l'avait ouvert par terre.

« Tu vois, juste là ? »

Elle pointait un État avec son index.

« C'est l'Illinois, et ça... c'est le Massachusetts. Et là... »

Elle a frappé la page tellement fort que celle-ci a tremblé.

« C'est le cap Cod. Tout en haut de la carte. »

Mme Adler a ajusté son bandana.

« C'est quand, la rentrée ? »

Elle a regardé sa fille. Valerie m'a jeté un coup d'œil. J'ai avalé ma salive.

« Le 3 septembre.

— C'est dans plus d'une semaine ! s'est exclamée Mme Adler. On a largement le temps !

— On a besoin d'un permis de pêche, a répondu Val, la bouche boudeuse.

— On prendra celui de Poppy.

— Et d'un canoë…

— On en empruntera un. Allez, allez ! Ça va être génial ! Va chercher ton maillot de bain !

— On devrait d'abord appeler Poppy.

— Et une brosse à dents ! Prends ta brosse à dents !

— Il y a de l'essence dans la voiture ? Tu as de l'argent pour payer l'essence ?

— Ne sois pas si rabat-joie ! Allez, va mettre du Coca dans la glacière. Oh, et, Addie, a-t-elle ajouté tandis qu'elle sortait de la pièce en balançant les hanches, dans un cliquetis de bracelets. Demande à tes parents si tu peux venir. »

Je me suis mise à respirer de nouveau, tellement soulagée et excitée que la tête me tournait. Val avait les lèvres pincées quand elle s'est penchée pour remettre les couvercles en métal sur les pots de peinture, mais, lorsqu'elle s'est redressée, ses yeux pétillaient.

« Tu aimes les palourdes ? m'a-t-elle demandé.

— J'adore ! »

Je n'en avais jamais mangé, mais ce n'était pas le moment de l'avouer.

« Bon, a dit Val, l'index posé sur son menton. Prends un maillot de bain et un pyjama. »

Elle a ouvert son placard – j'ai été surprise de voir à quel point il était vide – et en a sorti un sac à dos rose et un duvet déchiré le long d'une des coutures. Puis, après avoir jeté un coup d'œil dans le couloir, elle a approché ses lèvres de mon oreille, tellement près que j'ai senti sur ma joue son souffle humide parfumé au sirop d'érable.

« Si tu as de l'argent, prends-le aussi. »

De l'autre côté de la rue, mes parents ont eu une brève discussion dans le salon avant de décider que je pouvais y aller (avec le recul, je crois qu'ils étaient tellement soulagés que je me sois enfin trouvé une amie qu'ils m'auraient laissée partir sur la lune. Ma mère m'a donné trente dollars, que j'ai rangés soigneusement dans ma poche avant de courir remplir mon sac à dos de vêtements, d'argent pris dans ma tirelire en forme de cochon, et de nourriture chipée dans nos placards. Puis nous nous sommes retrouvées dans la voiture, et Mme Adler a klaxonné tandis qu'on quittait Crescent Drive à toute allure, direction l'océan.

Je n'avais que neuf ans cet été-là, mais je me souviens de ce voyage comme si c'était hier : le vinyle hachuré et collant du siège de la Coccinelle qui me marquait l'arrière des cuisses, le goût chimique et sucré du Coca au fond de ma gorge. Je me souviens du vent qui m'emmêlait les cheveux tandis qu'on roulait toutes fenêtres ouvertes sur l'Interstate 90 à travers l'Indiana et l'Ohio, du coude de Mme Adler appuyé sur la portière et de Val à côté d'elle, l'atlas sur les genoux, en train de suivre notre itinéraire avec son index.

À cinq heures de l'après-midi, Val a fait remarquer à sa mère qu'il était temps de faire une pause pour manger. Mme Adler a eu l'air surprise, mais elle s'est quand même arrêtée à un McDonald, où Val et moi nous sommes empiffrées de cheeseburgers et de frites pendant qu'elle sirotait un Dr Pepper Light en fumant. À minuit, nous nous trouvions dans l'État de New York, entre Buffalo et Albany, selon Val. Mme Adler a garé la voiture sur une aire de repos, tout au bout du parking, le plus loin possible des autres véhicules et de la lumière aveuglante des lampadaires. J'ai suivi l'exemple de Val et emporté mon sac à dos aux toilettes, où nous nous sommes lavé le visage, brossé les dents et mises en pyjama. De retour à la Coccinelle, Val s'est pelotonnée sur la banquette arrière en se couvrant de son duvet. Sa mère s'est installée derrière le volant et a incliné son siège le plus possible. À voir avec quel naturel elles faisaient ces gestes, j'ai deviné que ce n'était pas leur première nuit en voiture.

« Ça va, Addie ? » a chuchoté Val.

Elle avait avancé la tête entre les deux sièges, et ses yeux brillaient dans le noir.

« Ça va », ai-je répondu, avant d'allonger mon dossier jusqu'à ce qu'il soit presque horizontal.

En vérité, j'étais aux anges. Je n'avais jamais vécu d'aventure aussi palpitante.

« Bonne nuit, derrière ! a lancé Mme Adler.

— Bonne nuit, devant », a marmonné Val, un peu à contrecœur.

J'avais envie de la rassurer : avoir une maman aussi belle, qui voulait bien l'emmener dans ce genre d'excursion, valait cent fois mieux qu'une chambre rose et vert. J'avais envie de lui promettre que je peindrais sa chambre, et que je mettrais même mon père et mon frère à contribution. J'étais prête à tout pour que nous soyons meilleures amies pour la vie.

« Bonne nuit, Addie », m'ont-elles dit. Je leur ai souhaité une bonne nuit à mon tour. J'étais certaine que je n'arriverais jamais à dormir. Il faisait chaud, le siège était étroit, le parking plus éclairé qu'aucune des chambres où j'avais dormi, et les moustiques, qui s'étaient glissés dans la voiture par les fenêtres à moitié ouvertes, bourdonnaient à mes oreilles. J'en ai écrasé un, puis j'ai fermé les yeux. Quand je les ai rouverts, le soleil était déjà levé, je me sentais toute courbaturée, j'avais la bouche sèche et un besoin urgent d'aller faire pipi. Il était un peu plus de six heures du matin. Mme Adler nous a accompagnées aux toilettes avec sa démarche habituelle, légère et nonchalante. Une fois débarbouillées, brossées et peignées, nous sommes remontées dans la voiture et avons roulé jusqu'à une supérette près de l'autoroute, où la mère de Val a acheté des donuts, du lait, du café et des cigarettes. Le dimanche à midi, vingt-quatre heures après avoir quitté Pleasant Ridge, nous dépassions à toute allure une affiche rouge et blanc représentant un décor de plage, avec un parasol planté dans le sable doré et les mots « BIENVENUE AU CAP COD » écrits en rouge au-dessous.

Nous avons passé l'après-midi dans une ville dénommée Eastham, sur la plage de First Encounter, où une rivière d'eau salée coulait à travers un marais jusque dans la baie. Mme Adler a sorti un drap du coffre de la Coccinelle et l'a étendu sur le sable. Elle s'est enduit les bras, les jambes et le ventre d'huile solaire, avant d'emprunter de la crème à la maman rougeaude et grassouillette sous le parasol d'à côté, pour nous l'étaler sur les joues, sous les bretelles de nos maillots de bain et dans le dos.

« Amusez-vous bien, les filles », a-t-elle dit en s'allongeant sur le drap pour faire la sieste.

Valerie m'a montré comment faire la planche dans l'eau et laisser le courant m'emporter vers le large. Alors que le soleil était haut dans le ciel et que les autres familles commençaient à fouiller dans leurs glacières, j'ai timidement offert le sac de sandwichs que j'avais préparé. Le beurre de cacahouète et la confiture de framboises, étalés entre deux tranches de pain blanc moelleux, paraissaient encore plus délicieux quand on les dégustait avec les doigts salés et une bonne rasade de Coca tiède.

Vers cinq heures de l'après-midi, les autres mamans ont plié leurs parasols, secoué leurs serviettes et appelé leurs enfants qui jouaient dans l'eau. Mme Adler a enfilé un débardeur rose délavé et une longue jupe blanche en coton qui lui descendait presque aux chevilles, puis elle a coiffé ses cheveux en chignon lâche. Elle nous a fait remonter dans la voiture et nous a conduites jusqu'à une « cabane à palourdes » (c'est comme ça que Val a désigné l'endroit), un bâtiment carré d'un étage en shingle gris avec un store à rayures jaunes et blanches, d'où s'échappait une odeur alléchante de friture. Une file de vacanciers serpentait jusque sur le parking.

« Qui veut du homard ? » a demandé Mme Adler.

Son nez et ses joues avaient rosi au soleil, ce qui faisait ressortir le bleu de ses yeux et la blondeur de ses cheveux. Elle a fait la grimace en regardant dans son portefeuille : il restait trois billets de un dollar tout froissés, et le ticket de caisse de notre passage à la pompe à essence.

« Génial, a marmonné Val en donnant un coup de pied dans les coquilles de palourdes qui jonchaient le parking.

— Pas de panique. Attendez-moi là-bas. »

Mme Adler a rangé son portefeuille dans son sac en nous montrant un banc, en face du comptoir, où une brochette de types bronzés, portant tous une casquette et un short avec une petite baleine brodée dessus, attendaient de récupérer leurs commandes. Valerie s'est assise en soupirant, puis s'est mise à remuer nerveusement les jambes en grattant une piqûre de moustique sur son avant-bras. Tandis que je me glissais sur le banc à côté de Val, Mme Adler s'est recoiffée en se regardant dans le rétroviseur, puis a rejoint la file d'attente. Trois personnes, deux jeunes filles et un jeune homme, tous vêtus d'un tee-shirt blanc avec un homard dessiné sur le devant, se trouvaient derrière le comptoir. Mme Adler a patienté pendant vingt minutes, mais, lorsque l'une des filles a demandé : « C'est à qui ? », la mère de Val a laissé passer une famille devant elle pour attendre que le garçon soit libre. Quand il lui a fait signe d'approcher de sa caisse, je n'ai pas entendu ce qu'elle lui disait, mais j'ai vu son sourire enjôleur et la façon dont elle se penchait vers lui, le nez du garçon effleurant presque sa joue.

« Je déteste quand elle fait ça », a chuchoté Val.

Elle avait gratté son bras si fort que le bouton de moustique saignait. Je suis allée lui chercher une serviette au distributeur.

« Quand elle fait quoi ? »

Je ne comprenais pas bien ce qui se passait. Mme Adler riait, d'un rire haut perché, éclatant. Elle jouait avec son collier en or.

« Elle essaie de convaincre ce garçon de nous donner des homards gratuits », a répondu Val froidement.

J'ai regardé la carte affichée au-dessus du comptoir. Les homards coûtaient huit dollars quatre-vingt-dix-neuf la livre.

« J'ai de l'argent », ai-je proposé en sortant les douze dollars qui me restaient de ce que ma mère m'avait donné (j'avais payé un repas au Burger King et quelques péages), et la monnaie que j'avais prise dans ma tirelire. On peut peut-être prendre deux livres de homard ?

— Ça ne marche pas comme ça, a répondu Val. On doit payer le homard entier, même si on ne mange pas certaines parties. »

J'ai observé les homards qui couraient dans le fond du grand aquarium vert, près des caisses. Ils avaient une carapace noir verdâtre, et leurs pinces étaient maintenues fermées par des élastiques. En manger un ne me tentait pas trop.

« Ne t'en fais pas, ai-je dit. Il me reste quelques sandwichs. Ils sont un peu écrasés, mais ils sont quand même mangeables. On n'a pas besoin de homards... »

J'ai jeté un coup d'œil sur la carte.

« On pourrait prendre des hot-dogs ou des palourdes frites... »

Mais, tandis que je parlais, le serveur posait deux plateaux remplis de nourriture devant Mme Adler. Elle a fait semblant de fouiller dans son sac à main, puis dans ses poches, avant de se tourner vers Val.

« Chérie, tu n'as pas vu mon portefeuille ? »

Val a secoué la tête sans dire un mot, le visage crispé. J'ai retenu mon souffle. Alors que Mme Adler posait une main sur le bras du serveur, Val s'est levée.

« Tiens-toi prête. »

Un homme qui attendait un peu plus loin dans la file s'était approché du comptoir. Il portait un uniforme kaki avec une pièce cousue sur la poitrine, et une ceinture marron foncé.

« Un problème ? » a-t-il demandé.

Mme Adler s'est tournée vers lui, tout sourires, les mains jointes derrière le dos comme une petite fille timide.

« J'expliquais juste à ce jeune homme que j'ai dû égarer mon portefeuille, et que j'ai là deux fillettes affamées. Nous venons de Chicago. Je leur ai promis du homard, et ça me fait vraiment de la peine de les décevoir.

— Pff ! a fait Valerie dans sa barbe.

— Je peux peut-être appeler mes parents ? » ai-je chuchoté, tandis que Mme Adler continuait à parler au nouveau venu.

Val a secoué la tête.

« Excusez-moi. Est-ce qu'on pourrait être servis, s'il vous plaît ? » a demandé l'une des femmes qui se trouvaient derrière Mme Adler.

Elle portait un bébé sur la hanche, et un deuxième petit garçon tirait sur sa jupe. C'est alors que, ô miracle, l'homme à l'uniforme a sorti de sa poche une liasse de billets retenus par une pince en argent, et en a tendu quelques-uns au serveur.

« Permettez que je vous invite. »

Mme Adler a levé vers lui un visage rayonnant.

« Merci ! »

À côté de moi, j'ai senti Valerie se détendre, et je l'ai entendue souffler.

Chris Jeffries, l'agent préposé à la surveillance de la pêche aux mollusques et aux crustacés – car, contrairement à ce que j'avais cru, il n'était pas policier –, nous a offert un vrai festin : épis de maïs, soupe de palourdes, et coquillages gris que Val et sa mère appelaient des myes, emballés dans des filets en plastique rouge ; salade de chou cru, frites et rondelles d'oignon fines et croustillantes, soda servi dans de grands gobelets en carton remplis de glaçons, et beurre fondu présenté dans de petites coupelles en plastique. Une douzaine d'huîtres se prélassaient dans leurs coquilles sur un lit de glace pilée, et deux homards géants s'étalaient sur des plats ovales dans une mare d'eau fumante rose clair.

Mme Adler a ouvert un paquet de petits gâteaux salés pour les éparpiller sur sa soupe. Elle a bu une gorgée de l'épais bouillon crémeux, les yeux fermés, et a poussé un soupir de plaisir sous le regard observateur du garde-pêche.

« Ça, c'est le goût de l'été. Vous ne trouvez pas ? »

Val n'a pas répondu. Chris Jeffries a versé un peu de sauce cocktail et de raifort sur les huîtres. Il avait les traits grossiers et des yeux marron rapprochés, et sa peau trop bronzée avait la couleur du cuir. Je n'étais pas très douée pour deviner l'âge des adultes, mais j'avais l'impression qu'il était plus jeune que Mme Adler, peut-être tout juste sorti de l'université. Peut-être même était-il encore étudiant et ce boulot était-il seulement un job d'été. Auquel cas, je me demandais comment il avait trouvé l'argent pour nous payer un tel repas.

« Je n'y avais jamais pensé comme ça », a-t-il répondu.

Rentrant la tête comme une tortue, Valerie a déchiré un des sacs de myes et s'est mise à extirper les mollusques de leur coquille, à les plonger dans un bol d'eau pour enlever le sable avant de les tremper dans le beurre et de les manger.

« Tu en veux une ? m'a-t-elle demandé. Elles sont bonnes. »

Elle a embroché une mye sur une fourchette en plastique rouge, l'a enrobée de beurre et me l'a tendue.

« Mange seulement le ventre, pas le pied », m'a-t-elle conseillé en me montrant la partie de la bête qui ressemblait à un gros ver de terre.

J'ai glissé avec précaution le mollusque grisâtre dans ma bouche, en me préparant mentalement à un goût de poisson et à un contact gluant. Je n'avais jamais mangé de fruits de mer, seulement des bâtonnets de poisson pané surgelé. J'ai fermé les yeux et mâché, d'abord rebutée par la texture visqueuse, mais je les ai rouverts quand le goût à la fois sucré, salé et beurré a explosé sur ma langue.

« C'est trop bon ! »

Mme Adler s'est mise à rire, et le garde-pêche a même applaudi.

« Eh bien, bon appétit ! » a-t-il dit.

J'ai mangé tout un sac de myes et un épi de maïs trempé dans le beurre et saupoudré de gros sel. J'ai pressé du citron sur une huître et, suivant l'exemple de Mme Adler, j'en ai aspiré le jus et la chair. Après quelques essais maladroits, j'ai compris comment me servir du casse-noix et de la minuscule fourchette à trois dents, et j'ai réussi à extraire des morceaux de chair rose et blanc des pinces du homard, que j'ai également trempés dans le beurre, étonnée par le goût léger, riche et sucré qui m'emplissait la bouche.

Le garde-pêche nous a raconté que son frère et lui avaient emmené la petite amie de ce dernier, venue du Minnesota pour les vacances, voir les baleines à Provincetown. La mer était agitée, les passagers avaient été malades, et les accompagnateurs avaient passé leur temps à courir d'un bout à l'autre du bateau pour distribuer de la Dramamine, puis des sacs en plastique.

« Je n'avais jamais vu autant de vomi », a-t-il confié.

Val et moi n'avons pas pu nous empêcher de rire en entendant la façon dont il insistait sur le mot – « vomi ».

« C'était énorme.

— Énorme », ai-je répété.

J'avais les doigts et le visage luisants de beurre et de jus de palourde. Je me suis essuyée avec ma serviette, qui est devenue translucide, et je l'ai ajoutée à la pile grandissante au milieu de la table, tandis que Mme Adler et Chris Jeffries parlaient de leurs plages favorites et des meilleurs endroits à Provincetown pour observer des couchers de soleil. Valerie et moi buvions du soda, et les adultes sirotaient de la bière dans des bouteilles vertes qu'ils posaient, une fois vides, à côté des plateaux jonchés de coquilles de palourdes, d'emballages de pailles et de restes de salade de chou trempant dans le jus de homard. À la fin du repas, Mme Adler a remonté sa jupe, croisé ses longues jambes bronzées et glissé une cigarette dans sa bouche. Chris le garde-pêche s'est empressé de sortir une boîte d'allumettes pour lui offrir du feu.

« Je suis repue », a-t-elle annoncé.

La brise commençait à se lever, apportant un petit avant-goût d'automne. J'étais bras et jambes nus, et j'avais la chair de poule. Je nous ai soudain imaginées, Val et moi, rentrant de l'école en octobre à la nuit tombante, le vent dans le dos, et discutant de la fête de Thanksgiving préparée par les CM2 ou de ce que l'on voulait pour Noël… Pour la première fois de ma vie, j'aurais une amie avec qui je pourrais tout partager.

« Qui veut du café ? » a demandé le garde-pêche.

Il a rapporté deux tasses, puis a tendu un billet de cinq dollars à Valerie.

« Allez vous acheter des glaces, les filles. »

Nous avons pris des cornets au stand situé de l'autre côté du restaurant – vanille pour moi, parfum « Cookies Caramel » pour Val – et nous les avons mangés appuyées contre le capot de la Coccinelle chauffé par le soleil, pendant que Mme Adler et le garde-pêche buvaient leurs cafés. Elle était venue s'asseoir à côté de lui. Ses mains s'agitaient dans l'air, frôlant le jeune homme. Elle a fini par poser la tête contre son torse tandis qu'il passait un bras autour d'elle pour l'attirer plus près de lui.

« On ne devrait pas tarder à partir, a dit Valerie. Poppy se couche tôt.

— C'est qui, Poppy ?

— Mon grand-père paternel. Avant, on venait ici tous les étés et on dormait chez lui. »

Elle a léché sa glace, rattrapant une goutte marron qui coulait le long du cornet.

« Ça fait un sacré bout de temps qu'on ne lui a pas parlé. Il ne sait peut-être même pas qu'on vient. »

Ça m'a un peu inquiétée, mais Val a continué à grignoter son cornet en contemplant le ciel.

« J'aimerais bien retourner vivre en Californie, a-t-elle confié. J'aimerais bien vivre avec mon père. »

Mon sang s'est glacé dans mes veines.

« Tu ne peux pas partir. Dans une semaine, c'est la rentrée !

— On pourrait peut-être y aller toutes les deux. C'est bien mieux que Chicago. Il fait chaud tout le temps. Et puis on pourrait aller à la plage. »

J'ai acquiescé, à la fois ravie et mal à l'aise. Jamais je n'aurais pu quitter mes parents, mais l'idée que Val m'aime assez pour que je la suive m'enchantait.

À la table de pique-nique, Mme Adler a murmuré quelque chose à l'oreille de Chris Jeffries, avant de se lever en scrutant le crépuscule.

« Allez, les filles. Il est temps de partir. »

Val et moi sommes montées dans la voiture, les mains et le visage tout gras et collants. Valerie n'a pas pris la peine de mettre sa ceinture, elle s'est pelotonnée comme un chaton sur la banquette arrière et a fermé les yeux. Moi, je me suis penchée en avant, le regard rivé sur la route tandis que nous roulions vers l'est, puis vers le sud, suivant la courbe du cap qui s'enroulait sur lui-même. Une paire de phares – ceux du garde-pêche, certainement – apparaissait par intermittence dans le rétroviseur. Les roues ronronnaient sur la chaussée. Quand j'ai rouvert les yeux, il faisait nuit et Mme Adler me secouait par les épaules.

« Réveille-toi, Addie. »

Je suis descendue de la voiture en trébuchant. Nous étions garées sur une pelouse, devant une grande maison plongée dans l'obscurité, construite au sommet d'une colline et qui avait l'air de s'étendre dans toutes les directions : en hauteur, en profondeur, en largeur. J'entendais le roulement des vagues pas très loin. Mme Adler a fait sortir Valerie de la voiture et l'a plantée à côté de moi.

« Attendez ici », a-t-elle dit.

Plissant les yeux dans le noir, je l'ai vue retirer ses chaussures et trottiner jusqu'à la porte d'entrée, qu'elle a ouverte avant de nous faire signe de la suivre.

Je n'ai fait qu'entrevoir l'intérieur obscur de la maison tandis que Mme Adler marchait à pas de loup sur un plancher à larges lattes pour nous conduire jusqu'à un escalier :

j'ai aperçu de riches tapis à motifs, une longue table ovale dans ce qui devait être une salle à manger, et une cheminée tellement grande qu'un enfant pouvait tenir debout dedans. Elle nous a fait monter deux étages jusqu'à une chambre sous les toits, peinte en blanc, avec des lits jumeaux drapés de couvre-lits en chenille.

« Couchez-vous », a-t-elle chuchoté.

Des mèches échappées de son chignon bouclaient autour de son visage. J'ai posé mon sac à dos, et je me suis sentie soudain tellement fatiguée que j'ai eu à peine la force d'enlever mes baskets avant de ramper sous les draps.

« J'ai envie de faire pipi, a murmuré Val d'une voix traînante.

— Vas-y, a répondu sa mère d'un ton sec. Mais ne tire pas la chasse. »

Je me suis allongée, perplexe. Chez moi, on tirait toujours la chasse d'eau. Mes yeux se sont fermés tout seuls. Quelques minutes plus tard – c'est du moins l'impression que j'ai eue –, Mme Adler me secouait de nouveau par les épaules.

« Addie, réveille-toi, c'est bientôt marée basse. »

Je me suis assise en bâillant. Une belle lumière rosée, d'une couleur que je n'avais jamais vue ni même imaginée, filtrait à travers la fenêtre, et des rideaux en vichy blanc et jaune ondulaient dans la brise. Dans l'autre lit, Val était encore tout habillée, allongée par-dessus les couvertures ; on aurait dit qu'elle continuait à bouder dans son sommeil. Par terre, j'ai aperçu une maison de poupée, et contre le mur, une étagère remplie de livres des *Bobbsey Twins* et de *Nancy Drew*. Mme Adler a suivi mon regard.

« Fais comme chez toi. La salle de bains est là. Rappelle-toi, on ne tire pas la chasse. On ne doit pas faire de bruit. »

Dans la salle de bains, certains carreaux noirs et blancs, de forme hexagonale, étaient fissurés ; les toilettes étaient à l'ancienne, avec une chaîne qui pendait du plafond pour tirer la chasse d'eau ; un miroir désargenté était accroché au-dessus du lavabo. Je me suis passé de l'eau sur le visage. Je venais de sortir mon dentifrice de mon sac à dos quand Valerie a frappé à la porte et s'est glissée dans la pièce.

« Je n'arrive pas à croire qu'on est ici ! »

Son short et son tee-shirt étaient tout froissés, son visage portait encore les marques de l'oreiller, mais elle souriait, redevenue la Valerie que je connaissais.

« Elle est chouette, cette maison » ai-je dit.

J'avais le sentiment que ce n'était pas vraiment une maison mais plutôt un hôtel particulier, le genre de demeure qu'on ne voyait que dans les livres. À travers la fenêtre en demi-lune de la salle de bains, j'apercevais le rectangle vert vif d'un terrain de tennis, et, plus loin, le sable gris doré et le bord mousseux de l'océan. À notre retour dans la chambre, Mme Adler, vêtue du même haut rose délavé et de son short en coton bleu, chaussée de ses tongs, tapotait les oreillers et lissait les couvre-lits.

« Faites le moins de bruit possible », nous a-t-elle demandé.

Val a chipé trois vieux livres sur l'étagère. Nous avons ramassé nos sacs à dos avant de descendre l'escalier à pas de loup. D'après l'horloge accrochée au-dessus de l'immense table, il était cinq heures du matin. D'incroyables tons de rose et d'or striaient le ciel.

« Ne claquez pas la porte », a chuchoté Mme Adler.

Une fois sortie, elle a murmuré quelque chose à l'oreille de Val, qui a couru sous le porche pour dénicher deux grands seaux de pêche et un râteau à manche court.

Je me suis glissée sur la banquette arrière de la Coccinelle. Val s'est assise à l'avant, tenant les seaux d'une main et la porte ouverte de l'autre. Mme Adler s'est installée au volant, et, d'une main, elle a guidé la voiture en roue libre jusqu'en bas de l'allée. Alors que je regardais la maison s'éloigner dans le rétroviseur, j'ai vu une lumière s'allumer au premier étage. Une minute plus tard, un homme aux cheveux gris, en bas de pyjama, a ouvert la porte à toute volée et s'est mis à crier quelque chose que je n'ai pu entendre. Mme Adler a passé une vitesse et le moteur a démarré en vrombissant.

« C'était qui ? » ai-je demandé, tandis que Val et sa mère refermaient leurs portières.

Mme Adler a allumé la radio et sorti une cigarette du paquet écrasé qu'elle avait coincé dans le pare-soleil. Val s'est mise à se ronger l'ongle du pouce, le visage tendu, le regard fixé devant elle.

« C'était Poppy », a répondu Mme Adler.

Je me suis appuyée contre le dossier de la banquette, ne sachant pas trop quoi penser de tout cela, et j'ai regardé la route défiler à côté de moi. Vingt minutes plus tard, nous nous sommes arrêtées sur le parking d'un petit supermarché. Val est restée immobile, mâchoires serrées, l'air furieux.

« Hé, Val ? » ai-je murmuré.

Elle ne s'est pas retournée.

« Elle ne m'a même pas laissée lui dire bonjour, a-t-elle protesté d'une voix étranglée par la colère. C'est mon grand-père, et je n'ai même pas pu lui... »

Elle s'est tue et a croisé les bras sur sa poitrine à l'approche de sa mère, qui revenait du magasin avec deux sacs en papier marron. En la voyant sortir des donuts, des bananes et une tasse de café géante, je me suis demandé comment elle avait pu payer tout ça. Avait-elle emprunté de l'argent au grand-père de Val ? J'ai mangé deux bananes et un beignet pendant que la voiture filait sur la route 6, puis Mme Adler a pris un chemin étroit et sablonneux qui menait à un parking non goudronné avec, à un bout, une rangée de canoës ventrus, en bois et en métal, posés sur des supports. Le soleil brillait, l'air se réchauffait. Une demi-douzaine de canots et de bateaux à moteur dansaient sur l'eau, et les mouettes tournoyaient dans le ciel en criant.

« On y est, les filles », a annoncé Mme Adler.

Val et moi nous sommes tortillées sur la banquette de la voiture pour enfiler nos maillots de bain, chacune à son tour, pendant que l'autre tenait une serviette contre la vitre arrière, même si le parking était désert. Mme Adler a rempli sa glacière de sacs et de bouteilles qu'elle avait rapportés du supermarché. Elle nous a tendu un flacon de crème solaire et a vérifié qu'on s'en mettait bien partout sur les bras, les jambes et le visage, puis elle nous a aspergées d'antimoustique. Après avoir observé les canoës, elle en a désigné un en métal, que nous avons descendu et posé sur le sable. Mme Adler a installé les seaux, le râteau et la glacière au milieu du bateau, que nous avons tiré, Val et moi, jusqu'au bord de l'eau (elle m'a expliqué que ce n'était pas un lac, comme je l'avais d'abord pensé, mais un marais salant qui communiquait avec l'océan).

Val et moi nous sommes assises dans le canoë. Mme Adler a retiré son pull sans manches, sous lequel elle portait un haut de bikini bleu. Elle nous a poussées jusqu'à ce que l'eau atteigne l'ourlet de son short, puis elle a sauté à bord et s'est mise à ramer, dépassant des bancs de sable couverts de roseaux et d'algues vert vif, en direction de l'endroit où le marais faisait place à l'eau bleu sombre de la mer.

Le soleil scintillait sur la surface de l'eau. Des vaguelettes venaient tapoter les flancs en métal du canoë, comme de petites mains. Val s'est assise devant moi, le dos appuyé contre mes genoux. Mme Adler a ramé vers un banc de sable, et dès que la proue a touché le fond, elle a sauté dans l'eau pour tirer le canoë sur le bord.

Une fois agenouillées sur le sable, Val m'a montré comment repérer les bulles et, lorsqu'on en trouvait, comment creuser avec le râteau et fouiller le sable jusqu'à sentir la coquille d'une palourde. Au bout de quelques minutes, Val a poussé un cri.

« Là ! Il y en a plein ! »

J'ai accouru et je me suis accroupie à côté d'elle, sentant son épaule anguleuse contre la mienne, plus ronde et plus bronzée. Je portais un maillot bleu une pièce, et Valerie un bikini à rayures roses et rouges qui n'arrêtait pas de remonter sur sa poitrine plate et de descendre sur ses hanches maigres. Nous avons déterré des poignées et des poignées de palourdes, que nous jetions dans le seau posé dans l'eau, en riant quand elles nous crachaient au visage.

Le soleil est monté dans le ciel. Nous avons commencé à remplir le second seau en faisant des pauses pour lécher nos doigts couverts de petites coupures. De temps en temps, Val s'arrêtait, se levait et scrutait le rivage.

« Qu'est-ce qui se passe ? lui ai-je demandé au bout de la troisième ou quatrième fois.

— Il faut un permis pour pêcher les palourdes.

— Vous en avez un ?

— Je ne crois pas, non.

— J'ai encore de l'argent, ai-je dit. On n'aura qu'à dire qu'on vient de l'Illinois et qu'on ne connaissait pas les règles. » Val a souri puis elle s'est remise à creuser. Pour le déjeuner, Mme Adler nous a donné des sandwichs à la dinde et au fromage, des chips et du jus de pomme tiède. Nous avons mangé assises en tailleur au bord de l'eau, en chassant les mouches vertes qui venaient se poser sur nos bras et sur nos jambes, avant de nous rincer les mains pour nous remettre au travail. Quand le second seau a été plein, nous nous sommes allongées côte à côte sur le sable, Val et moi, laissant la marée montante nous lécher les orteils, puis les genoux, les hanches, la taille, la poitrine. Nous avons fini par flotter, les cheveux ondulant dans le courant, nos hanches et nos mains s'entrechoquant lorsque les vagues nous soulevaient, jusqu'à ce que Mme Adler mette le canoë à l'eau et sonne le départ.

Une fois dans le bateau, nous avons ramé jusqu'au rivage, les seaux de palourdes reliés au canoë par le bandana de Mme Adler. Raidis par le sel, nos cheveux séchaient sur nos épaules couvertes de boutons de moustiques. J'ai regretté de ne pas avoir pris mes aquarelles et mes pastels en voyant le bleu de l'eau, l'herbe verte et le sable argenté, les tons bleu-gris et abricot du ciel. J'ai retenu mon souffle aux abords de la plage, craignant d'y rencontrer la famille à qui nous avions emprunté le canoë, ou un policier venu nous confisquer nos palourdes ou nous arrêter. Le parking était plein, mais il n'y avait personne sur le rivage animé par le seul bruit des vagues et les cris des mouettes. Nous avons aidé Mme Adler à hisser le canoë sur les supports, et l'avons regardée emballer les seaux de coquillages dans les sacs en papier du supermarché et les poser sur la banquette arrière.

« C'était énorme », a dit Val d'un ton rêveur en montant dans la voiture.

Elle avait prononcé le mot exactement comme le garde-pêche.

« Vomi, ai-je rétorqué. *Vomi.* »

Val a éclaté de rire.

Je me souviens très bien du coup de soleil que j'avais pris sur le nez et qui me brûlait, de mes ongles tout abîmés, de mes cuisses constellées de boutons de moustiques. Je me souviens de tous les arrêts dans des supérettes pour acheter des cigarettes, du Coca et du café noir pour Mme Adler, du Sprite pour Val et du jus d'orange pour moi, des sacs-poubelle et des paquets de glace pour les palourdes.

Nous sommes revenues à la maison le lundi en fin d'après-midi, après une dernière nuit passée sur une aire de repos (« Bonne nuit, derrière ! Bonne nuit, devant ! »). Quand ma mère m'a vue, elle m'a poussée dans la salle de bains et a pris mes vêtements sales du bout des doigts pour les jeter dans la panière à linge. Elle m'a fait tremper dans l'eau, m'a frotté les ongles avec une brosse dénichée au fond d'un tiroir, et m'a lavé les cheveux deux fois. Comme Mme Adler avait fini par la convaincre que les palourdes étaient encore bonnes, ma mère a ouvert son livre de recettes et nous a concocté des *linguine* aux palourdes, avec du vin blanc et beaucoup d'ail, parsemées de persil frais et accompagnées de salade et de pain. Je me souviens de nous six – mes parents, mon frère et moi, Valerie et sa mère – rassemblés autour de notre table de cuisine, en train de dévorer des platées de pâtes et de tremper des morceaux de pain dans la sauce au vin blanc et à l'ail. Je me souviens de la sensation que j'avais éprouvée lorsque j'avais flotté dans l'eau avec ma meilleure amie à côté de moi, sous ce ciel magnifique.

C'était le plus beau jour de ma vie.

8

« Home, sweet home », lança Jordan Novick en rentrant chez lui.

Personne ne répondit. Rien de bien surprenant, vu qu'il vivait seul.

Il jeta son manteau dans le placard, retira ses bottes à coups de pied, les laissa dans l'entrée, puis mit un plat individuel dans le micro-ondes avant de se débarrasser de sa veste et de sa cravate. Il remarqua avec un mélange de honte et de satisfaction que le TiVo avait enregistré un nouvel épisode de *Au lit, les petits !* Quand le micro-ondes sonna, il retira le film plastique de la barquette, s'ouvrit une bière et s'installa sur une chaise pliante devant la télévision.

Le plat – une sorte de tourte à la viande – était infâme, la pâte détrempée et collante, l'intérieur glacé par endroits et brûlant partout ailleurs, le tout gluant du début à la fin. Jordan vida sa bière et rapporta la bouteille dans la cuisine, où il inspecta l'emballage de la barquette, qui, évidemment, indiquait en grosses lettres bien visibles : CUISSON AU MICRO-ONDES DÉCONSEILLÉE.

« Et merde », grommela Jordan, avant de lancer un regard mauvais au four, dont la poignée était munie d'une sécurité enfant que seule son ex-femme avait été capable de débloquer.

Pour tout dire, la sécurité avait constitué un des atouts majeurs de la maison. « Tout est prévu pour accueillir un jeune couple », avait annoncé le vendeur lorsqu'ils étaient venus la visiter avec l'agent immobilier, en leur montrant fièrement le système de blocage sur les boutons de la cuisinière, les barrières en haut et en bas de l'escalier, et les cache-prises sur toutes les prises électriques. « Vous n'aurez plus qu'à fournir le bébé ! » avait-il ajouté en riant. Patti et Jordan avaient ri, eux aussi. Même l'agent avait souri. Ils avaient acheté la maison et, lorsque Patti avait été enceinte la première fois, en 2004, ils n'avaient rien eu à faire, et pas grand-chose à acheter (la sœur de Patti, mère de trois enfants, avait été ravie de leur donner un berceau, une table à langer et une mystérieuse poubelle en plastique censée contenir l'odeur des couches). Patti et Jordan avaient marqué l'événement en programmant sur leur TiVo l'enregistrement d'émissions pour enfants : *Barney et ses amis, Max et Ruby*, et *Au lit, les petits !*

Il avait l'air malin, maintenant, sans femme ni bébé, tout seul dans une maison qui le défiait constamment. Combien d'heures avait-il perdues à se battre contre les bloque-portes, ou contre le système de sécurité que les propriétaires précédents avaient installé sur la chasse d'eau des toilettes ? S'il avait résilié ses abonnements aux émissions pour enfants, il n'avait pas réussi à faire comprendre à la puce électronique qui vivait dans le TiVo qu'il n'y avait pas d'enfants chez lui et qu'il n'y en aurait jamais. La machine continuait donc à enregistrer des tas de programmes pour les moins de cinq ans, dont *Au lit, les petits !*, émission présentée par la Dame de la Nuit, une petite brune sympathique qui portait des pulls côtelés à cols en V, chantait des berceuses et racontait des versions expurgées de contes de fées. La Dame de la Nuit était, selon Jordan, carrément bandante. Ça n'avait aucun sens. Il avait même pensé à envoyer un courrier à la chaîne afin de demander pourquoi ils avaient engagé une bombe sexuelle pour présenter une émission destinée à des gamins de trois ans. Il aurait bien aimé savoir s'il était le seul homme à regarder le programme en espérant qu'elle se pencherait pour ramasser l'un de ses accessoires – le château en polystyrène, la couronne de princesse en feutre –, tout en se sentant honteux, même s'il savait que personne ne viendrait lui dire : « Hé, qu'est-ce que tu regardes ? » ou : « Ce n'est pas un truc pour gamins, ça ? » ou, tout simplement : « Espèce de pervers ! »

Ça n'avait pas d'importance, maintenant qu'il était seul. Il pouvait se faire plaisir comme il le souhaitait, que ce soit en se nourrissant uniquement d'aliments frits, en meublant son salon avec des chaises pliantes en métal et en toile achetées pendant les soldes chez Target, ou en se masturbant devant une femme qui portait une marionnette escargot sur une main. Ce que je fais ne regarde plus personne.

9

Le country-club de Lakeview était un bâtiment en bardeaux blancs flanqué de six courts de tennis d'un côté, d'une piscine de l'autre, et d'un terrain de golf à l'arrière. À deux heures du matin, les fenêtres étaient plongées dans le noir, et le parking était désert. J'ai entendu le léger bourdonnement d'un groupe électrogène en coupant le moteur de la Jaguar.

« C'est là-bas, m'a indiqué Valerie. Près des poubelles. »

J'ai décroché ma ceinture et ouvert ma portière. Quand le plafonnier s'est allumé, j'ai regardé Valerie.

« On y va ? »

Elle s'est passé les mains sur le visage.

« Je ne peux pas.

— Comment ça, tu ne peux pas ?

— Je ne peux pas. Vas-y, toi. Je t'attends ici avec mon téléphone portable. Si tu me fais signe, j'appelle les secours.

— On y va toutes les deux. »

Mais, avant même que j'aie fini ma phrase, Valerie a secoué la tête.

« Je ne peux pas.

— Valerie…

— Non, je ne peux pas. »

J'ai poussé un soupir, mais avais-je vraiment le choix ? Pendant que j'essayais de lui faire entendre raison, Dan Swansea se vidait peut-être de son sang. À côté d'une poubelle. Peu importe ce qu'il nous avait fait, à Valerie et à moi, je ne voulais pas de son sang sur mes mains.

« Bon. »

J'ai laissé les clés à l'intérieur et Valerie immobile sur son siège. La portière s'est refermée discrètement derrière moi. J'ai traversé le parking en essayant de me maîtriser. « Bon, ce n'est peut-être rien. Val a sûrement tout imaginé...

C'est alors que j'ai aperçu un objet lové comme un serpent dans l'ombre de la poubelle. J'ai cru que mon cœur s'arrêtait. En me penchant lentement, j'ai vu que c'était une ceinture, une ceinture d'homme en cuir noir. Il y avait une tache sombre et humide à côté, sur les graviers. Mais aucun signe de Dan Swansea, ni vivant, ni mort, ni entre les deux.

Je me suis agenouillée pour toucher le liquide poisseux, avant de renifler mes doigts. Du sang. J'ai pris la ceinture, mais je l'ai vite reposée. En cherchant mon téléphone, je me suis rappelé que je l'avais laissé dans mon sac à main dans la voiture de Val. Je me suis redressée pour lui faire signe, mais je suis restée figée, la main en l'air. Personne dans la Jaguar. Valerie avait disparu.

10

Avec Val comme meilleure amie, je dépendais beaucoup moins de mon frère. Val était heureuse de prendre ma défense, la nôtre et celle de n'importe qui d'autre, et elle m'entraînait dans ses aventures, ce qui laissait Jon libre de vivre sa vie. Mon frère avait toujours été un enfant charmant, bronzé, beau et gentil avec moi la plupart du temps, même s'il lui arrivait de me traiter de gamine, de m'infliger des brûlures indiennes et de me dire que j'avais été adoptée.

Quand je me mets à douter qu'il a vraiment été comme ça un jour – aussi beau, aussi aimé de tous –, je regarde les photos pour m'en convaincre. Et le voilà, bébé enjoué et souriant, joli bambin blondinet, petit garçon joufflu et malicieux devenu jeune homme aux cheveux bouclés, aux longs cils recourbés et au sourire chaleureux. Le voilà au lycée, dans son uniforme marron et crème avec son nom écrit dans le dos, en train de rompre le ruban d'une ligne d'arrivée ; ou au bord du plongeoir, prêt à effectuer un salto arrière et à fendre la surface de l'eau avec à peine quelques éclaboussures. Jon était le copain de tout le monde. Tous les garçons l'appréciaient, et la plupart des filles aussi. Mais, quand il a eu quinze ans, sa gentillesse envers moi s'est réduite à un mot gentil, une attention par-ci par-là. La plupart du temps, il m'ignorait.

J'avais le sentiment qu'il s'éloignait de nous, petit à petit. Pour lui, nous étions comme des étrangers assis à ses côtés dans un train, des gens qui parlaient bruyamment, faisaient de grands gestes et mangeaient des choses bizarres qui sentaient fort. Jon s'était résigné à se montrer poli avec nous pour la durée du voyage, sachant qu'il ne nous reverrait jamais une fois sa destination atteinte.

Tous les matins, Jon et moi passions à la salle de bains l'un après l'autre, avant de prendre le petit déjeuner à la cuisine – plus exactement, j'avalais mes tartines, mes céréales et mon lait pendant qu'il restait négligemment appuyé contre le plan de travail, mince et gracieux, à boire du jus d'orange directement à la bouteille quand ma mère avait le dos tourné. Ensuite, il attrapait une banane ou une poignée de gâteaux et s'en allait en courant.

Après l'école, il avait entraînement. Comme il avait intégré l'équipe du lycée plus tôt que de coutume, la plupart de ses coéquipiers, plus âgés que lui, conduisaient déjà. Le soir, il dînait avec ses copains chez l'un d'eux ou à la pizzeria, et se faisait raccompagner en voiture à la nuit tombée. La portière s'ouvrait sur un éclat de rire et le boum-boum de l'autoradio, et on entendait des « Salut ! » et des « À d'main ! » quand Jon sortait de la voiture. Le temps de remonter l'allée, son visage était à nouveau fermé, son sourire avait disparu, et ses épaules tombaient en avant comme s'il cherchait à se protéger. Il regardait ses pieds, le sol, un livre ou un magazine, n'importe quoi, sauf nous.

Quand il rentrait à la maison, ma mère l'accueillait à la porte, pieds nus, en leggings, jupe longue et chemisier ample en coton, avec un châle à franges sur les épaules s'il faisait froid.

« Bonsoir, mon chéri. Ça s'est bien passé, au lycée ?

— Salut, champion, disait mon père, qui émergeait du sous-sol pour se rendre à la cuisine. C'était bien, l'entraînement ? »

Jon laissait tomber son sac à dos et le poussait dans le placard d'un coup de pied.

« Oui. »

Ma mère lui posait des questions pendant qu'il se débarrassait de ses chaussures et de sa veste : comment s'était passé le contrôle de géographie ? Avait-il faim ? Pensait-il que son équipe allait gagner la rencontre de ce week-end, ou… ?

« Tu n'es pas obligée de venir, lui disait-il d'un air absent.

— Mais j'en ai envie. »

Moi qui suivais ces échanges depuis ma place à la table de la cuisine, je sentais mon cœur se serrer. J'avais l'impression que Jon détestait ma mère. Il avait un mouvement de recul chaque fois qu'elle le touchait, il répondait à ses questions le plus succinctement possible, et il avait toujours une bonne raison pour être ailleurs – à la piscine, à une fête chez un ami, à un entraînement décidé à la dernière minute, à une réunion d'équipe, ou, plus récemment, à un bal du lycée. Ce n'était peut-être pas qu'il la détestait, pensais-je tandis qu'il montait s'enfermer dans sa chambre. Peut-être qu'il avait honte d'elle. Ce qui était pire, bien sûr.

L'adolescence, disait ma mère, imperturbable, en retournant à son cahier ou au plat qu'elle était en train de préparer. C'est l'adolescence. Ma mère ne manquait jamais une course. Elle s'habillait aux couleurs du lycée de Pleasant Ridge et encourageait Jon en criant depuis les gradins, près de la ligne d'arrivée. Les deux fois où je l'avais accompagnée, j'avais vu que les mamans faisaient ce genre de choses – elles se rendaient aux rencontres avec des pulls et des écharpes rouge et crème, elles hurlaient de joie quand leurs fils passaient devant elles à bout de souffle, les joues toutes rouges, les yeux plissés de douleur –, mais aucune autre maman n'était aussi grosse que la nôtre. Lorsque ma mère sautait en l'air, en tapant dans ses mains et en criant : « Allez, Jon ! », tout son corps se mettait à remuer, et continuait de trembler même quand elle arrêtait de bouger. Les gens la regardaient. Les garçons de l'équipe adverse se donnaient des coups de coude en rigolant, le doigt pointé vers elle, et Jon nous tournait le dos pour parler à son entraîneur ou faire gicler de l'eau dans sa bouche et sur son visage avec sa gourde. Si ma mère se rendait compte qu'il l'ignorait, elle ne le montrait jamais. Elle continuait à applaudir, les joues rouges, et à crier : « Hourra ! » chaque fois qu'un coureur de Pleasant Ridge franchissait la ligne d'arrivée.

J'ai essayé d'en parler avec Jon une fois, en octobre, alors qu'on entrait dans la sixième semaine de la saison. Ma mère était sur la véranda, mon père dans son atelier. J'entendais quelque chose bourdonner en bas, une scie ou une perceuse.

« Fous-moi la paix ! m'a crié Jon lorsque j'ai frappé à sa porte, à travers les basses assourdissantes du rock endiablé qu'il écoutait – “Refugee”, de Tom Petty.

— J'ai besoin d'aide en maths. »

Ce n'était pas vrai, et même si ç'avait été le cas, ce n'est pas à lui que j'aurais demandé. Mais il m'a ouvert la porte et je suis entrée, me frayant prudemment un passage entre les piles de BD et de papiers froissés, les baskets, les tee-shirts et les shorts sales, les serviettes tachées de graisse et les chaussettes qui empestaient la sueur. Sa couette gisait en tas par terre, et son drap bleu en tissu écossais ne couvrait plus que la moitié du lit. Dans un coin, j'ai aperçu un carton rempli de marionnettes que mon père lui avait fabriquées, jetées les unes sur les autres, leurs membres en bois couverts de poussière et leurs ficelles tout emmêlées.

« Pourquoi tu es si méchant avec maman ?

— Qu'est-ce que tu racontes ? »

Il était assis à son bureau, pieds nus, en short et en sweat-shirt, en train de lire *Ne tirez pas sur l'oiseau moqueur*. Sa chambre sentait le fauve et la banane pourrie, et ses plantes de pied presque noires étaient couvertes de corne.

« Tu n'es jamais à la maison.

— Qu'est-ce que ça peut te faire ? Toi, tu restes trop ici. Tu devrais sortir plus.

— Je ne suis pas venue pour parler de moi. »

J'ai rougi car je craignais qu'il n'ait raison. J'avais treize ans. Mes camarades de classe se faisaient percer les oreilles, parfois même deux fois ; elles allaient au cinéma, y compris avec des garçons, mais tout cela ne m'intéressait pas. J'étais heureuse chez moi, avec mes parents, mes livres, mes couleurs, mes feuilles de papier et ma meilleure amie.

« Pourquoi tu lui as interdit de venir à la rencontre, ce week-end ? »

Jon a tendu ses jambes nues devant lui, avant de les soulever vers le haut – sans doute un étirement de coureur.

« Je lui ai juste dit qu'elle n'avait pas besoin de venir. Mais elle peut venir, si elle veut. Je n'ai jamais dit qu'elle ne pouvait pas.

— Tu ne pourrais pas être un peu plus sympa avec elle ? »

Jon a posé son livre, a pris sa Boule 8 magique et l'a fait tourner entre ses mains.

« Je sais bien qu'elle est… enfin… un peu grosse.

— Un peu grosse, a-t-il répété, les lèvres pincées, visiblement furieux. C'est ça. Et le soleil est un peu chaud.

Et l'océan est un peu profond. Tu sais comment l'appellent les gars de l'équipe ?

— Qu'est-ce que ça peut te faire ?

— Non, tu ne sais pas, a-t-il continué. Ce n'est pas toi qui dois supporter ça.

— Pourquoi tu ne leur dis pas de la fermer ?

— Addie, ces mecs sont en dernière année.

— Et alors ? Tu cours plus vite qu'eux. Dis-leur de la fermer. Je suis sûre qu'ils t'écouteront. »

Il a secoué la tête sans répondre.

« Et papa ?

— Quoi, papa ?

— Peut-être que s'il venait aux rencontres avec elle… »

Jon ne m'a pas laissé le temps de finir ma phrase.

« Oh, bien sûr, ce serait super. Le voir se pointer à trois heures de l'après-midi en plein milieu de la semaine, pour que tout le monde sache qu'il n'a pas de boulot. »

J'ai dégluti. Un père sans boulot, ça ne ferait pas oublier une mère obèse. Au contraire.

« Sans vouloir te vexer, tu ne sais pas de quoi tu parles, a conclu Jon. Et je dois finir ça. »

Il s'est détourné de moi en reprenant son livre. Au bout d'une minute, j'ai retraversé le chantier de sa chambre, en sens inverse.

Ce soir-là, je suis restée éveillée longtemps après avoir entendu le pas lent de ma mère dans l'escalier, longtemps après avoir vu le rai de lumière s'éteindre sous la porte de la chambre de Jon. Les autres familles n'étaient pas comme ça. Qu'est-ce qui n'allait pas chez nous ? Pourquoi étions-nous si différents ?

Pourquoi ça t'inquiète ? entendais-je Valerie me demander dans ma tête. Qu'est-ce que ça peut faire ? Sa famille n'avait rien de normal, et elle s'en fichait éperdument. Mais sa mère était très belle, et, bizarrement, je trouvais qu'avoir un père divorcé était plus facile qu'en avoir un qui ne se comportait pas comme les autres. Moi, ça me faisait quelque chose qu'on soit différents et que Jon puisse paraître normal en nous rejetant.

J'ai regardé les chiffres lumineux sur mon réveil jusqu'à plus d'une heure du matin. Alors, je suis sortie de mon lit, j'ai descendu l'escalier sur la pointe des pieds, et je me suis arrêtée devant la porte du sous-sol. Retenant mon souffle, j'ai pressé mon oreille contre le panneau de bois. J'entendais mon père ronfler. Je l'ai écouté pendant un moment, avant d'entrer sans bruit dans la cuisine. Ma mère m'avait donné trois biscuits pour le dessert, et le paquet, sur la dernière étagère du garde-manger, était encore presque plein. J'ai pris six biscuits et je les ai remontés dans ma chambre pour me recoucher avec un gâteau entier dans la bouche, sous l'affiche de David Hockney que j'avais achetée lors d'une foire d'art contemporain cet été-là – le bleu de la piscine et la façon dont la lumière jouait sur l'eau m'avaient enchantée. J'ai gardé le biscuit sur ma langue jusqu'à ce qu'il forme une pâte collante, noire et granuleuse. Un gâteau, deux gâteaux, trois gâteaux, six gâteaux. Quand je les ai eu tous mangés, je me suis passé la langue sur les dents, j'ai fermé les yeux et je me suis enfin endormie.

« À ton avis, pourquoi Jon est si con ? ai-je demandé à Valerie le lendemain matin en attendant le bus.

— Je ne le trouve pas con. Je le trouve mignon. »

C'était une semaine avant Halloween, mais il faisait déjà froid, et l'air était vif et piquant. Val portait un jean retourné grossièrement aux chevilles, et un pull violet trop ample. Elle était déjà plus grande que toutes les filles et presque tous les garçons de quatrième, maigre et plate, avec des coudes pointus et des genoux noueux qu'elle cachait sous plusieurs couches de tee-shirts, cols roulés et sweat-shirts, et, inévitablement, des jeans de garçon. Elle n'avait pas de belles dents. On pouvait glisser une pièce entre les deux de devant qui avançaient dans des directions différentes – bref, comme disait Jon, ses dents se faisaient la gueule.

Le plus surprenant, c'était que Val ne semblait pas savoir qu'elle avait l'air bizarre. Ou si elle le savait, elle s'en fichait. Chaque année, elle essayait d'intégrer la grande chorale, même si elle était incapable de chanter juste (bien que, pour sa défense, elle y mît tout son cœur). En juin, elle passait des auditions pour tenter de décrocher les rôles principaux au théâtre musical d'été. Elle répétait sa chanson et son monologue pendant des semaines, mais finissait toujours avec un rôle de vulgaire figurante – une gamine qui ne chantait pas dans *Annie*, une bonne sœur sans texte dans *La Mélodie du bonheur*, un arbre dans *Peter Pan* –, une fois que ceux qui savaient chanter avaient obtenu les rôles de pirates, d'Indiens et de garçons perdus. Jamais les refus n'entamaient sa confiance. Elle collait des feuilles en feutre sur son justaucorps vert, ou posait devant son miroir avec sa guimpe sur la tête, comme si elle était la vedette du spectacle, comme si tout le monde ne venait que pour la voir.

« Jon a fait quelque chose ? m'a-t-elle demandé en ouvrant le manuel de sciences, *J'explore notre monde*, sur ses genoux. Il t'a fait quelque chose ? »

Sans me laisser le temps de répondre, elle a ajouté :

« Tu as fini la fiche d'exercices ? »

Je la lui ai tendue. Val était intelligente – c'était du moins ce que les tests d'entrée au collège avaient prouvé –, mais elle manquait pour le moins de constance dans son travail scolaire.

« Il a interdit à ma mère de venir à ses rencontres de cross. Il a… honte d'elle. »

Val a fait la moue.

« Peut-être qu'elle pourrait faire un régime.

— Je ne sais pas.

— Ma mère en fait un qui est pas mal, a continué Val, les yeux baissés sur sa feuille où elle recopiait mes réponses. Tu manges un œuf dur au petit déjeuner, un œuf et la moitié d'un pamplemousse le midi, et le soir, de la salade et une boîte de thon, avec du jus de citron à la place de la vinaigrette. Ma mère fait ça à chaque début d'année, pendant, quoi, une semaine. »

Elle a froncé le nez.

« Ça lui donne des gaz, mais ça marche.

— Je ne sais pas », ai-je de nouveau marmonné.

Même si j'avais compris, depuis le temps, que personne ne partageait mon avis, je restais toujours persuadée que ma mère était très belle.

« Et le régime Deal-A-Meal ? a suggéré Val tandis que le car scolaire arrivait au coin de la rue. Tu sais, avec le type qui fait les vidéos *Sweatin' to the Oldies* ? J'ai vu une pub à la télé. Tu dois regarder une cassette chez toi pour faire de l'exercice, et tu as des cartes qui te disent ce que tu dois manger le midi et le soir.

— Peut-être. »

Le bus s'est arrêté devant nous dans un crissement de pneus. Val m'a rendu ma fiche d'exercices avant de ramasser son sac à dos. On s'est installées dans le car à nos places habituelles, à trois rangs du fond, côté gauche, et la conversation en est restée là. Jusqu'au jour où j'ai trouvé Val assise devant notre porte en revenant des scouts.

« Je parie que Jon a des pollutions nocturnes », m'a-t-elle annoncé tandis que nous marchions vers la supérette.

Val n'avait pas de frère, mais elle semblait en savoir beaucoup plus que moi sur les garçons. La plupart de mes connaissances sur le sujet provenaient d'un livre que ma mère m'avait donné le jour de mes douze ans. Il s'appelait *Qu'est-ce qui m'arrive ?*, et nous avait occupées, Val et moi, pendant des heures et des heures. Dedans, il y avait des images d'une fille avec des seins et des poils pubiens, ainsi qu'un index dans lequel on pouvait chercher des mots comme « pénis », « éjaculer », « masturbation », et « pollutions nocturnes », ce que Val s'était empressée de faire dès l'instant où elle avait eu le livre entre les mains.

« Beurk. »

Depuis que j'avais appris l'existence de ces « pollutions nocturnes », je ressentais un mélange de malaise et de pitié chaque fois que je les associais à mon frère. Comme ce devait être affreux d'avoir tout qui pendait à l'extérieur, bien en évidence, d'avoir une partie de son corps qui grossissait, durcissait et crachait sur les draps sans qu'on ait son mot à dire !

« Il a une petite copine ? » m'a demandé Val en posant deux canettes de Coca Light et un paquet de chips sur le comptoir.

J'ai sorti trois dollars de ma poche en faisant non de la tête, même si je n'en étais pas certaine. À quinze ans, Jon avait déjà sa vie bien à lui, et j'en ignorais tout.

« Je parie qu'il en a une, a repris Val d'un air songeur en ouvrant sa canette.

— Est-ce que tu trouves que… ? »

Je ne suis pas allée plus loin. Je savais ce que je voulais lui demander – « Est-ce que tu trouves que ma famille est bizarre ? » –, mais je n'osais pas.

« On devrait se déguiser en pom-pom girls pour Halloween. On pourrait mettre des pulls blancs, et acheter des jupes et des pompons. »

Nous avons marché un moment en silence, dépassant la maison des Shea, puis celles des Bucci et des Hatton.

Comment pourrais-je demander à Val ce qui n'allait pas chez nous ?

« On peut aussi se déguiser en Barbie. Ou en sorcières. Comme tu veux. »

Nous avons fini par nous déguiser en sorcières, car il n'y avait pas de pompons au magasin de farces et attrapes mais une multitude de chapeaux noirs pointus, de la peinture verte pour le visage et des collants à rayures noires et blanches, que nous avons enfilés sous nos robes noires de chorale.

« Je fonds ! » a hurlé Val tandis que je faisais semblant de lui balancer un seau d'eau sur la tête, comme dans *Le Magicien d'Oz*, pendant que ma mère prenait des photos.

Ce soir-là, Jon ne jouait pas à « Trick or treat ».

« C'est pour les gamins », a-t-il lancé en descendant l'escalier, vêtu de son jean et du sweat-shirt de son équipe.

Un break a déboulé à toute allure dans notre rue, a tourné brusquement dans notre allée et s'est arrêté à quelques centimètres de la porte du garage. Ma mère a froncé les sourcils. Elle s'était mis elle aussi un chapeau de sorcière, et portait du rouge à lèvres rouge vif et des chaussures à talons hauts de la même couleur.

« Je dois y aller », a dit Jon, qui était invité à une fête chez l'un de ses coéquipiers.

Il avait promis à ma mère que les parents seraient là et qu'il n'y aurait pas d'alcool. Il lui avait même donné le numéro de téléphone, tout en grommelant dans sa barbe qu'il fallait qu'elle arrête de le traiter comme un bébé. À ma grande surprise, avant de passer la porte, il a sorti de sa poche deux chocolats.

« Tenez, nous a-t-il dit, à Val et à moi, en en mettant un dans chacune de nos taies d'oreiller. C'est pour démarrer.

— Minuit, pas plus tard ! a crié ma mère.

— Oui, maman. »

Il a rejoint en courant la voiture qui l'attendait, et le conducteur a fait ronfler le moteur avant de redescendre l'allée comme une fusée.

Val et moi sommes sorties dans la nuit froide. Nous avons passé une heure à frapper aux portes pour demander des bonbons, ratissant le quartier au milieu d'une foule d'enfants déguisés en princesses, en pirates et en fantômes, et frissonnant dans nos robes de chorale. Malgré les conseils de ma mère, nous avions refusé d'enfiler nos manteaux.

« Ce n'est peut-être plus de notre âge, a dit Val en jetant son sac de bonbons sur son épaule et en retirant son chapeau de sorcière.

— Peut-être bien. »

Les adultes avaient été nombreux à nous le faire remarquer en nous ouvrant leur porte. « C'est la dernière année que je vous donne des bonbons, à vous deux », avait annoncé Mme Bass, avant de jeter une poignée de barres chocolatées dans chacun de nos sacs en nous lançant un clin d'œil. Je frissonnais, je ne sentais plus mes doigts, et j'ai songé que, si je ne devais plus jamais jouer à « Trick or treat », ça ne me manquerait pas beaucoup.

Val a souri, ses dents de travers contrastant avec sa peau verte.

« Eh, ce soir, il y a *Poltergeist* à la télé. Tu te souviens de la scène avec le bout de viande qui rampe sur le plan de travail ?

— Beurk ! »

Je m'en souvenais très bien. Si Val détestait le sang dans la réalité, elle adorait les films d'horreur, en particulier ceux dans lesquels elle croyait voir son père se prendre une balle ou un coup de couteau, ou se jeter d'une fenêtre en feu.

« Tu veux venir dormir à la maison ? »

J'ai trouvé mes parents assis dans le salon, dans la pénombre. Ma mère avait un saladier en plastique rempli de bonbons sur les genoux, et mon père regardait une rediffusion d'une émission comique à la télévision, une tasse de thé à la main.

« Est-ce que je peux dormir chez Valerie ?

— Bien sûr, mais ne vous couchez pas trop tard », a répondu ma mère.

L'espace d'un instant, j'ai pensé ne pas y aller. J'aurais pu enlever mon déguisement et m'asseoir avec mes parents, donner des bonbons aux enfants qui sonneraient à la porte. Mais Val et *Poltergeist* m'attendaient. J'ai pris mon pyjama et ma brosse à dents, et j'ai traversé la rue pour rejoindre Val, qui s'était mise en jogging et préparait du pop-corn, le visage encore couvert de peinture. J'aurais voulu avoir mes pastels pour la croquer rapidement, debout devant la cuisinière avec son visage vert et son chapeau de sorcière perché sur ses cheveux blonds.

« On dirait que tu as une intoxication alimentaire. »

Elle a attrapé quelques feuilles de sopalin et s'est frotté les joues.

« Tiens, fais fondre ça », m'a-t-elle demandé en me lançant une plaquette de margarine.

J'en ai mis un morceau dans un saladier en plastique, que j'ai placé dans le micro-ondes, pendant que Valerie jetait du pop-corn dans une poêle et l'agitait rapidement jusqu'à ce que les premiers grains explosent. On a mangé le pop-corn, puis on a divisé notre butin d'Halloween en classant les bonbons par taille, par forme, puis dans l'ordre dans lequel on voulait les déguster. J'ai échangé mes coquillages à lécher contre des M&M's, et nous sommes tombées d'accord sur le fait que les cachous étaient les plus mauvais bonbons du monde. Nous avons tenu jusqu'à la scène où la viande rampe sur le plan de travail et se met à grouiller de vers (« C'est vraiment génial ! » s'est exclamée Val tandis que je détournais les yeux de l'écran, l'estomac au bord des lèvres). Puis nous nous sommes endormies à même le sol, enveloppées dans des couvertures.

« Chérie ? »

J'ai reconnu l'odeur de cigarette et de shampooing de Mme Adler ; sa voix résonnait tout près de mon oreille.

« Addie, tu es réveillée ? »

L'espace d'un instant, j'ai cru que j'étais dans la voiture, de retour de l'océan. « Bonne nuit, devant ! Bonne nuit, derrière ! »

J'ai ouvert les yeux. C'était le matin, mais il devait être encore très tôt car le ciel était gris, à peine teinté d'une lumière nacrée. À travers la fenêtre, j'ai vu une voiture de police garée devant chez moi. Ses gyrophares coloraient la façade en rouge et bleu.

« Addie, chérie, a répété Mme Adler. Réveille-toi. Il y a eu un accident. »

Je me suis assise. À côté de moi, Val s'est tournée sur le côté sans se réveiller, ses cheveux blonds se détachant sur la couleur foncée du vieux tapis des DiMeo.

« Que s'est-il passé ?

— Ton père vient d'appeler. Ton frère a eu un accident de voiture. »

Je me suis levée pour m'approcher de la fenêtre. Chez moi, la porte d'entrée était ouverte, et je voyais ma mère debout sur le seuil dans sa robe de chambre, les deux mains pressées contre sa poitrine. Un policier en uniforme lui parlait. Il l'a prise par le bras et l'a conduite jusqu'à la voiture de patrouille.

« J'y vais, ai-je dit en cherchant aussitôt mes chaussures.

— Non. Ton père veut que tu restes là. Ils appelleront dès qu'ils en sauront plus. »

Dehors, la voiture de police a reculé dans l'allée. Mon père est sorti en courant de la maison, son haut de pyjama si blanc qu'il semblait briller sous le ciel gris. Il est monté dans le break et a suivi la voiture de patrouille dans la rue.

« Ne te fais pas de souci, m'a dit Mme Adler en me touchant l'épaule. Je suis sûre que tout va bien se passer. »

Je me suis assise sur le canapé, le visage tourné vers la fenêtre, les yeux rivés sur la porte d'entrée de ma maison, jusqu'à ce que le soleil se lève et que le livreur de journaux apparaisse dans notre rue, vacillant sur sa bicyclette devant chacune des maisons tandis qu'il lançait un journal vers la porte.

« Hé. »

Val me regardait en clignant des yeux, toujours allongée par terre.

« Qu'est-ce qui se passe ? Tu fais une de ces têtes.

— Jon a eu un accident, ai-je répondu, la voix tremblante. Mes parents sont partis à l'hôpital.

— Oh mince ! »

Val s'est levée et s'est assise près de moi sur le canapé.

« Qu'est-ce qui s'est passé ? »

J'ai haussé les épaules, incapable de détacher mes yeux de la maison. Peut-être qu'il s'agissait d'un test, et que si je continuais à regarder, sans cligner des yeux, sans rien rater, tout irait bien. Val est restée à côté de moi, et j'ai regardé notre maison, je l'ai gravée dans mon esprit, comme une nature morte. Mon père avait peint les murs d'un brun crémeux au mois d'août. Je l'avais aidé, lui tendant les pots de peinture, apportant des verres de limonade, tenant l'échelle lorsqu'il redescendait.

J'ai regardé la maison, les volets, le heurtoir en cuivre sur la porte d'entrée et les deux ormes devant, en essayant de ne pas pleurer, en bougeant et en respirant à peine, jusque tard dans l'après-midi. Enfin, notre break s'est arrêté dans l'allée, et mes parents en sont descendus pour venir me chercher.

« Ton frère... », a commencé ma mère.

Elle avait le visage pâle et bouffi, les cheveux tout emmêlés, électriques. Elle serrait des mouchoirs en papier dans une main ; l'autre était crispée sur son genou.

« C'était stupide, a marmonné mon père en frottant ses yeux rougis. Jon aurait dû se méfier.

— Qu'est-ce qui s'est passé ? »

Toute la ville n'avait pas tardé à le savoir : trois garçons de l'équipe de cross-country se trouvaient dans la voiture, deux à l'avant et Jon à l'arrière. Ils n'étaient pas ivres – du moins pas selon la loi –, mais ils avaient bu et roulaient vite, à cent quarante kilomètres-heure sur une route tristement célèbre pour ses virages, parce qu'ils ne voulaient pas rentrer en retard. Le conducteur avait perdu le contrôle de la voiture, et celle-ci avait percuté un arbre avant de faire des tonneaux. Le garçon au volant et celui à la place du passager ne portaient pas leurs ceintures de sécurité. Ils étaient morts tous les deux (et selon la rumeur qui s'était répandue dès le lundi à l'école, l'un d'eux avait été décapité). Jon, qui avait sa ceinture, s'en était sorti avec des coupures, des bleus, des contusions, des côtes cassées, un traumatisme crânien. Et des lésions cérébrales.

« Ils ne connaissent pas encore l'étendue des dégâts, a expliqué ma mère en tordant un mouchoir.

— Mais ça va aller ? Il va s'en sortir ? »

J'ai regardé ma mère, puis mon père, attendant qu'ils me rassurent, qu'ils me disent que tout irait bien. Mais ma mère a étouffé un sanglot en détournant les yeux, et mon père s'est frotté la mâchoire.

« Est-ce que Jon va s'en sortir ? » ai-je demandé à nouveau.

Ils ne m'ont pas répondu. C'est comme ça que j'ai compris que plus rien ne serait jamais comme avant. Le frère que j'avais connu, que j'avais aimé, maudit et envié, qui parlait pour moi aux conducteurs de bus, aux caissières et aux étrangers, ce garçon vif et sûr de lui n'était plus là. Ce que l'on a vu revenir douze semaines plus tard du centre de rééducation, c'est une chose ressemblant à Jon, en plus pâle et en plus grassouillet, victime de crises d'épilepsie et de troubles de l'équilibre et de la perception, une chose ressemblant à Jon qui restait assise devant la télévision ou à table, à regarder sans aucune curiosité ce qui se trouvait dans son assiette ou sur l'écran, parfois avec un doigt dans le nez, parfois, surtout les premiers mois, avec la main dans le pantalon. Désinhibition, expliquait ma mère, comme si le fait de connaître le terme médical rendait les choses plus faciles.

Jon a dû tout réapprendre : s'habiller et se laver les dents, nouer ses lacets, couper, mâcher et avaler les aliments, lire, aller aux toilettes (ça, les gens de l'hôpital s'en étaient chargés et heureusement, parce que c'était vraiment trop horrible). Et puis il y avait ce problème de désinhibition, les doigts dans le nez et autres détails dont le cerveau abîmé de Jon avait oublié le caractère privé. Il y avait les crises, des moments où il avait le regard perdu dans le vide, et des accès de rage pendant lesquels il se mettait à hurler des insanités, parfois parce qu'il n'arrivait pas à lacer ses chaussures ou à reboucher la bouteille de lait, parfois sans aucune raison. Il criait : « Enculé ! Enculé ! Enculé ! » à ma mère en lançant des coups de pied dans tous les sens, tapant dans les chaises et sur le plan de travail de la cuisine jusqu'à ce qu'elle le persuade d'arrêter. Il y avait aussi les problèmes de mémoire à court terme : Jon se souvenait des résultats de matchs de foot auxquels il avait participé à huit ans, ou des personnes présentes à son dixième anniversaire, mais pas du code de son casier, du nom de ses profs, ni de l'endroit où il avait mis ses chaussures la veille au soir.

Combien de temps cela allait-il durer ? Jon redeviendrait-il lui-même un jour ? Selon les médecins, on ne pouvait pas le savoir, mais la première année serait déterminante. « Ç'aurait été mieux qu'il soit plus vieux », avais-je entendu l'une des thérapeutes dire un jour à ma mère. Elle s'appelait Sue Stumps et venait chez nous deux fois par semaine, vêtue de blouses avec des nounours imprimés ou d'autres motifs ridicules et puérils que je détestais parce que Jon n'était pas un bébé et que, s'il avait été lui-même, il les aurait détestés lui aussi. « S'il était plus vieux, il aurait à réapprendre des choses qu'il aurait faites pendant longtemps : se raser, conduire. Pour les jeunes gens… » Elle n'avait pas fini sa phrase, mais j'avais compris. Pour les plus jeunes, c'était pire.

Mon père passait de plus en plus de temps au sous-sol, comme s'il ne supportait pas de voir ce que Jon était devenu. Ma mère rôdait autour de mon frère, lui caressait les cheveux, lui essuyait la bouche. Moi, je restais à l'écart, je le regardais grommeler dans sa barbe des choses inaudibles. Parfois, surtout devant la télévision, il bavait. Selon mes parents, c'était un des effets secondaires de ses médicaments, il ne le faisait pas exprès, et je devais l'aider, lui tendre des mouchoirs pour qu'il pense à les utiliser. « Il faudra que tu prennes soin de lui », me répétaient-ils tout le temps lorsqu'il était encore à l'hôpital et, plus tard, au centre de rééducation à Chicago. Au début, je n'arrivais pas à l'imaginer. L'idée de prendre soin de mon frère me paraissait aussi inconcevable que celle d'avoir un jour des ailes. Mais le Jon qui est rentré à la maison n'avait rien à voir avec celui qui était parti d'un pas léger le jour d'Halloween, et ce Jon-là avait besoin de moi.

Il a passé le printemps et l'été à la maison et en thérapie, à travailler avec de la peinture, de l'argile, des ballons et des livres de calligraphie que j'utilisais en CP. Le soir, mes parents lui lisaient des histoires à tour de rôle jusqu'à ce qu'il se mette à ronfler. Cet automne-là, il est retourné en première année de lycée, dans la même classe que Valerie et moi. Avant, il suivait la voie normale, en plus d'un cours d'histoire réservé aux meilleurs élèves. À présent, il intégrait le cursus « modifié », aux côtés des élèves qui partiraient en apprentissage ou à l'armée, au lieu d'obtenir un diplôme à la fin du lycée. Trois jours par semaine, un éducateur l'accompagnait en classe pour s'assurer qu'il prenait des notes, restait attentif et ne se mettait pas à somnoler ou à crier en plein milieu d'un cours ou d'un contrôle.

Au début, les autres élèves ont eu une conduite exemplaire. Ils lui proposaient de l'aide pour ses devoirs ou pour porter ses livres, et ses anciens coéquipiers lui laissaient une place à leur table au moment du déjeuner. Mais ça n'a pas duré. À la fin du mois de septembre, Jon errait tout seul dans les couloirs, avec sa démarche traînante de petit vieux, une main frôlant le mur pour garder l'équilibre. Toute sa grâce s'était envolée. Il restait seul dans le bus et à la cantine, sauf le vendredi, car j'avais la même pause que lui et nous déjeunions ensemble. En classe, c'était comme s'il y avait un champ magnétique autour de lui, une barrière que personne n'essayait de franchir. Les petits mots volaient au-dessus de sa tête ; les filles qui s'attroupaient avant autour de lui évitaient sa table et son casier. Il ne pouvait plus faire partie de l'équipe de cross-country. Son traitement lui avait fait prendre du poids, et il souffrait de troubles de l'équilibre irrémédiables. À la maison, le téléphone a cessé de sonner. Ses amis l'avaient oublié. Mais ce n'était pas leur faute : Jon n'était plus le même.

En rentrant du lycée, il s'asseyait à la table de la cuisine et se plongeait dans des puzzles de mille pièces représentant la Voie lactée, des paysages lunaires, Vénus, Mars et la navette spatiale *Challenger* ; il tirait la langue et plissait le front sous l'effort de concentration. Ma mère tapait dans ses mains dès qu'il avait fini, et je me demandais alors, en entendant le triste bruit de ses applaudissements, si elle se souvenait de l'époque où elle sautait de joie pendant les courses et criait : « Hourra » lorsqu'il franchissait la ligne d'arrivée. À présent, quand elle lui posait des questions, il lui répondait. Nous prenions tous les repas en famille et il regardait la télévision avec nous après le dîner. Plus aucune voiture ne venait klaxonner dans l'allée pour lui prendre son fils. Elle l'avait de nouveau pour elle, rien que pour elle.

De mon côté, j'essayais de l'aider. Je m'assurais que ses chaussures étaient lacées, que son sac à dos était fermé, sa ceinture bouclée et sa fermeture Éclair remontée lorsqu'il sortait des toilettes. Je restais près de lui, à attendre les rares moments de lucidité qui pouvaient survenir n'importe quand. Un jour de ce printemps-là, alors que le car scolaire était arrêté à un feu rouge, Val et moi regardions par la fenêtre une voiture remplie des anciens amis de Jon. Le conducteur klaxonnait et la fille à l'avant riait à gorge déployée, les pieds posés sur le tableau de bord. Jon, assis derrière nous, m'a tapoté l'épaule. Je me suis retournée, pensant qu'il allait me demander un mouchoir ou une pastille pour la toux, ou me dire qu'il avait oublié son repas ou ses livres, mais il me regardait d'un air triste.

« J'ai eu un accident de voiture, c'est bien ça ? »

J'ai retenu mon souffle.

« Oui. »

Il est resté silencieux. Au bout d'un moment, son visage s'est assombri.

« Enculé », a-t-il murmuré.

Val a soupiré. J'ai senti ma gorge se serrer.

« Jon, rappelle-toi, ce mot ne se dit pas tout haut. »

C'était ce que son thérapeute nous avait conseillé de lui dire.

« Je t'aime, ça me fait de la peine qu'il te soit arrivé du mal.

— Enculé », a-t-il répété doucement.

Il a fermé les yeux et appuyé son front contre la vitre. Sous ses cheveux se trouvait une vilaine cicatrice. Dessous, une plaque en métal, qui couvrait les trous qu'on avait percés dans son crâne pour soulager la pression de son cerveau tuméfié. Il a ouvert la bouche et un filet de bave est tombé sur le col de sa chemise. Une minute plus tard, il dormait. Je me suis forcée à détourner les yeux jusqu'à ce que le car arrive au lycée.

11

« Val ? »

Mon souffle formait un nuage blanc devant moi. J'ai rejoint la voiture et tiré sur la poignée. Elle était fermée, évidemment. Avec tout ce que j'avais emporté – mon sac à main, mes clés et, plus embêtant, mon téléphone – à l'intérieur. « Pauvre idiote », ai-je marmonné en m'appuyant contre la portière. Comme j'étais bête. Comment avais-je pu croire qu'elle avait changé ? Comment avais-je pu penser qu'elle était revenue assagie, telle une amie sûre et fidèle qui, lorsqu'elle aurait admis la vérité sur ce qui s'était passé au lycée, me vouerait une reconnaissance éternelle ? Les gens ne changeaient pas. Ni moi, ni Val, ni Dan Swansea. Je resterais toujours une trouillarde, elle serait toujours égoïste, Dan Swansea, lui, passerait sans doute sa vie à commettre des crimes sans jamais se faire prendre, puis je finirais par mourir d'un cancer et tout le monde s'en moquerait. Pire encore, personne ne s'en rendrait compte. Je connaîtrais une mort horrible de vieille fille, mon cadavre pourrirait pendant des jours avant qu'on remarque l'odeur. Et cela pourrait prendre un certain temps car, avec ses problèmes de sinus, Mme Bass ne sentait plus grand-chose.

J'ai donné un coup de pied dans les graviers en grommelant : « Merde », ce qui n'a amélioré ni la situation ni mon humeur. Et après ? Je me suis dirigée vers la rue. La station-service la plus proche était à quelques kilomètres ; je me rappelais être passée devant en venant. À pied, il me faudrait une demi-heure pour l'atteindre. Là, je trouverais un téléphone, j'appellerais la police et je lui dirais la vérité : que Valerie était venue chez moi, qu'elle m'avait raconté ce qui lui était arrivé, et que j'étais allée sur le parking, où j'avais vu du sang et une ceinture, mais pas de Dan Swansea.

Alors que je me tenais les mains dans les poches, la tête rentrée dans les épaules pour lutter contre le froid, une idée m'a soudain traversé l'esprit : et si les policiers ne me croyaient pas ? S'ils pensaient que c'était moi qui avais renversé Dan Swansea ? Et si Valerie mentait de nouveau, prenait sa défense comme au lycée ? « Pourquoi tu racontes ces mensonges sur Dan et moi ? » demanderait-elle, comme elle l'avait fait ce jour-là à la cafétéria, sa voix s'élevant au-dessus du brouhaha jusqu'à ce que le silence se fasse et que tout le monde se tourne vers moi. « Je dis la vérité et tu le sais », avais-je répondu en rougissant, mais ma voix n'était qu'un souffle, et le rire méprisant de Val m'avait paru assourdissant en comparaison. « Jalouse, j'imagine », avait-elle dit comme si elle se parlait à elle-même, mais assez fort pour que les autres l'entendent. Jalouse. La grosse Addie. C'était moi.

Tant pis, je trouverais un moyen de convaincre les flics de ma sincérité. « Qu'elle aille se faire voir », ai-je marmonné, et je me suis accroupie, songeant que je pouvais au moins essayer d'effacer mes empreintes sur la ceinture. C'est alors que j'ai entendu Valerie m'appeler.

« Désolée, j'ai été longue », a-t-elle lancé tandis qu'elle surgissait d'un buisson en trottinant.

Je l'ai fusillée du regard.

« Qu'est-ce que tu foutais ?

— J'avais envie de faire pipi.

— Envie de faire pipi ? ai-je répété, excédée.

— Il fallait que je trouve un endroit à l'écart, a-t-elle expliqué en lissant sa robe sur ses hanches. Je porte un body. Je tiens à conserver ma dignité.

— Attends, c'est bien toi qui as présenté la météo sur un taureau mécanique, une fois, non ? ai-je rétorqué en recouvrant ma voix. Ta conception de la dignité est un peu spéciale, je trouve. »

Val a eu le culot de paraître agréablement surprise.

« Tu m'as vue ?

— Non, j'en ai entendu parler. Tes fans en pleine puberté ont dû adorer.

— Eh, c'était pour l'audience. Et un téléspectateur, c'est un téléspectateur. Il est mort ? »

Je l'ai laissée mariner un moment, car elle l'avait bien mérité.

« Je ne sais pas. Il n'est plus là. »

Val n'a pas semblé entendre.

« Ouais, eh ben je ne me rends pas. Rien à foutre. D'une, c'était un accident, et de deux, ce n'est que justice. De la légitime défense. Ça fait longtemps que quelqu'un aurait dû lui régler son compte.

— Val, il n'y a personne, ici. »

Elle a fini par se taire et m'a regardée, les lèvres entrouvertes, le visage plein d'espoir.

« Personne ?

— Il y a du sang et une ceinture. Mais pas de Dan Swansea.

— Beurk », a-t-elle fait en me montrant son profil qui, j'en étais de plus en plus convaincue, avait subi un peu de chirurgie esthétique : le nez était plus fin, le menton plus volontaire.

« Le sang, a-t-elle ajouté, tu crois que c'est le sien ?

— Enfin, Val ! Comment veux-tu que je le sache ? »

Elle s'est agenouillée devant les poubelles pour inspecter les graviers poisseux. Lorsqu'elle s'est relevée, elle paraissait soulagée... et perplexe.

« Si ça se trouve, il est rentré chez lui.

— Ou alors il a été enlevé par des extraterrestres, ai-je suggéré. Le type avec qui j'ai passé la soirée prétend qu'une soucoupe volante traîne dans les parages. »

Val a froncé les sourcils.

« Tu crois que ça va arranger les choses de raconter des conneries ? »

J'ai sautillé sur place pour me réchauffer.

« Ou alors il a été rappelé par Dieu. Mais, dans ce cas, ses vêtements seraient là aussi. Et, si je ne me trompe, ils sont toujours dans ta voiture ? »

Elle a levé les yeux au ciel.

« Donc, tu ne sais pas si c'est son sang, mais tu sais exactement ce qui arrive aux vêtements pendant l'Enlèvement des chrétiens. »

Val s'est mise à mordiller l'ongle de son pouce.

« On devrait aller chercher les autres.

— Val, ai-je dit, en m'efforçant de ne pas rire. Tu es présentatrice météo. Je peins des cartes de vœux. Ce n'est pas le Far West. On n'est pas Thelma et Louise.

— Thelma et Louise avaient des boulots, elles aussi, a-t-elle rétorqué. Quant au fait que je présente la météo, il existe une longue et honorable tradition de météorologues qui ont pris part à des actions radicales. Tu as peut-être déjà entendu parler des Weathermen ? »

J'ai senti le rire monter dans ma gorge comme des bulles de champagne.

« Val, ces types n'étaient pas vraiment des météorologues. Tu le sais, quand même ? »

Elle n'a pas répondu.

« On devrait essayer de le retrouver, pour s'assurer qu'il ne parlera pas. Ensuite, on ira s'occuper des autres. Kevin, Mark, et…

— "On" ? Non, Val. Tu y vas toute seule, ma grande. Ce n'est pas mon problème. »

Elle a eu l'air incrédule. Et puis blessée… Blessée et très jeune, dans ses talons hauts et sa robe rouge.

« Alors tu ne veux pas m'aider ? »

J'ai enfoncé mes mains dans mes poches et je lui ai répondu lentement, en articulant bien pour qu'elle comprenne chaque mot. J'avais en tête ce fameux jour à la cafétéria, elle à un bout de la salle, entourée de tous ses amis, et moi à l'autre, toute seule.

« Tu ne t'en souviens peut-être pas, mais la dernière fois que j'ai essayé de t'aider, ça ne s'est pas très bien terminé pour moi.

— J'ai dit que j'étais désolée.

— Tu sais quoi ? C'est un peu tard pour être désolée, ai-je répondu sèchement. Tu imagines à quoi a pu ressembler ma dernière année de lycée ? »

Je me rappelais ce qu'on disait partout de moi : « Grosse conne. Grosse pute. Grosse moucharde. » Toujours « grosse » quelque chose, comme si c'était la pire des insultes.

« Et toi, tu imagines à quoi ressemblait ma vie ? a riposté Valerie.

— Assez bien, oui. J'étais là, tu te rappelles ? Oh, ça devait être horrible d'avoir à choisir avec quel mec tu irais au bal de fin d'année.

— Tu n'imagines pas.

— Non, c'est sûr que j'ai du mal à imaginer ce que ça fait d'être grande, blonde, belle, et de trahir sa meilleure amie…

— Je te détestais, a murmuré Valerie d'une voix blanche.

— Pardon ?

— Je te détestais parce que tu avais tout. »

Elle s'est détournée, pointant sa clé vers la Jaguar, dont les serrures se sont ouvertes avec un clic.

« Allez, monte. Je te ramène chez toi.

— Attends. J'avais tout ? De quoi tu parles ? »

Elle m'a fait face, les talons plantés dans les graviers, les mains sur les hanches.

« Tu avais une maman. Et un papa. Et un frère. Et de la bouffe dans ton putain de frigo, ce que, au cas où tu ne l'aurais pas remarqué, je n'avais pas, parce que ma mère n'avalait rien d'autre que du Coca et des biscottes. Tu avais des vêtements propres. Tu avais quelqu'un qui signait les permissions pour les sorties scolaires et te donnait un peu de fric pour t'acheter un sandwich. Tu avais quelqu'un qui participait aux réunions parents-profs. Tu n'as jamais eu besoin de réveiller ta mère parce qu'elle était tombée ivre morte sur le canapé avec une cigarette allumée à la main. Tu avais deux parents qui t'aimaient… »

Sa voix s'est brisée.

« Tu avais tout. »

Elle a ouvert brusquement la portière du côté passager.

« Monte.

— Valerie. »

J'avais le souffle coupé, comme si j'avais reçu un coup de poing dans l'estomac. De quoi parlait-elle ? Sa mère était belle, débordante de vie et excentrique. Bien sûr, elle était un peu distraite, mais aimante et généreuse. Du moins était-ce ce que j'avais toujours pensé. M'étais-je trompée à ce point ?

« J'avais envie de trouver ma place quelque part, a continué Val.

— Et en quoi le fait de me trahir t'a aidée ? » ai-je demandé, sidérée.

Elle a haussé ses frêles épaules, avant de baisser la tête. Je suis restée là sur le parking sans savoir quoi répondre, sentant l'air glacé de la nuit contre mes joues. Au cours de toutes ces années, jamais l'idée d'avoir pitié de Valerie ne m'avait traversé l'esprit. C'était moi la victime, elle la méchante ; moi le vilain petit canard, elle le cygne. Elle avait réussi à s'échapper de Pleasant Ridge, alors que j'étais restée coincée ici, retenue par mon frère et par la peur. Pendant toutes ces années de rage et de ressentiment, toutes ces années où j'avais porté ma rancune comme un sac à main que j'aurais craint de lâcher même un instant, je n'avais jamais envisagé qu'il pouvait y avoir une autre manière de voir les choses, une autre vérité.

« Si Dan n'est pas ici, où penses-tu qu'il peut être ? » ai-je demandé.

Val a haussé les épaules.

« On devrait essayer de le retrouver. »

Je pouvais au moins faire cela. Je devais bien ça à celle qui avait été autrefois mon amie.

« Pourquoi ?

— Parce que… »

J'avais l'impression d'avoir quitté ma vie ordinaire, avec sa logique et ses règles habituelles, et d'avoir atterri dans un autre monde, où l'on pouvait renverser en toute impunité les gens nous ayant fait du mal, qui disparaissaient simplement, peut-être pour retourner dans le vrai monde avec ses vraies règles. Tout semblait sens dessus dessous.

« Parce qu'il est peut-être blessé. »

Elle s'est retournée lentement. Cette fois, elle avait l'air adulte ; elle ressemblait à sa mère, qui savait se tirer de n'importe quelle situation délicate avec un joli sourire enjôleur.

« Ce n'est pas notre problème.

— Mais si c'est toi qui l'as renversé ? ai-je répondu.

— Et si cette nuit était une sorte de… joker ? »

Je l'ai dévisagée, me demandant si elle se doutait qu'elle venait d'exprimer tout haut ce que j'avais pensé tout bas quelques instants auparavant.

« Et si on pouvait faire tout ce qu'on voulait, ce soir ? a-t-elle ajouté. Aller retrouver ces mecs pour se venger ? »

Non, ai-je songé. Ce n'est pas comme ça que ça marche. Rien n'est jamais gratuit ; on finit toujours par payer la note. J'ai soudain pensé à ma vie. J'avais perdu ma mère, mon père et mon frère. J'avais perdu ma meilleure amie et mon petit ami. Pire que tout, j'avais perdu mes rêves… Et maintenant, si cette grosseur dans mon ventre était bien ce que je croyais, j'allais aussi perdre la vie, probablement sans tarder. Il ne resterait rien des trente-trois années que j'avais passées sur cette terre, hormis une poignée de cartes de vœux qui se vendaient à un dollar quatre-vingt dix-neuf l'unité, trois mugs, et un frère qui ne se rappelait pas toujours qu'on était parents et que je n'avais plus treize ans. Il ne me restait que Val, ma meilleure amie, qui avait fini par revenir.

Un véhicule tout rouillé est passé devant le parking. Sans rien dire, nous sommes montées dans la Jaguar, Val au volant et moi à côté. La voiture a démarré en ronronnant, crachant des graviers derrière elle, tandis que Val s'engageait sur la route.

« Alors, on va où ? »

Elle a accéléré tout droit vers l'autoroute, qui pouvait nous conduire à la maison ou… n'importe où, à vrai dire.

« On se fait qui, en premier ? »

Bizarrement, le premier nom qui m'est venu à l'esprit n'était pas celui d'un camarade de classe. J'ai pensé à la conseillère d'orientation, une des personnes qui auraient dû me protéger. Elle s'appelait Carol Demmick et gardait toujours un petit flacon de vinaigre sur son bureau pour tremper ses bâtonnets de carotte. Du coup, les élèves l'appelaient Douche Vaginale, ou Douchette (j'imagine qu'elle l'ignorait). Un jour, au printemps de la dernière année de lycée, elle m'avait fait venir dans son bureau pour me parler de ce que je voulais faire après le diplôme ; puis, très gentiment, elle m'avait demandé comment se déroulait l'année scolaire. Ça faisait tellement longtemps qu'on ne m'avait pas regardée avec bienveillance au lycée, qu'on ne m'avait pas parlé autrement qu'avec mépris ou indifférence, que je lui avais répondu : « Très mal. » Je lui avais tout raconté : les garçons qui me faisaient des croche-pieds, me poussaient et renversaient mes casse-croûte, les graffitis sur les murs de toutes les cabines des toilettes, les profs qui, eux-mêmes, semblaient me détester et me traitaient comme si j'avais une horrible maladie contagieuse. La conseillère d'orientation m'avait regardée pendant une longue minute, avec ses gros yeux de mouche grisâtres amplifiés par ses lunettes à monture en plastique vert, dont quelqu'un avait dû lui dire un jour qu'elles faisaient « cool ».

« Addie, avait-elle répondu de sa voix trop douce, avec son double menton qui tremblotait. Je ne dis pas ça méchamment, mais peut-être que, cet été, tu devrais penser à faire un régime. »

Je l'avais dévisagée, impassible. Croyait-elle vraiment que je n'y avais jamais pensé ? Que je n'étais pas justement en train de faire un régime, le même depuis six mois, que je respectais avec soin jusqu'à vingt et une heures ? Et qui était-elle pour me parler de mon poids ? Elle aussi, c'était une grosse !

« Tu sais ce qu'on dit, avait-elle ajouté. La première impression est toujours la dernière ! Et dans chaque personne grosse, il y a une personne mince qui ne demande qu'à sortir ! »

J'ai ramassé mon sac à dos. Qu'est-ce qu'elle pensait donner, elle, comme première impression, avec son calendrier de chatons punaisé au mur (« Tiens bon ! » disait la légende sous le petit chaton blanc qui s'accrochait à une branche) et sa coiffure démodée à la Mamie Eisenhower ?

« Je dois aller en maths, avais-je marmonné.

— Addie, je ne voulais pas te blesser. Je voulais… »

« … juste t'aider », ai-je terminé en claquant la porte de son bureau et en sortant dans le couloir bondé. Bien sûr. Ils voulaient tous juste m'aider : le médecin, ma mère, ces garçons qui me suivaient dans les couloirs en imitant le cri du cochon. Et les filles que j'avais entendues aux toilettes – « C'est clair, elle doit peser au moins cent kilos ! C'est presque deux fois plus que moi ! Hihihi, hihihi ! », elles aussi, elles voulaient juste m'aider ! Le monde regorgeait de bons Samaritains, qui crevaient tous d'envie d'aider la pauvre grosse Addie Downs.

« Addie ? »

Je me suis forcée à revenir au présent, aux sièges chauffés de la Jaguar, à ma meilleure amie assise à côté de moi.

« Dan Swansea est venu avec qui ? ai-je demandé.

— Chip Mason.

— Pour commencer, on va regarder autour du country-club. Il est peut-être au bord de la route. Ensuite, on ira chez Chip.

— On peut acheter des donuts, d'abord ? »

Elle m'a regardée avec ses grands yeux pleins d'espoir.

Je me suis mordu la lèvre pour ne pas rire. Elle voulait des gâteaux, après avoir commis un homicide au volant de sa voiture… Mais pourquoi pas ? C'était l'aventure, et je n'avais pas connu ça depuis bien longtemps.

12

« Ça ne peut pas être là », ai-je dit en observant les numéros des maisons tandis que Valerie ralentissait.

Elle a baissé les yeux sur l'annuaire de la classe ouvert sur ses genoux, avant de regarder la rue sombre de la ville d'Aurora, à quarante-cinq minutes à l'ouest de Pleasant Ridge.

« 396 Larchmont Street. C'est bien ça, pourtant.

— Mais c'est… »

Les phares de Val éclairaient une pancarte blanche plantée dans la pelouse, devant un bâtiment en bardeaux de deux étages. PREMIÈRE ÉGLISE PRESBYTÉRIENNE : ACTIONS DE GRÂCES, OFFICE LE DIMANCHE MATIN À 10 HEURES, GARDERIE D'ENFANTS POSSIBLE.

« … une église.

— Elle a peut-être été transformée en appartements », a suggéré Val en coupant le moteur et en détachant sa ceinture.

Je suis sortie de la voiture pour étudier la pancarte de plus près. Il était indiqué que les alcooliques anonymes se réunissaient tous les mercredis matin à dix heures. Juste au-dessous, on pouvait lire : CHARLES MASON, PASTEUR.

« Val, quand tu as parlé avec Chip Mason pendant la réunion, as-tu remarqué, par hasard, s'il portait une chemise noire et un col blanc ? Des vêtements de prêtre ? Un chapelet ? Une grosse croix en bois ? »

Mon père avait été juif non pratiquant, ma mère luthérienne, mais ils ne nous avaient élevés dans aucune foi particulière. En décembre, nous allumions une menora et rapportions un sapin à la maison pour le décorer ; au printemps, nous avions des œufs peints et des lapins en chocolat ; mais on ne nous avait jamais vraiment expliqué pourquoi. Je ne savais donc pas précisément à quoi l'on reconnaissait un homme d'Église.

Val a grimacé.

« Oh, désolée. J'étais censée me rendre à une réunion des anciens élèves de mon lycée pour écouter les autres parler d'eux ?

— J'imagine que non.

— Une bande d'éleveurs de mioches qui montrent à tout le monde des photos de leurs rejetons, a-t-elle grommelé en plongeant la main dans le sachet de donuts. Comme si ça intéressait quelqu'un. »

Elle a mordu dans son beignet à pleines dents.

« Comme si tous les bébés ne ressemblaient pas à Ed Asner.

— Pas les bébés noirs.

— Très drôle », a dit Val. Elle savait aussi bien que moi que, sur notre promo d'environ deux cent quatre-vingts élèves, moins d'une dizaine étaient noirs ; ces jeunes venaient en car depuis Chicago dans le cadre d'un programme visant à l'égalité des chances et repartaient chez eux juste après les cours, avant d'avoir eu le temps d'intégrer une équipe sportive ou de se faire des amis. Il était donc peu probable que l'un d'eux ait eu envie de venir à cette réunion.

J'ai arraché l'annuaire des mains de Valerie pour chercher le nom de Chip.

« Révérend Charles Mason, ai-je lu. Révérend. Ça me semble assez clair.

— Hum. Maintenant que tu le dis, il a parlé de son service. J'ai pensé qu'il faisait du tennis.

— Val, tu m'étonneras toujours. » Nous avons suivi le chemin dallé qui menait à l'église, et monté les quelques marches jusqu'à la porte d'entrée. Val a regardé à travers la vitre, les mains plaquées de chaque côté du visage.

« Je vois des bancs, a-t-elle dit. Et une grosse croix tout au bout. »

Elle s'est déplacée jusqu'à la fenêtre la plus proche.

« Une affiche annonce un concert d'orgue pour Noël, mais je ne vois personne…

— Excusez-moi ! »

Val a fait volte-face.

« Planque-toi ! » m'a-t-elle chuchoté.

J'ai sauté à bas de l'escalier et je me suis accroupie dans l'ombre, aussi invisible que j'aurais souhaité l'être au lycée, tandis qu'un homme en pyjama rayé et robe de chambre – notre très saint Chip Mason, certainement – arrivait de derrière l'église. Ses cheveux commençaient à s'éclaircir, son ventre tendait l'élastique de son bas de pyjama, et il avait l'air fatigué. Mais, pour sa défense, il était très tard.

« Qu'est-ce que vous faites là ? Valerie ?

— Salut, Chip, a-t-elle lancé en faisant un petit signe de la main. Tu veux un donut ?

— Il y a quelque chose qui ne va pas ? »

D'un coup, il paraissait plus surpris qu'en colère.

« Je… je suis là pour… »

Et merde. J'étais prête à surgir de l'ombre pour aider Val, ou pour courir.

« Je suis venue chercher le salut ! s'est-elle écriée. Ces derniers temps, j'ai… Enfin, tu sais, j'ai beaucoup réfléchi à Dieu et tout ça… »

Dieu et tout ça. Pitié ! Mais Chip Mason a eu l'air de gober l'explication, et Val en a profité pour le rejoindre sur la pelouse craquante de givre.

« J'ai fait des choses dans ma vie… des choses dont je ne suis pas fière, a-t-elle confié en rejetant ses cheveux en arrière et en venant se coller au gros ventre de Chip. Et ça fait des années que je ne me suis pas confessée. »

Il a froncé les sourcils.

« Mais ce n'est pas une église catholique, ici.

— Oh, bien sûr, a-t-elle répondu en gloussant. Mais je me disais juste que, tu vois, avec quelqu'un qui me connaît… et qui connaît Dieu… ce serait comme un rendez-vous arrangé ! C'est toujours mieux quand on est présenté par quelqu'un qui connaît les deux personnes.

— On pourrait peut-être en parler dimanche, a suggéré Chip Mason. Viens à l'office, je serai heureux de parler avec toi après.

— D'accord, mais… il y a une chose qui me tracasse. Hier soir, j'ai eu… Je crois que tu appellerais ça une révélation. »

Elle a entraîné Chip vers la voiture, et alors qu'ils passaient sous le lampadaire, elle a tourné la tête vers moi pour articuler silencieusement : « Cherche Dan. »

Super. J'ai attendu qu'elle ait réussi à convaincre Chip de s'asseoir à l'avant de la voiture pour discuter, puis j'ai couru le long du bâtiment, courbée en deux. Derrière l'église de deux étages, j'ai aperçu une extension de plain-pied en brique qui ressemblait à un logement. À travers l'une des fenêtres, j'ai vu de la lumière, une cuisinière avec une théière dessus, et un bouquet d'œillets rouges dans un vase sur une table en désordre. Mais aucun signe de Dan. J'ai inspiré profondément et je me suis dirigée vers la porte de ce qu'on appelle, je crois, le presbytère. Elle n'était pas fermée à clé.

J'ai tourné la poignée et je me suis retrouvée dans une petite entrée, avec un portemanteau, une paire de bottes et une pelle à neige appuyée contre le mur. Il n'y avait personne dans la cuisine : un paquet de gâteaux était posé sur le plan de travail, et une gravure sur bois représentant des mains jointes en prière était accrochée au mur, sous une horloge en plastique dont le tic-tac résonnait bruyamment dans la pièce. Personne dans les toilettes. Les étagères du salon ployaient sous des piles de bulletins paroissiaux, de textes religieux et de prospectus de développement personnel. Une bible reliée en cuir était ouverte sur une table basse en bois. Il n'y avait personne sur le canapé, ni dans les fauteuils qui lui faisaient face. Je me suis dirigée vers la chambre : lit à deux places défait, vide ; placard avec chemises et pantalons sur cintres, vide aussi ; salle de bains avec cabine de douche, brosse à dents électrique et shampooing anti-chute de cheveux à côté du lavabo – personne dans la douche, personne sous le lit, pas de chaussures qui traînaient par terre, pas de veste posée sur une chaise, aucune goutte de sang.

Je suis sortie de la maison en refermant la porte derrière moi, j'ai couru le long du bâtiment, puis j'ai avancé cachée derrière une haie jusqu'à la Jaguar de Valcrie. Le moteur tournait. Des panaches de fumée blanche sortaient du pot d'échappement. Les vitres étaient couvertes de buée. Je me suis accroupie, gelée, persuadée que le révérend père Chip allait sortir d'un instant à l'autre, après avoir donné ses conseils spirituels. Il retournerait chez lui, je remonterais dans la voiture, et on pourrait choisir avec Val notre prochaine destination. Plusieurs minutes ont passé. La portière restait fermée. J'ai changé de position dans un craquement de genoux. Quand mes cuisses se sont mises à trembler, j'ai décidé de m'approcher de la voiture, en me disant que je pourrais frapper doucement contre la vitre arrière pour signifier à Val qu'il était temps de partir. Mais, en avançant, je me suis rendu compte qu'il n'y avait personne du côté conducteur. Le pasteur Charles Mason était assis sur le siège passager, et Val lui avait grimpé dessus. Il était en train de l'embrasser dans le cou et de lui tripoter un sein à travers son body noir à dentelles.

« Oh, c'est pas vrai ! » me suis-je écriée, assez fort pour qu'ils m'entendent ; mais, visiblement, ils étaient trop occupés. J'ai attendu que la voiture cesse de se balancer d'avant en arrière, puis j'ai frappé deux coups sur la vitre avant de me retourner. Une minute plus tard, la portière du côté conducteur s'ouvrait, et Chip Mason sortait dans la nuit en lissant sa robe de chambre.

« Addie ? s'est-il exclamé en me dévisageant, les yeux plissés. Addie Downs ? Ça alors, tu es devenue mince !

— Et toi, tu es devenu prêtre ! » ai-je rétorqué.

La lune brillait sur son crâne chauve. Il s'est éclairci la gorge.

« J'espérais te voir, ce soir, a-t-il confié. Je voulais m'excuser pour le rôle que j'ai joué dans… »

Il a levé les yeux vers moi avant de poursuivre.

« J'ai changé. Je suis quelqu'un de différent, maintenant.

— Tant mieux pour toi. »

À ce moment-là, Val est descendue de la voiture en se passant la main dans les cheveux, l'air aussi satisfait qu'un vampire venant de boire du sang frais.

« Il faut qu'on y aille, a-t-elle annoncé.

— Je te vois dimanche ? » a demandé Chip Mason.

Val a eu un rire cristallin tandis qu'elle se glissait derrière le volant.

« On verra », a-t-elle répondu.

Je suis montée à côté d'elle et nous sommes parties, laissant Chip planté là dans sa robe de chambre.

« Aucune trace de Dan ?

— Aucune. C'était quoi, ce délire ?

— Je faisais diversion, a-t-elle répondu, comme si ça coulait de source. Et c'était chaud. Ça faisait très *Les oiseaux se cachent pour mourir.*

— Val, les prêtres presbytériens ne font pas vœu d'abstinence. Ils ont le droit de se marier.

— Ah bon, a-t-elle fait, déçue. Tu es sûre ?

— Certaine. »

Elle s'est garée le long du trottoir, sous un lampadaire, et a repris l'annuaire qui avait glissé entre les deux sièges.

« Tu sais quoi ? On devrait peut-être tout simplement aller voir s'il est rentré chez lui. »

J'ai senti mon estomac se serrer, mais je n'ai rien dit tandis que Val entrait l'adresse de Dan sur son GPS et reprenait la route.

13

C'est Valerie qui a eu l'idée de la fête du Nouvel An, et j'ai été surprise que mes parents acceptent. Mais je n'aurais peut-être pas dû l'être : comme disait ma mère, Valerie savait se mettre tout le monde dans la poche, et elle avait présenté cette fête comme l'événement le plus palpitant qui ait jamais été organisé à Pleasant Ridge, au moins dans notre rue.

« Une grande soirée du nouvel an », avait-elle décrété, allongée sur la moquette de ma chambre, où nous avions adopté notre position familière, à plat ventre, tête contre tête, les pieds pointant dans des directions opposées. Val, vêtue de son jean habituel et d'une chemise de garçon à col boutonné, feuilletait un numéro de *Mademoiselle.* Si elle continuait à s'habiller comme au collège, elle s'intéressait maintenant à la mode et arrivait souvent à l'arrêt de bus les cheveux gonflés de mousse ou les lèvres brillantes de gloss. Moi, avec mon jean et mon sweat-shirt trop grand qui descendait jusque sous mes fesses, je grignotais des Cheez Doodles, en laissant chaque boule de maïs soufflé fondre sous ma langue.

« Une fête pour les gens du quartier, a-t-elle précisé.

— Pas pour les jeunes ?

— Non, une fête pour adultes. Une soirée habillée.

— En smoking, tu veux dire ? »

Les hommes de notre rue allaient travailler en costume, ou au moins en chemise et cravate, mais, le week-end, on les voyait presque tous en polo et jean ou pantalon de toile.

« Ils peuvent en louer, s'ils n'en ont pas. »

Elle a roulé sur le dos, les yeux rivés au plafond fendillé de ma chambre.

« Et les femmes devront porter des robes de soirée. On prévoira un toast au champagne à minuit, et on décorera la maison avec des petites lumières de Noël. »

Elle s'est levée et a tapé deux fois dans ses mains, un geste typique de pom-pom girl. Je me suis demandé avec une pointe de tristesse si Val avait l'intention de tenter d'intégrer l'équipe des pom-pom girls au printemps, si c'était pour ça qu'elle s'était abonnée à *Seventeen* et qu'elle se mettait du gel sur les cheveux.

« Allons tout de suite demander à ta mère », a-t-elle dit.

Nous l'avons trouvée sur la véranda, pelotonnée au milieu d'une pile de coussins, un grand cahier à moitié recouvert de son écriture ronde sur les genoux. Son plus grand succès datait de l'année précédente, une carte d'anniversaire avec un dessin d'une petite vieille aux cheveux blancs qui s'appuyait sur une canne. « Non seulement tu vieillis, pouvait-on lire dessous, mais en plus tu rétrécis », découvrait-on en ouvrant la carte. Je ne voyais vraiment pas ce que cela avait de drôle, mais elle s'était vendue comme des petits pains.

« Une fête pour le nouvel an ? » a répété ma mère. À l'époque, ses cheveux commençaient à tirer sur le gris argenté, et ses grands yeux bleus semblaient pris dans un filet de petites rides fines. Sur la page de son cahier, en marge, j'ai vu des colonnes de chiffres. Je savais qu'elle s'inquiétait pour l'argent – parfois, tard le soir, j'entendais mes parents parler à voix basse de la thérapie de Jon, des factures et des franchises d'assurance. Mon père avait tapissé Pleasant Ridge avec ses petites annonces, il s'était même aventuré dans d'autres villes pour proposer ses services, et ma mère emportait toujours son cahier partout avec elle, dans la voiture, à la table de la cuisine et même, j'en étais certaine, aux toilettes.

« Un nouvel an dansant, a expliqué Val. On pourrait inviter tous les gens de la rue. »

Ma mère s'est redressée sur un coude. « Tu crois que ça ferait plaisir à ta maman ? »

Val a acquiescé. Cet été-là, Mme Adler avait eu un nouveau petit copain, un certain Randy qui, selon Val, était agent de change. Il restait dormir le dimanche soir, et le lundi matin je le voyais sortir de chez Val en costard-cravate pour aller rejoindre les autres papas à la gare. Mais, au mois de novembre, Randy avait disparu, et Mme Adler passait encore plus de temps que d'habitude allongée sur le canapé à souffler des ronds de fumée au plafond, le téléphone muet sur sa poitrine.

« Tu penses à une sorte de buffet ? » a demandé ma mère.

On en organisait un tous les hivers chez les Bass. Chaque famille apportait un plat – macaronis au thon saupoudrés de chips émiettées, zitis et morceaux de saucisses, haricots blancs à la sauce tomate et knacks…

« Non, plutôt à un cocktail, avec du champagne et des plats raffinés. Ma mère fait de bons feuilletés au crabe. »

C'était vrai. Pour tout dire, je n'avais jamais vu Mme Adler préparer autre chose que des feuilletés au crabe et du canard laqué au saké, des plats délicieux, mais que l'on ne pouvait pas cuisiner ni manger tous les soirs de la semaine.

Ma mère s'est assise en ajustant son châle tricoté. J'ai vu qu'elle s'efforçait de sourire, de faire comme si l'idée l'enchantait.

« Et les gens devront s'habiller chic, a précisé Val.

— Normal, si c'est pour le réveillon du nouvel an, a répondu ma mère.

— Est-ce que je pourrai avoir une nouvelle robe ? »

Je ne savais pas vraiment si la perspective de me mettre sur mon trente et un me réjouissait ou m'effrayait. Je portais déjà les plus grandes tailles du rayon ado, et je sentais bien que, à moins de prendre de graves résolutions – respecter un régime, arrêter de manger en secret la nuit, et me forcer à me lever pour aller courir quand mon réveil sonnait à six heures, plutôt que de l'éteindre et de me rendormir –, je finirais par être obligée d'acheter mes vêtements dans les magasins pour grosses, et Dan Swansea, que j'aimais en secret, ne s'intéresserait jamais à moi. Mais l'enthousiasme de Val était contagieux. Peut-être que la combinaison des lumières blanches scintillantes, de la musique et du champagne à minuit provoquerait une sorte de miracle. Peut-être que je trouverais une robe qui me transformerait. Peut-être que ma mère me laisserait aller chez Shear Elegance pour me faire faire un chignon. En attendant sa réponse, je me suis promis de jeter le paquet de biscuits apéritifs dès que nous remonterions dans ma chambre.

« C'est une très bonne idée », a conclu ma mère en regardant son cahier.

Valerie s'est aussitôt mise à faire la liste de tout ce dont mes parents auraient besoin : du champagne et des flûtes, des plateaux pour les canapés, et des guirlandes, qui seraient certainement soldées après Noël. Ma mère a composé un poème invitant les voisins à venir faire la fête. Mme Bass, qui faisait de la calligraphie, a écrit les poèmes, et moi j'ai décoré les invitations à l'aquarelle, en représentant chacune des maisons de notre rue sur un ciel bleu nuit avec une petite étoile au-dessus. Valerie et moi avons refermé les cartes avec du ruban argenté pour les glisser dans toutes les boîtes aux lettres de la rue.

Pendant les vacances de Noël, j'ai enregistré de la musique qui passait à la radio, des chansons de Whitney Houston et des Simple Minds, de Steve Winwood et de Bon Jovi. Ma mère a fini par me trouver une tenue, une longue jupe dorée en tissu très fin, avec de petites clochettes cousues sur l'ourlet et une taille extensible indulgente, que je porterais par-dessus un body noir et des leggings noirs bordés de dentelles. Elle m'avait même fabriqué un bandeau avec de la dentelle noire élastique pour rappeler celle des leggings.

On avait fixé le début de la fête à vingt et une heures, pour que les gens viennent après le dîner et que les parents d'enfants en bas âge aient le temps d'accueillir les baby-sitters et de coucher leurs petits. La neige tombée la nuit précédente recouvrait d'un manteau blanc les pelouses brûlées par le gel. Valerie et moi avions installé les guirlandes de Noël sur les haies et dans les branches nues des arbres, et Val avait fabriqué des lampions avec une centaine de sacs en papier marron, du sable et des bougies, disposés le long de notre allée pour illuminer le chemin jusqu'à la porte.

Jon se tenait dans l'entrée, prêt à saluer les invités. Les premiers à arriver ont été les Bass, qui habitaient juste à côté, puis Mme Shea, du bout de la rue, qui était venue seule et avait l'air épuisée. Elle portait un pantalon vert et un pull rouge, et une grosse trace de fard lui marquait la joue. Tous les trois, ils ont siroté du champagne en se réchauffant devant la cheminée, pendant que Mme Shea leur parlait du chiot que son mari avait rapporté pour Noël – « alors qu'on commençait à peine à sortir le nez des couches ! ». Puis la sonnette a retenti, et les gens ont commencé à s'entasser dans l'entrée : les Carville, les Bucci et les Preston. Val m'a donné un coup de coude quand M. et Mme Kominski sont arrivés – c'étaient les jeunes mariés qui venaient d'emménager dans la rue, et

M. Kominski était très mignon, tant qu'il gardait sa casquette de base-ball sur son crâne presque chauve.

Jon a porté tous les manteaux dans la chambre de mes parents. Il semblait plutôt en forme, ce soir-là : il n'était pas aussi lent et maladroit que d'habitude, il ne bavait pas, ne se passait pas constamment la langue sur les lèvres, et quand on lui posait des questions, il y répondait presque aussitôt.

Ma mère avait bien essayé de l'en dissuader, mais Val avait insisté pour que les invitations comportent la mention « tenue de soirée exigée ». Les invités ne l'avaient pas vraiment prise au sérieux, même s'ils étaient bien mieux habillés que pour les barbecues ou les buffets entre voisins. Tous les hommes avaient mis une cravate. Certains étaient en costume, quelques-uns en smoking. La plupart des femmes portaient des jupes en laine et des pulls de Noël, avec des rennes brodés ou des clochettes de traîneau cousues sur le devant. Mme Bass était très glamour dans sa robe de soirée en velours noir, qui descendait jusqu'au sol et sentait vaguement la naphtaline. Quelques-unes des mamans plus jeunes étaient venues en jean et veste, avec un haut décolleté au-dessous. Mme Alexander, dont Val et moi gardions parfois les enfants, portait un pantalon noir moulant et un tee-shirt dos nu argenté qui laissait voir ses omoplates criblées de taches de rousseur. (Dans sa table de chevet, Mme Alexander avait un diaphragme et un tube de gel spermicide ; chaque fois qu'on y allait, on regardait si le tube avait servi.)

La mère de Valerie est arrivée peu avant vingt-trois heures, et lorsqu'elle a retiré son manteau, tout le monde l'a admirée, même Jon. Elle portait une robe rose pâle dont le corsage lui moulait la poitrine et les hanches, et des chaussures argentées à talons hauts.

« C'est sa robe de mariée », a chuchoté Val.

Je le savais, car j'avais vu les photos. Les parents de Valerie s'étaient mariés sur la plage du cap Cod. Mme Adler racontait que ce jour-là le vent avait soufflé si fort dans ses cheveux et dans sa robe que même le prêtre n'avait pu les entendre prononcer leurs consentements. Ils avaient dû hurler : « Oui, je le veux ! » plusieurs fois, si bien que tout le monde s'était mis à rire. La réception avait eu lieu dans un vignoble, où ils avaient dansé sous le soleil couchant. Ça me paraissait tellement romantique. Le seul mariage auquel j'avais assisté avait été celui d'une cousine de ma mère, trois ans plus tôt. La cérémonie s'était tenue à l'église, et la fête à l'hôtel Marriott. Pas de vent à l'odeur salée pour emporter les vœux, les jeunes mariés n'avaient pas dansé langoureusement sous une tonnelle, ils ne s'étaient pas non plus donné du gâteau avec les doigts. Au lieu de ça, on avait eu droit à un buffet avec des lasagnes fatiguées posées sur des réchauds à alcool, et le disque-jockey avait passé la chanson « Maneater » (littéralement, « mangeuse d'hommes »), ce qui m'avait paru, même à onze ans, totalement déplacé.

« Sara, tu es la poétesse dans mon cœur », chantait Stevie Nicks sur la cassette que j'avais préparée. Valerie circulait avec le champagne parmi les invités. Mme Adler, les yeux fermés, dansait rêveusement au rythme de la musique. Sa robe tournoyait autour de ses jambes ; ses cheveux flottaient autour de sa tête. Val rayonnait en la regardant.

Je passais mes chansons sur la chaîne de mes parents, dont le son était bien meilleur que celui de ma radiocassette. À la fin de la première cassette, je m'apprêtais à enchaîner avec l'album *The Dream of the Blue Turtles* de Sting quand mon père m'a arrêtée. Il portait le smoking de son mariage, mais s'était débarrassé au cours de la soirée de la veste et de la ceinture. Il était mince et gracieux dans son pantalon noir et sa chemise blanche.

« Je prends le relais, l'amie », a-t-il dit en posant sa flûte vide sur l'étagère.

Il avait le visage tout empourpré, ses cheveux humides bouclaient sur son front, et il semblait détendu, heureux comme je ne l'avais jamais vu. Il a sorti d'un placard une pile de 33-tours et les a rapidement passés en revue, jusqu'à ce qu'il trouve l'album *Sticky Fingers* des Rolling Stones, qu'il a placé sur le tourne-disque en montant le son. La chanson « Brown Sugar » a explosé dans les haut-parleurs. Près de la porte, Jon a été tellement surpris qu'il a sursauté. Mme Adler s'est mise à rire en levant les bras en l'air. Mon père a traversé la pièce pour la prendre par les mains et la faire danser, et j'ai été choquée de voir à quel point ils allaient bien ensemble, une impression que je n'avais jamais éprouvée aussi fortement en regardant ma mère et mon père. J'ai senti mon cœur se serrer tandis que Mme Adler se retournait en balançant les hanches, et souriait à mon père par-dessus son épaule.

« Wou-hou ! » a crié quelqu'un, et un deuxième couple a rejoint mon père et Mme Adler, suivi de deux autres. En quelques minutes, le salon a été envahi de gens qui agitaient les mains, chantaient et dansaient. Jon restait appuyé contre le mur, la bouche ouverte, comme un gamin devant un feu d'artifice.

« C'est génial, hein ? » m'a crié Val, qui m'avait rejointe.

Elle m'a resservi du champagne et nous avons trinqué. Quand la chanson « Wild Horses » a succédé à « Sway », M. Kominski a traversé la pièce. J'ai retenu mon souffle en le voyant arriver, mais je n'ai pas été surprise – et j'ai essayé de ne pas être déçue – lorsqu'il a demandé à Val si elle voulait danser. Il l'a conduite jusqu'au milieu du salon, et j'ai regardé mon amie tandis qu'elle lui souriait, approchait ses lèvres de son oreille pour répondre aux questions qu'il devait lui poser, et refermait bien vite la bouche, comme elle le faisait depuis quelque temps pour cacher ses dents. Assise sur le canapé qu'on avait poussé contre le mur, j'ai laissé la musique vibrer en moi. Ça m'était égal que les garçons préfèrent Val. Un jour, quelqu'un m'aimerait. Même si ce n'était pas moi qu'on choisissait de prime abord, un garçon finirait bien par s'intéresser à moi, par me choisir comme Val m'avait choisie. Dehors, le vent mugissait, courbait les arbres et faisait trembler les fenêtres, mais à l'intérieur on était au chaud et heureux, en sécurité tous ensemble.

« Attention, c'est parti ! » a crié l'un des hommes.

La musique s'est arrêtée, et M. Preston a allumé la télé juste à temps pour que l'on voie la grosse boule scintillante commencer à descendre le long du mât de Times Square. « Quatre… trois… deux… un… Bonne année ! » Tout le monde s'est mis à crier et à applaudir. Les maris ont embrassé leurs femmes, et ce n'étaient pas les baisers chastes auxquels nous assistions, Val et moi, lorsque nous faisions du baby-sitting et qu'ils rentraient du travail. Certains couples s'embrassaient en y mettant tout leur cœur.

Soudain, Val a surgi à côté de moi.

« Viens voir, m'a-t-elle dit en me tirant par la main.

— Quoi ? ai-je demandé tandis qu'elle m'entraînait dans le couloir en direction de la cuisine. Qu'est-ce qui se passe ?

— Chut. »

Elle a passé la tête dans l'entrebâillement de la porte, a attendu quelques secondes, puis m'a fait signe d'approcher. J'ai tendu le cou, hissée sur la pointe des pieds. Au début, ce que j'ai vu n'avait rien d'extraordinaire : mon père, une bouteille de champagne à la main et sa chemise blanche collée à la peau, était adossé au réfrigérateur, et Mme Adler, en face de lui, parlait très sérieusement. Elle était pieds nus – elle avait dû abandonner ses chaussures argentées quelque part. Elle a levé timidement la tête, les mains serrées derrière son dos. Mon père a dit quelque chose et elle a acquiescé vivement, faisant rebondir sa poitrine sous son décolleté serré.

« C'est ça, c'est exactement ça ! Vous avez tout compris. Quitter la Californie pour se retrouver dans un trou pareil… »

J'ai froncé les sourcils. Ça n'avait aucun sens. À part quand il était allé à l'université et au Vietnam, mon père avait toujours vécu dans l'Illinois. Comment pouvait-il avoir « tout compris » ? C'est alors que, sous nos yeux, Mme Adler a passé les mains autour de son cou et l'a embrassé.

J'ai étouffé un cri. De très loin, j'ai senti Val qui m'attrapait la main en me chuchotant : « C'est génial ! » J'ai fermé les yeux très fort, mais je les entendais quand même. Mme Adler (« Appelez-moi Naomi ! ») murmurait doucement, et la voix plus grave de mon père lui répondait.

« Je devrais aller chercher ma mère.

— Pourquoi ? C'est parfait. »

Je me suis forcée à ouvrir les yeux.

« Qu'est-ce que tu racontes ?

— On va devenir sœurs !

— Et ma mère ? »

J'ai regardé mon père décrocher les mains de Mme Adler de sa nuque et les lui poser sur la poitrine.

« Je crois qu'on a tous les deux un peu trop bu, a-t-il dit.

— Oh non ! a-t-elle gémi en le regardant avec de grands yeux, comme une petite fille. Je vais très bien ! Je m'amuse bien !

— Allons. »

Une main posée sur sa taille, mon père l'a gentiment poussée vers le couloir.

« Il faut rentrer chez vous.

— Vous me raccompagnez ?

— Je vous raccompagne avec Addie », a répondu mon père.

En sortant de la cuisine, il nous a vues, Val et moi, plantées à côté de la porte.

« Val, tu peux aller chercher le manteau de ta mère ? »

Val, le visage fermé, a monté l'escalier en courant. « C'est parfait ! » l'entendais-je encore dire dans ma tête. Si elle le pensait vraiment, j'étais furieuse contre elle. J'étais furieuse contre sa mère et aussi contre mon père (même si c'était elle qui s'était penchée vers lui pour l'embrasser, il ne l'avait pas repoussée tout de suite). Mais je me suis rendu compte que j'étais également rongée par une curiosité coupable. Que se passerait-il si Mme Adler et mon père se mariaient ? Si Val et moi devenions vraiment sœurs ? Ma mère pourrait rester là avec Jon pour prendre soin de lui. Mon père et Mme Adler pourraient vivre dans l'ancienne maison des DiMeo – mon père était bricoleur, il saurait la rénover, gratter la peinture écaillée, boucher les trous dans les murs. Ce serait bizarre au début, mais les gens s'habituaient à tout. Val aurait enfin un père. On finirait de peindre sa chambre en rose et vert, et on achèterait des lits jumeaux comme ceux que Val m'avait montrés dans un magazine, et…

« Tiens, maman », a dit Val, les lèvres pincées, en aidant sa mère à enfiler son manteau.

Elle s'est accroupie pour glisser les pieds de Naomi dans les chaussures argentées à talons hauts.

« Allez, la fête est finie. On rentre à la maison. »

14

« Il leur est arrivé quoi, à tes parents ? » m'a demandé Valerie tandis que nous roulions sur la voie express Eisenhower large et déserte, en direction de Chicago, où Dan louait un appartement dans l'un des gratte-ciel du centre-ville.

Cinq heures du matin : je venais de passer ma première nuit blanche depuis des années, et je me sentais épuisée, toute tremblante à cause de l'adrénaline et du manque de sommeil. Val, elle, paraissait fraîche comme une fleur, avec sa peau crémeuse et ses cheveux qui bouclaient sur ses épaules.

« Mon père a fait une rupture d'anévrisme l'automne qui a suivi la fin du lycée. »

J'avais appris par Mme Bass que Valerie se trouvait en Californie à l'époque – son père l'avait aidée à s'y établir et à s'inscrire dans l'une des universités d'État. Mme Adler était toujours notre voisine, mais elle passait la majeure partie de son temps à Cleveland avec son nouveau jules. J'étais installée depuis dix jours à New York, où j'avais commencé mes cours de culture artistique et d'histoire de l'art au Pratt Institute. Mon père rentrait en voiture après avoir passé la journée à installer des fenêtres dans l'une des grandes maisons d'un nouveau lotissement à Elm Ridge. Selon les conducteurs qui roulaient derrière lui, sa voiture avait ralenti, zigzagué et traversé une barrière métallique, avant de descendre et de finir sa course en bas du ravin. À tout juste quarante-six ans, il était mort derrière son volant. Une petite poche s'était formée, sans doute des années plus tôt, sur la paroi de l'une des artères à la base de son cerveau, et elle avait fini par exploser sans prévenir.

J'ai été complètement hébétée quand Mme Bass m'a appris la nouvelle par téléphone. Je me sentais comme l'une des marionnettes de mon père lorsque j'ai expliqué à ma colocataire ce qui venait d'arriver, et appelé le doyen de l'université, puis une agence de voyages pour réserver un vol. Je ne ressentais toujours rien en remplissant ma valise, en prenant un taxi jusqu'à l'aéroport et en montant dans l'avion. Et puis, une fois dans le ciel, je me suis souvenue d'un samedi matin de l'automne précédent.

Je m'étais levée tôt pour faire ce que je faisais tous les week-ends : cacher les emballages vides et les boîtes de glace au fond de la poubelle, préparer du café, enfiler un jogging et des chaussures, prendre un seau et une brosse dans le couloir, et sortir pour nettoyer les graffitis dans l'allée. La plupart du temps, mon père venait m'aider. Nous frottions, puis nous rentrions boire du café noir, une fois que les mots avaient disparu. Mais, ce matin-là, il m'a dit : « Tu sais, l'amie, ça ne sera pas toujours comme ça. » À mesure que j'avais grandi et grossi, il était devenu de moins en moins affectueux, physiquement. Mais, ce matin-là, il m'a prise dans ses bras et serrée un peu rudement contre lui. « Je suis fier de toi. Tout va s'arranger. » Ce souvenir m'a transpercée comme une flèche, et d'un coup j'ai cessé d'être hébétée. J'ai ressenti une douleur intense à laquelle je n'étais pas sûre de survivre. Dans le fauteuil 16D de l'avion, pliée en deux comme si j'avais reçu un coup de couteau, je me suis mise à sangloter, incapable de reprendre mon souffle. Ma voisine a appelé l'hôtesse de l'air, qui m'a regardée sans pouvoir cacher son mépris derrière son maquillage. Je ne devais pas être belle, coincée dans le siège trop petit, avec la ceinture qui me coupait le ventre, mes joues rouge vif et mon visage ruisselant de larmes et de morve.

« Je peux faire quelque chose, mademoiselle ? » m'a-t-elle demandé.

J'ai essayé de me ressaisir.

« Mon père est mort.

— Oh, je suis navrée. »

Elle m'a tendu plusieurs serviettes en papier et une canette de Coca Light – elle ne pouvait guère faire plus.

À la maison, ma mère était assise sur la véranda, un cahier ouvert sur les genoux. Les deux pages étaient blanches.

« Je n'arrive pas à croire qu'il ne soit plus là », a-t-elle murmuré.

Les larmes coulaient sur ses joues. J'ai pensé à toutes les cartes de condoléances qu'elle avait écrites, à toutes les fois où elle avait dû trouver les mots justes ; et maintenant que cela lui arrivait, il ne lui restait plus que cette phrase, qu'elle a répétée toute la nuit et les jours suivants : « Je n'arrive pas à croire qu'il ne soit plus là. »

Le lendemain matin, j'ai emmené Jon chez Marshall Field pour lui acheter un costume, et je lui ai expliqué encore et encore pourquoi il en avait besoin. Il s'en souvenait pendant un moment, puis il se regardait, fronçait les sourcils en voyant sa chemise blanche empesée, tripotait sa cravate. « Addie ? » disait-il, et je l'attirais à l'écart pour lui réexpliquer.

Nous avons fait passer un avis d'obsèques dans le journal. J'ai attendu de voir si Valerie allait appeler, ou envoyer une lettre, ou même venir à la messe ou à l'enterrement, mais elle n'a rien fait de tout ça. Elle était partie, sa mère aussi, et j'ai supposé – du moins, préféré penser – qu'elles n'avaient peut-être pas appris la nouvelle.

Mon père est décédé un mardi. S'il avait à peine été juif de son vivant, la mort a fait de lui un croyant. Il a été enterré le plus tôt possible, deux jours après sa mort, et dans le respect des traditions de sa religion : dans un cercueil en pin massif décoré d'une étoile de David gravée, avec un rabbin en costume noir et kippa de soie noire sur la tête, qui priait dans une langue que je n'avais jamais entendue pendant qu'on faisait descendre le corps dans la terre.

Le samedi matin, je me suis levée tôt pour faire du rangement au sous-sol, pour mettre en cartons les outils de mon père et les marionnettes qu'il avait laissées. Le sous-sol ce matin, et son placard cet après-midi, me suis-je dit en descendant à la cuisine pour préparer des toasts et du café. Jon aurait peut-être envie de garder certains vêtements de notre père, des boutons de manchette ou une montre, en souvenir de lui.

« Addie. »

J'ai sursauté en entendant la voix de ma mère. Elle était assise à la table de la cuisine, dans le noir. Elle portait sa robe de chambre bleue, et ses cheveux emmêlés tombaient de chaque côté de ses joues. Ses mains étaient refermées autour d'un mug que je lui avais peint un été en colonie de vacances : un cœur rouge, avec les mots « Je t'aime » écrits en cursive au-dessous.

« Il faut que je te parle. »

J'ai pris ma place habituelle à table. Je ne pouvais pas m'empêcher de regarder vers la cuisinière, où je m'attendais presque à voir mon père, la poêle à la main, en train de préparer ses délicieux pancakes. « Salut, l'amie, tu as fait de beaux rêves ? »

« C'est une mauvaise nouvelle », a dit ma mère.

En face de moi, dans les rais de lumière poussiéreux qui filtraient à travers la fenêtre, elle avait l'air vieille, avec ses veines saillantes sur les mains et son visage fatigué.

« Au mois de mai, j'ai senti une boule dans ma poitrine. On m'a fait une biopsie, et je dois subir une mastectomie.

— Oh, maman...

— J'avais prévu de t'en parler quand tu reviendrais à la maison pour Thanksgiving. Je pensais qu'à ce moment-là j'aurais passé le pire – l'opération et la chimio –, mais maintenant...

— Je vais rester ici. J'expliquerai la situation au service des inscriptions. Ils seront peut-être même d'accord pour me rembourser les frais de scolarité.

— Non, chérie. Ce n'est pas ce que je veux. »

Mais elle avait parlé sans conviction, les yeux baissés, comme si elle avait peur de croiser mon regard. Dans ce silence, j'ai compris pour la première fois que, si elle avait pris soin de mon père, si elle l'avait aidé à mener sa barque, il avait fait la même chose pour elle... Désormais, ce rôle me revenait.

J'ai appelé le bureau des inscriptions et arrangé un report. Ma colocataire m'a expédié les vêtements que j'avais à peine eu le temps de sortir de ma valise, et les reproductions colorées de Helen Frankenthaler que je venais de punaiser aux murs. Ma mère et moi avons trouvé un centre de réadaptation pour Jon, un endroit accueillant que l'allocation d'invalidité permettait de payer.

« Il est temps, a dit ma mère. On doit lui donner la possibilité de vivre sa vie, autant que faire se peut. »

Jon s'est installé dans sa chambre, s'est habitué au personnel, aux autres pensionnaires, au travail qu'on lui a trouvé à la pharmacie. Et nous sommes restées toutes les deux.

J'ai accompagné ma mère à l'hôpital pour l'opération, puis pour la chimiothérapie et les rayons. Sur le trajet du retour, j'agrippais le volant, à l'affût du moindre nid-de-poule, conduisant le plus doucement possible tandis qu'elle restait silencieuse et pâle à côté de moi, des pansements au creux des coudes et une cuvette en plastique sur les genoux.

J'allais acheter ses médicaments et je lui préparais ses repas, des aliments mous et fades pour ne pas lui donner la nausée ni irriter les aphtes qu'elle avait dans la bouche. J'empruntais des livres et des vidéos pour elle à la bibliothèque, je lui achetais des lotions et des crèmes de luxe pour la peau quand elles étaient soldés chez Marshalls ou chez T.J. Maxx. J'ai appris à tricoter et je lui ai confectionné des châles et des bonnets – un joli béret en laine violette, un bonnet de ski rayé avec un pompon au bout.

Quand elle était trop fatiguée pour travailler, nous nous asseyions sur la véranda et elle me racontait des histoires : une chasse aux œufs de Pâques pendant laquelle sa sœur et elle s'étaient retrouvées coincées dans la cheminée, un voyage qu'elle avait fait au Canada avec ses colocataires à la fac, sa rencontre avec mon père (ils ne s'étaient pas du tout rencontrés dans l'eau, mais pendant les répétitions de la comédie musicale montée par le camp de vacances où travaillait ma mère, et pour laquelle mon père avait été embauché pour s'occuper de l'éclairage).

Le mercredi soir, nous rendions visite à Jon au centre Crossroads pour l'emmener dîner au restaurant grec un peu plus loin dans la rue, ou bien acheter des pierogi, qu'il adorait. S'il voulait voir un film, nous allions au cinéma, ou bien nous traînions à la librairie ou dans le grand magasin de jeux vidéo où Jon pouvait essayer différents jeux. Il avait les goûts de l'adolescent qu'il avait été au moment de l'accident, une passion pour les féculents et les films violents, les bandes dessinées, Tom Petty et Bruce Springsteen. Par certains côtés, il resterait un enfant jusqu'à sa mort. C'était triste, bien sûr, mais il y avait aussi quelque chose de féerique là-dedans. Jon vieillirait mais il ne grandirait jamais, ne connaîtrait jamais les soucis des adultes.

Ces mercredis-là, lorsque nous rentrions à la maison, ma mère essayait de me parler de mon avenir. Peu importait ce qui allait se passer, disait-elle, je devais retourner à la fac, et quand j'aurais fini, je devais voyager le plus possible. Il fallait que je passe au moins un semestre en Europe ; je devais visiter l'Italie et l'Espagne ; je devais voir le Louvre, le Prado et autant de Vermeer que possible. Assise sur le siège passager, elle était presque méconnaissable. Elle avait perdu tellement de poids en si peu de temps qu'on voyait le dessin de ses os sous sa peau pâle et flasque. Elle avait perdu ses cheveux, ses cils et ses sourcils. « D'accord, maman », disais-je lorsqu'elle me recommandait des livres à lire, des tableaux à regarder, des églises, des plages et des villes à visiter, une liste de lieux qu'elle ne connaissait qu'à travers ses lectures. « D'accord. »

« Quoi qu'il m'arrive », disait ma mère d'une voix faible et douce, tandis que nous nous engagions dans Crescent Drive et passions devant la maison des Shea (après vingt-deux ans de vie commune et quinze enfants, Mme Shea et son mari avaient divorcé l'année précédente. À présent, Mme Shea vivait seule dans la maison ; tous les matins, on la voyait sortir vêtue de son pantalon en élasthanne, ses cheveux argentés coupés court, une bible à la main et un tapis de yoga roulé sur une épaule, pour se rendre à la messe à six heures et au cours de yoga à sept). « Quoi qu'il m'arrive, tu vas t'en sortir. »

Je lui répondais sans y croire que je le savais. Pendant qu'elle maigrissait à cause de la maladie, qu'elle devenait plate comme une planche après la double mastectomie, moi, je grossissais. Elle s'installait dans le fauteuil de chimio, avec de la musique classique qui flottait dans l'air et le poison qui coulait dans ses veines, et moi je prenais l'ascenseur jusqu'à la cafétéria de l'hôpital, trois étages plus haut, où je me gavais de gâteaux et de tartes emballés sous plastique, me demandant si eux aussi avaient été irradiés, tant ils étaient fades. Je n'y prenais aucun plaisir, mais je ne pouvais pas m'arrêter, tout comme je ne pouvais pas m'empêcher de manger des cookies et des bonbons en cachette dans ma chambre, une fois les lumières éteintes, quand je me concentrais pour ne pas entendre ma mère pleurer.

Entre les visites à l'hôpital, les courses, les trajets à la pharmacie et les sorties avec Jon, j'ai réussi à installer un chevalet dans la salle à manger, et je prenais une heure par-ci par-là pour peindre. En novembre, ma mère avait envoyé une de mes peintures à son éditrice, une aquarelle représentant un sapin de Noël avec une étoile brillante suspendue au-dessus, et le message « Paix sur la Terre » écrit au-dessous. L'éditrice avait adoré et, avant que j'aie eu le temps de comprendre ce qui m'arrivait, j'avais reçu un chèque de deux cents dollars et une invitation à lui proposer d'autres travaux. J'ai peint tout l'automne et tout l'hiver, à mesure que les feuilles tombaient, que l'air fraîchissait, et que les tartes à la citrouille et les farces aux marrons, dans la vitrine du nouveau traiteur du centre-ville, faisaient place aux bûches de Noël puis aux repas diététiques surgelés pour les adeptes des bonnes résolutions de début d'année. Sans avoir rien planifié, je me suis retrouvée avec un métier. Tandis que ma mère dépérissait, je peignais et mangeais en rêvant de la ville de New York, qui me semblait chaque jour un peu plus lointaine, un peu plus irréelle.

L'hiver a été rude, cette année-là. Les températures montaient rarement au-dessus de zéro durant la journée, et dégringolaient encore la nuit, quand le vent mugissait dans la rue et fouettait les murs. Le soir, après un dîner composé d'une soupe et d'un dessert, j'aidais ma mère à se laver. Nous entrions toutes les deux dans la douche et elle s'appuyait contre le mur carrelé pendant que je la savonnais, en essayant de ne pas regarder ses vertèbres et les os de ses hanches qui saillaient sous sa peau, ni les bleus qui apparaissaient sur la chair maigre et flasque de ses bras et de ses cuisses. Une fois que je l'avais séchée et vêtue d'une chemise de nuit propre, je lui faisais la lecture : *Orgueil et Préjugés, Oliver Twist, De grandes espérances, Le Lys de Brooklyn*, les livres préférés de sa jeunesse. J'avais l'impression qu'elle régressait. Elle n'avait plus de seins, plus de hanches ni de cheveux, et parfois, la nuit, elle pleurait doucement, comme un bébé.

Un jour, vers la fin, alors qu'il n'y avait plus d'opérations ni de séances de chimio ou de rayons, seulement l'infirmière en soins palliatifs et la perfusion de morphine, j'étais assise à côté de son lit, un livre sur les genoux et mon sac de tricot à mes pieds, lorsque ma mère s'est tournée sur le côté pour me prendre la main.

« Addie, il faut que tu me promettes que tu retourneras à l'université. Tu ne peux pas rester ici toute ta vie.

— Je sais, maman. »

Ce n'était pas la première fois que nous avions cette conversation.

« Je sais que tu as peur. Mais tu dois me croire. Il y a de bonnes choses en ce monde. Et des gens bien. Des hommes bien. »

Ses yeux brillants se sont adoucis.

« Tu pourrais avoir un bébé. »

Je me suis regardée, avec mes seins qui tombaient sur mon ventre et mon ventre qui reposait sur mes genoux.

La dernière fois que j'étais montée sur une balance, j'avais vu les chiffres défiler jusqu'à cent, puis cent vingt-cinq, et j'étais vite redescendue, choquée, avant qu'ils puissent aller plus loin. Qui aurait voulu avoir un bébé avec moi ?

« Ne te fais pas de souci. »

Ma mère a fermé les yeux dans un soupir. Je pensais qu'elle avait fini, mais au bout d'un moment elle m'a demandé :

« As-tu parlé à Valerie ? »

Je n'ai pas répondu.

« Vous étiez si proches, toutes les deux, a-t-elle insisté.

— Elle a détruit ma vie. »

Les mots se sont échappés de ma bouche comme s'ils avaient été retenus trop longtemps.

« Elle a monté tout le monde contre moi...

— Ne sois pas si dure avec elle.

— Elle a détruit ma vie », ai-je répété.

Ma mère a soupiré en secouant la tête.

« La vie ne se réduit pas au lycée, Addie. Ta vie n'est pas détruite. »

Elle s'est redressée sur un coude au prix d'un douloureux effort.

« Je crois que ça n'a pas été très facile pour Valerie.

— Oh, bien sûr, ai-je rétorqué, sans pouvoir cacher mon amertume. Ç'a dû être très dur pour elle.

— Tu devrais l'appeler. Promets-moi que tu le feras. »

Dans la chambre surchauffée où se mêlaient les odeurs de toasts et d'œufs brouillés, d'arnica et de lotion citronnée (celle que j'appliquais sur les jambes et les pieds de ma mère), je lui ai juré que j'appellerais Valerie – une promesse de plus que je n'avais pas l'intention de tenir.

« Addie, il existe toutes sortes d'amour dans le monde qui ne ressemblent pas forcément à ce qu'on voit sur les cartes postales. »

Elle s'est laissée aller contre l'oreiller en grimaçant, et j'ai machinalement calculé à quand remontait sa dernière dose de morphine, et le temps qu'il restait avant l'arrivée de l'infirmière à sept heures du matin.

« Je veux juste que tu sois heureuse. Ton père et moi… »

Sa voix s'est brisée, ses yeux se sont emplis de larmes.

« Je suis heureuse », lui ai-je assuré.

Je lui ai fait la lecture jusqu'à ce qu'elle s'endorme. Assise à côté d'elle, je repensais à cette lointaine matinée d'été, dans le canoë, avec ma meilleure amie. Nous avions ramé le long d'une demi-douzaine de petits bateaux à l'ancre dans l'eau peu profonde. Le ciel était bleu, parsemé de quelques nuages rosés et cotonneux. En me concentrant, je pouvais me rappeler le nom de chacun des skiffs : *Jolie Lu. Le Grand Large. Evangeline.*

Ma mère est morte une nuit chaude de septembre, un an tout juste après mon retour de New York. Allongée à côté d'elle, j'ai écouté son souffle s'espacer, jusqu'à ce qu'il s'éteigne.

« Repose en paix », ai-je murmuré.

J'ai couvert son pauvre corps maigre, ses os d'oiseau et sa tête chauve, et je l'ai embrassée sur la joue. Quand le soleil s'est levé, j'ai appelé le Dr Shoup, qui m'a présenté ses condoléances, et l'infirmière en soins palliatifs, qui s'est mise à pleurer en me disant que j'avais eu beaucoup de chance d'avoir une mère qui m'aimait autant. Avec Jon, nous avons remis ça : la longue limousine noire, le costume noir presque neuf, les voisins à la maison, qui nous ont apporté des plats et nous ont répété à quel point ils étaient désolés, et mon frère qui me regardait d'un air confus en me tirant par la manche : « Addie, où est maman ? Pourquoi maman n'est pas là ? »

J'avais dix-neuf ans, presque vingt. J'ai hérité de la maison de Crescent Drive, des assurances-vie de mes deux parents et de l'argent qu'ils avaient mis de côté pour prendre soin de Jon. J'aurais pu faire ce que ma mère voulait – vendre la maison, préparer mes valises et retourner à la fac, aller en Europe, aller danser, aller à la plage –, mais j'avais l'impression d'avoir été vidée de toute mon énergie et de tout mon optimisme. New York n'était qu'un conte de fées auquel j'avais rêvé. Et puis j'étais tellement grosse. Je n'avais pas ma place dans le monde, qui n'était qu'une version plus grande du lycée, un endroit rempli de choses mauvaises qui ne demandaient qu'à se produire, rempli de gens mauvais qui ne demandaient qu'à les accomplir. Mieux valait rester à la maison, travailler au chevalet que j'avais installé dans la salle à manger, faire mes petits trajets de l'épicerie à la bibliothèque, là où je connaissais les gens et où les gens me connaissaient, là où j'étais à peu près en sécurité.

Ma mère avait insisté pour que je fasse des études, et j'ai au moins tenu cette promesse. Je me suis inscrite à un cours d'art au centre universitaire local, où la plupart de mes camarades étaient ce qu'on appelait par euphémisme des « étudiants adultes » : des gens d'une trentaine d'années qui travaillaient la journée, et parfois même la nuit ; des gens avec des enfants en bas âge, des parents vieillissants, et des obligations le week-end. J'ai obtenu une licence en beaux-arts, puis je me suis mise à peindre les images pour lesquelles j'ai fini par être connue : des représentations miniatures, emblématiques et finement détaillées d'un sujet unique – un cœur, une fleur, une mouette en vol, un feu d'artifice – sur fond blanc. Nul besoin d'un bureau, nul besoin de rencontrer les gens qui m'employaient. Et nul besoin qu'ils sachent comment je vivais ni à quoi je ressemblais. Je mangeais des flocons d'avoine au petit déjeuner, de la salade de thon ou du beurre de cacahouète le midi, et des cookies, des gâteaux, du pudding et des tartes. Je travaillais le jour ; je mangeais et je lisais la nuit. Je ne dérangeais personne, et, pendant des années, personne ne m'a dérangée.

« Addie ? »

Val m'a touché le bras.

« Tu es toujours là ? »

Je me suis frotté les yeux. Nous étions arrivées à Chicago. Il faisait jour, mais les gratte-ciel de chaque côté plongeaient la rue dans l'obscurité. J'ai levé la tête pour regarder l'immense tour de béton et de verre devant laquelle nous étions garées. THE MODERNE, indiquait la plaque au-dessus de l'entrée.

« On dirait que ça va bien pour lui.

— Je parie qu'il a seulement un studio, a dit Val en détachant sa ceinture. Et puis, de toute façon, on finit toujours par payer pour ses conneries. Je vais aller parler au concierge. Je vais lui dire que j'ai donné les clés de ma voiture à Dan parce que j'avais bu, et que j'ai besoin de les récupérer.

— Et ta voiture ? ai-je demandé en montrant ses clés.

— Je lui dirai qu'elle est à toi.

— O.K. »

Je devais admettre que l'idée de posséder une Jaguar m'amusait.

« S'il est là, on est bonnes.

— Et sinon ? »

Elle a tiré machinalement la ceinture d'avant en arrière.

« Peut-être qu'on ira à la pêche aux palourdes.

— La pêche aux palourdes », ai-je répété.

Val s'est tournée vers moi.

« Ça va ? »

J'ai secoué la tête.

« Qu'est-ce qu'il y a ? »

J'étais incapable de répondre. Elle m'a regardée un moment.

« Attends-moi, d'accord ? Je reviens tout de suite. »

Elle s'est dirigée vers les lourdes portes vitrées du Moderne, qu'elle a ouvertes d'un air dégagé, comme si elle se demandait juste ce qu'elle allait cuisiner pour le dîner, ou si les chaussures qu'elle avait repérées allaient bientôt être soldées.

Je l'ai attendue, les bras autour de mes genoux, en regardant les minutes passer sur le tableau de bord. Il s'en était écoulé neuf quand Val est revenue vers la voiture en trottinant.

« Il n'est pas là, a-t-elle annoncé en faisant démarrer le moteur. Il n'a pas de copine régulière, pas d'amis réguliers non plus, il sort beaucoup et… il va peut-être bientôt se faire virer, mais il ne le sait pas encore.

— C'est le concierge qui t'a dit tout ça ?

— C'est un voyeur. »

Elle a roulé pendant une centaine de mètres, avant de s'arrêter le long du trottoir.

« Qu'est-ce que tu fais ?

— Il faut qu'on commence à réfléchir comme des criminelles, a-t-elle répondu, les yeux plissés.

— Quoi ? »

On ? ai-je songé. Valerie a attrapé derrière elle un tas de vêtements d'homme ; une chemise bleue, un pantalon et un caleçon blancs. Puis elle a sauté de la voiture, jeté un coup d'œil par-dessus son épaule et glissé les affaires dans une bouche d'égout. Une minute plus tard, elle était de retour dans la voiture, le souffle court, l'air satisfait.

« J'ai tout jeté, sauf son portefeuille et son téléphone portable. Je vais les laisser dans une poubelle. La police pensera peut-être qu'il a été victime d'un vol. »

Elle a réfléchi quelques instants tandis que la voiture filait vers l'autoroute.

« Peut-être qu'il a vraiment été victime d'un vol. Ça lui apprendrait. »

Nous avons roulé un moment, les roues chuchotant sur la route tandis que, derrière nous, la ville s'éveillait.

« Rentrons à la maison. J'imagine que tu es fatiguée.

— Ça me semble une bonne idée », ai-je répondu. Et elle a mis son clignotant.

DEUXIÈME PARTIE

Dans les bois

15

Dan Swansea avança péniblement vers la lumière du soleil levant. Le froid brûlait ses jambes nues au-dessus de ses chaussettes. Par chance, la porte de la remise n'avait pas été fermée, mais il n'y avait trouvé ni vêtements ni couverture, juste un rouleau de sacs-poubelle dont il s'était servi pour s'emmailloter, passant la tête et les bras dans un sac et en enroulant un autre autour de sa taille et entre ses jambes comme une couche. Il s'était reposé un moment, recroquevillé dans un coin de la remise traversée de courants d'air, avant de se mettre en route. Il bruissait à chaque pas et ne voulait même pas se demander à quoi il ressemblait. De toute façon, il ne pouvait rien y faire. Cette salope de Valerie Adler – son nom lui était revenu – lui avait pris son portefeuille et son téléphone portable.

Je vais bien trouver quelque chose, se dit-il. Une supérette, une station-service, n'importe quoi. Il marcherait jusqu'à ce qu'il trouve. Ensuite, il rentrerait chez lui, s'habillerait, se réchaufferait, puis il partirait à la recherche de cette garce.

Perdu dans ses pensées, il n'eut pas le temps de se cacher dans le fossé quand la camionnette arriva à sa hauteur. Le véhicule ralentit – Dan se prépara aux rires, aux projectiles ou aux blagues (« C'est l'heure de sortir les poubelles ! »

aurait-il dit lui-même) mais, au lieu de cela, il entendit une voix de femme l'appeler gentiment dans l'aube grisâtre.

« Dan Swansea ? C'est bien toi ? »

Ébloui par la lumière des phares, il plissa les yeux pour observer la camionnette, mais ne put reconnaître le visage derrière le volant.

« Est-ce que ça va ? Où sont tes vêtements ?

— C'est une longue histoire », réussit-il à répondre.

La portière à glissière de la camionnette s'ouvrit comme par enchantement. L'espace d'un instant, Dan pensa aux phénomènes surnaturels, aux forces paranormales, aux visiteurs de l'espace ou au Saint-Esprit, que l'on ne voit pas mais qui est partout présent (sa mère avait beaucoup insisté là-dessus), puis il se rappela que toutes les camionnettes, de nos jours, étaient équipées de commandes au volant.

« Monte, dit la voix. Je vais t'aider. »

Pas le temps d'hésiter. De toute façon, il avait le choix entre monter dans la camionnette et continuer son périple dans l'air glacé, avec pour toute tenue ses chaussures, ses chaussettes et une paire de sacs-poubelle. Dan Swansea traversa la route en boitant et monta dans le véhicule.

16

Le téléphone sonna à six heures du matin, moins de trois heures après que Jordan Novick eut enfin réussi à s'endormir. À vrai dire, « s'endormir » n'était pas tout à fait le terme approprié. « Tomber ivre mort » décrivait mieux ce qui lui était arrivé dans son salon, sur sa chaise pliante, après un certain nombre de bières, un grand verre de whisky et une rapide et furtive séance de masturbation devant *Au lit, les petits !*

« Novick », grogna-t-il en décrochant.

Il remarqua son bipeur qui convulsait sur la table basse, comme un rongeur en pleine crise d'épilepsie.

« Bonjour, chef, le salua Paula, l'opératrice radio. On a une affaire sur le parking du country-club de Lakeview. Vous me recevez ? »

Jordan frotta sa joue mal rasée.

« Quel genre d'affaire ?

— C'est une bonne question. On n'en est pas sûrs, répondit Paula. Je sais que vous êtes en 10-10-A, mais il s'agit peut-être d'un 10-80. Ou alors un 10-81, avec un 211. Ou bien…

— Hé, Paula. »

La couper suffisait généralement. Paula Albright, cinquante-quatre ans, l'opératrice radio de Pleasant Ridge, était une ancienne employée de cantine scolaire qui prenait son travail très au sérieux et connaissait les codes pour tout, y compris pour « bicyclette perdue ».

« Oui, monsieur ?

— Et si vous m'expliquiez ce qui se passe ?

— D'accord, chef. Le gardien du club a trouvé une ceinture d'homme et du sang sur le parking, mais pas encore de victime. »

Un vrai mystère, songea Jordan. Voilà qui sortait de l'ordinaire. À Pleasant Ridge, les affaires entraient en général dans quelques grandes catégories facilement identifiables. Il y avait les alarmes déclenchées par accident. Le chien perdu, le chat coincé dans un arbre. Les enfants disparus, des adolescents, la plupart du temps, qui n'avaient pas pris la peine de dire à papa et maman où ils allaient, et qui avaient oublié de recharger leurs téléphones portables dernier cri. Les fraudes à la carte bancaire et les usurpations d'identité, les accidents de voiture, les incendies et les conduites en état d'ébriété. Sans oublier les hommes qui giflaient leur femme et, plus souvent qu'on ne le pensait, les femmes qui frappaient leur mari. Ces incidents, si déplaisants fussent-ils, n'en restaient pas moins prévisibles, et il existait un protocole bien rodé pour les gérer. En dix ans de service, Jordan n'avait jamais eu affaire à quelque chose ressemblant à un mystère.

Il avala sa salive, grimaça en sentant le goût amer dans sa bouche, puis coinça le téléphone sous son menton pour fermer son pantalon.

« 10-8, bien reçu, dit-il pour faire plaisir à Paula, et aussi pour couvrir le bruit de sa fermeture Éclair. J'arrive.

— C'est au coin sud-est du parking, près des poubelles.

— Compris. »

Lorsqu'il arriva au country-club, les trois agents de police que comptait la ville l'attendaient. Une experte détachée par le bureau du procureur du comté, équipée de gants en caoutchouc, d'un appareil photo numérique high-tech et d'un vieux Polaroïd qu'elle avait passé autour de son cou, vint le rejoindre au moment où il descendait de sa voiture.

« Alors, qu'est-ce qu'on a ? » demanda Jordan à la jeune femme, qui se prénommait Meghan. Celle-ci était coiffée d'une queue-de-cheval haute et portait un petit diamant dans une narine.

« Venez voir. »

Jordan se força à respirer calmement, au cas où ses collègues auraient découvert un cadavre juste avant son arrivée. Il garda les yeux braqués sur le dos de Meghan jusqu'à ce qu'elle s'arrête et montre quelque chose par terre.

« Bizarre, non ? »

Jordan dirigea sa lampe torche vers le sol. Un liquide humide, couleur rouille, avait coulé sur les graviers et éclaboussé le coin de la poubelle. Une ceinture d'homme en cuir noir avec une boucle en argent était soigneusement lovée à quelques dizaines de centimètres du sang. C'était tout.

« Le gardien du club, George Monroe, est tombé là-dessus ce matin, alors qu'il sortait les poubelles », expliqua la technicienne en désignant un type maigre en pantalon kaki, assis sur les marches devant la cuisine du club.

Lorsqu'il vit que Jordan le regardait, il leva la main pour lui faire signe.

« Pas de cadavre ? demanda Jordan.

— Non. On a inspecté la route, le parking, le terrain de golf et les fossés le long de la route sur un carré de un kilomètre, et on a fouillé les poubelles. S'il y avait un cadavre, il a été déplacé. Mais ça m'étonnerait, parce qu'il n'y a quand même pas des litres de sang.

— Est-ce que le gardien a vu autre chose ? » demanda Jordan, sans trop d'espoir.

Meghan secoua la tête.

« On a presque fini, déclara-t-elle en montrant ses appareils photo. Après, on vous laisse la place.

— Vous ne restez pas ?

— S'il s'agit d'un homicide, nous reviendrons, répondit-elle avec un grand sourire. Forcément. Mais il faut d'abord que vous soyez sûr que ce n'est pas un mec bourré qui s'est blessé en tombant... »

Elle recula en direction de sa voiture.

« C'est un week-end de trois jours, vous voyez ce que je veux dire ?

— Pigé. »

Jordan parla brièvement à ses hommes – ou du moins à ses subordonnés, car une femme se trouvait parmi eux : Holly Muñoz – pour faire le point sur la procédure de délimitation d'une scène de crime. Puis il se dirigea vers le gardien.

« Bonjour, lança-t-il en lui tendant la main. Jordan Novick, chef de la police de Pleasant Ridge. C'est vous qui avez trouvé les... euh... » Les effets ? se demanda-t-il. Le mot ne semblait pas tout à fait adéquat.

« La ceinture », précisa le gardien.

Brun aux yeux clairs, il devait approcher de la trentaine. Il avait une voix râpeuse, une pomme d'Adam qui montait et descendait lorsqu'il déglutissait, les joues grêlées de vieilles cicatrices d'acné, et un bouton qui fleurissait sur le menton.

« Je suis arrivé ici à cinq heures du matin. Les premiers golfeurs viennent à six heures, donc il faut que je sois là à cinq. En sortant les poubelles, j'ai marché sur quelque chose. Je croyais que c'était une bouteille, ou un truc dans le genre. Mais, quand j'ai vu que c'était une ceinture et qu'il y avait du sang, je me suis dit, là, y a un problème. Je suis rentré pour appeler la police. Je n'ai touché à rien. Je ne voulais pas contaminer la scène du crime. »

Il fit un signe de tête à Jordan, l'air entendu.

« Je regarde *Les Experts.*

— Parfait.

— Alors, qu'est-ce que vous allez faire, maintenant ? demanda le gardien en se grattant le menton. Des tests ADN sur le sang ? Vous avez du luminol ?

— Je pense qu'on va d'abord vérifier si personne parmi les gens qui étaient là hier soir n'a perdu sa ceinture », répondit Jordan.

Le bouton du jeune homme s'était mis à saigner. Il l'essuya avec une des manches de sa veste kaki, tout en poussant un petit grognement d'approbation.

« Y a-t-il eu des problèmes ici, ces derniers temps ? lui demanda Jordan. Vous avez une idée de ce qui a pu se passer ? »

Le gardien baissa les yeux, les mâchoires serrées.

« Les végans », marmonna-t-il.

L'espace d'un instant, Jordan pensa qu'il avait dû mal entendre, ou que le type parlait une langue étrangère.

« Les végans ? répéta-t-il.

— À cause du cuir, expliqua l'homme. Le cuir de la ceinture. Vous y avez pensé ? Ils sont complètement tarés. J'en ai vu, aux infos, qui essayaient de libérer des abeilles. Les végétariens, c'est une chose. Pas de viande, d'accord, les animaux sont des êtres sensibles. Je peux comprendre. Mais le miel ? »

Il se racla la gorge et cracha sur les graviers.

« Vous avez déjà eu des problèmes, ici, avec des végans ? »

Je dors encore, songea Jordan. Je dors et c'est un rêve.

« Non. Mais je les surveille. »

Le gardien se tapota l'œil avant de tripoter à nouveau son bouton.

Quoique sceptique, Jordan écrivit le mot « végans », puis nota le nom et l'adresse du gardien, ses numéros de téléphone portable et de Sécurité sociale, le remercia pour son aide et rejoignit ses collègues. L'un d'eux, Devin Freedman, finissait ses études de droit à Loyola. La policière, Holly, avait étudié la sociologie et pratiquait le triathlon courte distance. Le troisième, Gary Ryderdahl, un natif de Pleasant Ridge comme Jordan, travaillait au département de police depuis trois ans et venait de quitter la maison de ses parents pour emménager dans son premier appartement (Jordan avait passé tout un samedi à l'aider à déménager). Aucun des trois n'avait plus de trente ans, et, avec Jordan, ils formaient le seul rempart de Pleasant Ridge contre le Déluge.

« Messieurs, dit Jordan. Mademoiselle. Qu'est-ce que nous avons ? »

Gary Ryderdahl jeta un coup d'œil à ses collègues, sortit un bloc-notes de sa poche arrière, puis s'avança en redressant les épaules comme un batteur s'approchant du marbre dans un match de base-ball. Ryderdahl avait un visage rose tout rond et une crête indisciplinée de cheveux blond pâle qui le faisait ressembler à Woodstock, le copain piaf de Snoopy.

« C'est une ceinture Kenneth Cole. On en trouve un peu partout, dans les grands magasins, et, euh… »

Il jeta un rapide coup d'œil sur son bloc-notes.

« … dans des boutiques indépendantes partout dans le pays.

— Beau boulot, dit Jordan en gardant son sérieux. Qu'est-ce qui se passait ici, hier soir ?

— Une réunion des anciens élèves du lycée de Pleasant Ridge, promotion de 1992, répondit Holly Muñoz.

Les gars du bureau du procureur sont en train de prélever un échantillon du sang, pour voir s'il y a des empreintes intéressantes sur la ceinture, mais Meghan a dit que c'était peu probable. J'ai parlé au responsable du banquet. Deux cents personnes étaient ici hier soir – cent quatre-vingt-sept s'étaient préinscrites, et treize sont venues au dernier moment. »

À travers la vitre ouverte de sa voiture de patrouille, Holly attrapa un gobelet en carton de chez Dunkin' Donuts, qu'elle tendit à Jordan.

« Je vous ai pris un café. Allongé et sucré, c'est bien ça ?

— Merci. »

Jordan tourna la tête. L'agent Freedman, futur homme de loi, délimitait la scène de crime avec du ruban jaune. Il colla l'extrémité de la bande sur la poubelle, fit le tour de la ceinture, puis s'arrêta, l'air ennuyé, quand il se rendit compte qu'il n'y avait pas d'endroit où attacher l'autre extrémité du ruban – l'arbre le plus proche se trouvait à vingt mètres de là.

Jordan s'obligea à détourner les yeux.

« La liste des invités ?

— La secrétaire de la promo la tient à notre disposition », répondit Holly.

Pendant ce temps, Devin Freedman fixait soigneusement le bout de son ruban par terre, en se servant d'une pierre pour le maintenir en place. Jordan ferma les yeux.

« Il faudra parler à tous ceux qui étaient là hier soir. »

Holly acquiesça, puis donna un coup de coude à Gary, qui acquiesça à son tour.

« Vous deux, retournez au poste. Appelez tous les hôpitaux, ici et à Chicago. Demandez si quelqu'un s'est présenté avec des blessures et sans ceinture. »

Il réfléchit un instant.

« Faites une petite recherche sur le gardien. George Monroe. »

Il leur dicta le numéro de Sécurité sociale de Monroe et sa date de naissance.

« Vérifiez avec le central s'il y a eu des appels signalant une disparition. »

Il marqua une pause.

« Et pour finir, appelez les ateliers de carrosserie.

— Vous pensez qu'il s'agit d'un accident de voiture ? demanda Holly.

— Possible. Ça ne coûte rien de vérifier, en tout cas.

— Un jour, j'ai renversé une biche, dit Gary Ryderdahl. Elle a enfoncé tout l'avant de ma voiture.

— Ici ? demanda Holly. À Pleasant Ridge ?

— Non, dans le Wisconsin. Ma grand-mère a une maison aux Dells, et je…

— Le temps presse, l'interrompit Jordan. Les hôpitaux. Les carrossiers. »

Gary s'éloigna rapidement, mais Holly resta plantée devant Jordan.

« Euh, chef ? C'est quoi, exactement, comme affaire ? Quand je vais taper mon rapport, je vais l'appeler comment ?

— Pour l'instant, c'est une ceinture perdue », répondit Jordan.

Et c'est bizarre, songea-t-il. Mais il garda cela pour lui.

17

La secrétaire de la promotion, Christie Keogh, une jeune femme pleine d'énergie vêtue d'un débardeur et d'un pantalon de sport moulant, accueillit Jordan à la porte de sa grosse maison tape-à-l'œil, une liste à la main et une expression soucieuse sur son joli visage. Elle lui expliqua en chuchotant que son mari et ses enfants dormaient encore à l'étage.

« Que se passe-t-il ?

— Nous avons trouvé une ceinture d'homme sur le parking du country-club. Certains indices peuvent laisser croire qu'un crime a été commis. Nous devons vérifier que tous les invités vont bien.

— Des indices ? »

Christie fronça les sourcils, avant de les relever subitement, comme si une petite voix lui avait soufflé : « Attention aux rides ! »

« Quel genre d'indices ?

— Des indices matériels, répondit Jordan. Du sang. »

Christie le fit entrer puis le conduisit dans sa vaste cuisine, tout en inox étincelant et granit noir brillant, propre comme un bloc opératoire.

« Vous voulez du thé vert ?

— Vous êtes végans ? » lui demanda Jordan.

Elle le regarda bizarrement.

« On mange de la viande, mais seulement si elle est bio. »

Christie se percha sur un tabouret en rotin en invitant Jordan à faire de même.

« Avez-vous remarqué quelque chose d'inhabituel, hier soir ? lui demanda-t-il.

— C'était une réunion d'anciens élèves du lycée. La plupart ne s'étaient pas vus depuis des années, et on avait choisi la formule "open bar". Alors oui, je dirai que j'ai assisté à des choses inhabituelles. Principalement dans les toilettes des femmes. »

Jordan haussa les sourcils, attendant la suite.

« J'ai vu Larry Kelleher et Lynne Boudreaux s'embrasser. Et ils sont mariés. »

Elle se pencha vers lui, tellement près qu'il pouvait sentir l'odeur de son dentifrice.

« Mais pas ensemble. Oh, et Merry Armbruster essayait de convertir les gens sur le parking. C'est une évangéliste "born again" – elle a été sauvée pendant l'été qui a précédé la dernière année de lycée –, et je pense qu'elle voudrait que tout le monde renaisse aussi.

— Des disputes ? »

Elle réfléchit un instant.

« J'ai entendu Glenn Farber discuter avec sa femme pour savoir qui des deux était censé payer la baby-sitter, mais ce n'était pas une dispute. Juste une conversation, disons, passionnée.

— Auriez-vous une idée de… ? »

Jordan laissa sa phrase en suspens. Christie le regarda comme si elle attendait la suite, clignant ses grands yeux sous son front pâle et lisse. Elle est stupide, ou c'est du Botox ? se demanda-t-il.

« Autant que je sache, tout s'est bien passé.

— Nous allons contacter toutes les personnes de la liste, pour voir si quelqu'un a perdu sa ceinture. »

Ou est en train de se vider de son sang, songea-t-il.
Christie se mordit la lèvre.
« Mon Dieu. Je n'arrive pas à y croire. C'était une si belle fête. »
Il lui demanda la liste des invités, et elle lui tendit cinq feuilles agrafées.
« Ce sont tous ceux qui ont répondu à l'invitation avant la fête, expliqua-t-elle. On a eu aussi treize entrées non prévues. Judy devrait avoir les noms. Judy Nadeau. »
Elle lui montra l'adresse de celle-ci sur sa liste.
« Elle habite à un ou deux kilomètres d'ici. Elm Lane, vous voyez où c'est ? »
Jordan acquiesça.
« Vous pensez qu'elle est réveillée ?
— Elle a bu pas mal de Cuervo. Je serais vous, je l'appellerais avant.
— Entendu. Vous restez dans le coin, aujourd'hui ?
— Je dois sortir, mais j'ai toujours mon portable avec moi. Mon entraîneur devrait arriver d'une minute à l'autre. On va faire du joggling. »
Jordan pensa qu'il avait mal entendu.
« Du jogging ?
— Non, du joggling. Il faut courir en jonglant avec de petites balles lestées. C'est un exercice génial pour muscler le haut du corps. Je suis inscrite pour le dix mille mètres, le mois prochain.
— Génial », répéta Jordan.
Il demanda à Christie de garder son portable allumé, au cas où il aurait d'autres questions à lui poser, puis il plia la liste pour la ranger dans sa poche. En le raccompagnant à la porte, elle s'arrêta devant un miroir entouré d'un cadre doré et ajusta son débardeur.
« Vraiment, je n'arrive pas à y croire, répéta-t-elle. Dire qu'il y a à peine six heures je rentrais chez moi en me disant que tout s'était très bien passé.

— Ne vous inquiétez pas trop, dit Jordan en lui tendant sa carte. Si ça se trouve, ce n'est rien.

— Je n'arrive pas à y croire », répéta Christie pour la troisième fois.

Puis, d'une voix plaintive, elle murmura :

« Ils ne me laisseront jamais m'occuper de la prochaine réunion, après ça. »

18

Jordan s'attendait à ce que Judy Nadeau ait la gueule de bois. Mais, quand la petite brune toute décoiffée, vêtue d'une robe noire satinée dont l'une des bretelles glissait de son épaule, ouvrit la porte et lui tendit la main, il comprit vite à son haleine qu'elle était encore complètement bourrée.

« Un flic avec son gros calibre ! » fit-elle en riant, avant de reculer en titubant.

Elle se retint au mur, cligna des yeux, puis le fit entrer dans une cuisine aussi grande que celle de Christie, mais nettement moins propre.

« Comme dans les films ! »

À la place du plan de travail en granit, Judy avait opté pour du marbre blanc. À côté d'un énorme robot de cuisine et d'une machine à espressos ultramoderne se trouvait une collection de coqs en céramique peinte. Jordan en tapota un, le faisant chanceler sur ses pattes jaunes en métal.

« Bel oiseau », dit Judy, avant de se remettre à rire, une main pressée contre ses lèvres maquillées.

Ça promet, songea Jordan tandis qu'elle sortait une brique de jus d'orange et une bouteille de champagne du réfrigérateur.

« Il faut tuer le mal par le mal », déclara-t-elle, tout en versant deux grandes rasades de jus et d'alcool dans une tasse sur laquelle on pouvait lire : SUPERMAMAN.

Pour la deuxième fois ce matin-là, Jordan se força à détourner le regard.

Il s'assit à la table de cuisine encombrée d'objets divers, empila des journaux et referma un petit pot pour bébé afin de faire un peu de place.

« Madame Nadeau, j'aimerais que vous me donniez quelques détails sur la réunion d'hier soir.

— Bien sûr », répondit-elle avec un hoquet, en se glissant sur la chaise en face de lui.

Elle cala son menton dans ses mains, puis le regarda avec une intensité déconcertante.

« Hé, vous êtes mignon.

— Merci. Donc, à propos d'hier soir…

— Mon ex-mari était mignon, lui aussi. Je ne fais pas confiance aux mecs mignons. Ils se croient toujours tout permis.

— Hier soir…, répéta Jordan.

— Eh ben ? »

Elle se passa la main dans les cheveux, les sourcils froncés.

« Oh, et puis merde. Écoutez, Pete m'a dit qu'il était divorcé.

— Madame, nous avons trouvé une ceinture sur le parking.

— Presque divorcé, précisa Judy Nadeau. C'est ce qu'il a dit. »

Elle but une gorgée.

« Et on a utilisé une capote. Que les choses soient bien claires.

— Madame, on a trouvé une ceinture et du sang sur le parking du country-club. Quelqu'un est peut-être blessé.

— C'est pas Pete, répondit-elle aussitôt. Je lui ai rien fait. Enfin... disons qu'il était consentant.

— Écoutez, dit Jordan, qui commençait à avoir mal à la tête, avez-vous une liste des gens qui sont venus sans prévenir hier soir ?

— Non. Mais je crois que je m'en souviens. Je peux les noter. »

Elle alla chercher un stylo et une feuille de papier à monogramme dans un tiroir, et, après plusieurs longues minutes, un deuxième verre et un air très mal fredonné que Jordan mit un certain temps à identifier – « Smooth Criminal » de Michael Jackson –, elle réussit à écrire les treize noms.

« Y a-t-il quelqu'un parmi vos anciens camarades qui pourrait poser problème, selon vous ? demanda Jordan tandis qu'elle reprenait sa tasse.

Judy réfléchit un instant, puis porta la tasse à ses lèvres, renversant au passage du cocktail mimosa sur sa manche.

« Il y a ce type qui a passé le diplôme avec nous, Jonathan Downs. Il avait... »

Elle marqua une pause, cherchant un terme politiquement correct.

« Il a eu un grave accident, et après ça, il était toujours un peu ailleurs. Je ne sais pas exactement ce qu'il avait. Mais il était bizarre, ça, c'est sûr. Et il piquait des trucs dans les casiers des autres.

— Des trucs ?

— Oui, un peu de tout. Des vestes. Des cahiers. De la nourriture. »

Elle hoqueta contre le dos de sa main.

« Je me souviens d'une fois où il a pris tous les volants de badminton dans la salle de sport. Ça, c'était vraiment ennuyeux. »

Jordan nota « Jonathan Downs » dans son calepin.

« Il était là, hier soir ?

— Je ne crois pas. En tout cas, je ne l'ai pas vu. Ça m'étonnerait qu'il ait voulu venir. »

Jordan sortit l'annuaire de la classe que Christie lui avait donné, et trouva une entrée indiquant « Jonathan Downs-Adelaide Downs, 14, Crescent Drive ».

« C'est lui ?

— C'est la dernière adresse qu'on a pour lui. C'est là qu'il habitait au lycée, mais je ne sais pas s'il y est toujours. Il n'a jamais répondu aux invitations.

— Sa femme ? demanda Jordan en montrant le nom d'Adelaide.

— Sa sœur, répondit Judy en fronçant le nez.

— Ils sont jumeaux ?

— Non, Jon était plus vieux, mais il a redoublé après son accident.

— Adelaide était-elle là, hier soir ? »

Judy fit non de la tête.

« Vous en êtes sûre ?

— Sûre et certaine. J'aurais remarqué, si Addie Downs avait été là. On ne peut pas la rater. »

Elle fit un geste avec sa tasse, renversant un peu de son contenu sur le carrelage.

« Elle était énorme. »

Deux gamins dans la même classe, dans la même maison ; l'une obèse, l'autre atteint de lésions cérébrales. Intéressant.

« Addie prenait-elle des choses dans les casiers des autres ? »

Judy garda les yeux baissés.

« Non. Elle… elle passait juste son temps à se morfondre. »

Elle regarda sa tasse SUPERMAMAN et sembla surprise de la trouver vide, puis elle leva les yeux vers Jordan.

« Au fait, vous voulez boire quelque chose ?

— Non, merci.

— Vous voulez baiser ? »

Jordan s'éclaircit la gorge.

« Madame, je suis en service.

— Oh, je plaisante. »

Son rouge à lèvres avait débordé jusque sous son nez.

« Sauf si vous en avez envie. Enfin, si c'était un porno, on serait obligés, non ?

— Je vous rappellerai, dit Jordan en se levant.

— Mes impôts serviraient enfin à quelque chose !

— Prenez soin de vous », conclut-il avec raideur.

Il eut juste le temps de voir le visage de Judy se décomposer avant de se tourner vers la porte.

« Les types mignons, marmonna-t-elle. Qu'ils aillent se faire foutre ! »

Et elle claqua la porte tellement fort que celle-ci trembla sur ses gonds.

19

Jordan Novick savait déchiffrer les gens – c'est du moins ce qu'on lui avait dit au travail, où il était devenu, à trente-cinq ans, le plus jeune chef de police que sa ville ait jamais employé. Mais il n'avait pas réussi à déchiffrer sa propre femme, il n'avait pas repéré les signes qui, pourtant, ne trompaient pas : la nouvelle coiffure, l'inscription à la salle de sport qu'elle ne se contentait pas de payer, la lingerie neuve (des bouts de nylon noirs ornés de dentelle et de boutons de roses, si minuscules qu'il n'avait même pas compris en les découvrant dans le panier à linge, la première fois, qu'il s'agissait de sous-vêtements). Il n'avait rien vu de tout ça avant que Patti le fasse asseoir, un dimanche soir, deux ans plus tôt, pour lui faire part de son impression qu'ils s'éloignaient de plus en plus.

« Oui », avait-il répondu avec un empressement pathétique. Il avait remarqué, lui aussi. Ce n'était pas surprenant, après tout ce qu'ils avaient enduré. Peut-être qu'ils pourraient retourner voir le conseiller conjugal, ou partir en voyage. Il avait bientôt quatre semaines de vacances, et ils avaient toujours parlé de visiter Paris…

« Non, pas de voyage », avait-elle dit aussitôt.

À cet instant, il avait noté à quel point elle paraissait fatiguée, comment, sous ses cheveux décolorés et dégradés, la peau de ses joues semblait tirée et parcheminée, et comme ses lèvres étaient pâles. « Je suis désolée. Vraiment, vraiment désolée. Mais je ne peux plus rester.

— Dans la maison ? avait-il demandé bêtement.

— Dans ce mariage. »

La mère et la sœur de Patti avaient débarqué le soir suivant pour aider celle-ci à emporter ses affaires – qui, selon Patti et sa mère, comprenaient la plupart des meubles et tous les cadeaux de mariage – chez la sœur de Patti. Elles avaient laissé à Jordan les étagères et la majorité des livres, le futon qu'il avait depuis la fac, et quelques chaises Ikea qui tremblaient si on les regardait trop longtemps. On l'avait abandonné dans une maison où toutes les poignées de porte possédaient une sécurité enfant, où l'escalier était équipé de barrières en haut et en bas, et la chasse d'eau d'un verrou. Patti lui avait expliqué qu'elle voulait juste « se retrouver » pour pouvoir « réfléchir » et « y voir plus clair », mais en vérité, à peine trois semaines après avoir quitté leurs onze ans de mariage, elle avait déménagé de l'appartement loué pour la forme et s'était installée chez Rob Fine, leur dentiste. Leur dentiste.

« On s'est juste mis à parler. »

Voilà ce que Patti lui avait répondu trois mois plus tard chez le médiateur, lorsque, assis en face d'elle à une table de conférences lustrée, Jordan avait posé d'une voix trop forte la question de tous les maris cocufiés du monde, à savoir comment tout cela avait commencé.

« Vous vous êtes mis à parler ? Alors que tu avais plein de coton dans la bouche, en plus de cette espèce de tube pour la bave ?

— Lui, il m'écoute.

— Mais je t'écoute ! avait-il protesté en se levant d'un bond et en se penchant vers la table. Je fais tes courbes de température sur PowerPoint ! J'examine tes glaires cervicales ! Je…

— Efforçons-nous de rester polis », avait dit le médiateur, un beau parleur en cravate de soie rouge et or qu'il ne cessait de caresser comme un petit animal, un type qui avait le culot de se faire payer deux cents dollars de l'heure.

Jordan avait fait le tour de la table pour s'approcher de Patti. Il sentait les muscles de ses cuisses se contracter ; il fallait qu'il bouge.

« J'examine ses glaires cervicales, avait-il répété au médiateur, qui avait serré les lèvres d'un air prude.

— Je ne suis pas sûr que ce genre de discussion soit très constructif. »

L'homme avait posé une main entre les épaules de Jordan pour l'inciter à se rasseoir. Mais celui-ci l'avait ignoré.

« Ça fait combien de temps ? » avait-il demandé à Patti.

Elle avait remué sur sa chaise.

« Six mois, peut-être.

— Six mois ? »

Il n'en croyait pas ses oreilles.

« S'il vous plaît. »

Le médiateur avait poussé Jordan un peu plus fort. Patti avait croisé les jambes et s'était mise à fixer un point sur le mur derrière Jordan, refusant de le regarder en face.

« Six mois ? » avait répété Jordan.

Il avait serré les poings. Je suis flic. Comment ai-je pu ne pas m'en rendre compte ?

« Nous pouvons discuter de cela calmement, avait déclaré le médiateur, dont les lunettes dorées reflétaient la lumière de la lampe.

— Elle prétendait qu'elle avait mal aux gencives ! Qu'elle souffrait d'une gingivite à un stade avancé !

— S'il vous plaît. »

L'homme lui avait désigné sa chaise, et Jordan s'était résigné à s'asseoir. Il savait reconnaître une défaite. Il avait griffonné sa signature sur les papiers qu'on lui tendait, sans les lire ni regarder sa femme.

« Bonne chance, avait-il dit à Patti lorsque tout avait été réglé.

— Sois heureux, Jordan, avait-elle répondu en lui touchant gentiment le bras. C'est tout ce que je veux. Pour nous deux. »

Il l'avait embrassée sur la joue, mécaniquement. Il ne pouvait détacher son regard de ses dents qui brillaient comme des perles. Des biens mal acquis. Le Dr Fine lui en avait certainement fait cadeau.

Jordan et Patti étaient sortis ensemble lors d'une fête en première année de lycée. Patti, que la bière avait rendue un peu pompette, avait entrepris de grimper dans un arbre au cours d'un jeu « Action ou Vérité ». Elle se débrouillait d'ailleurs plutôt bien jusqu'à ce que quelqu'un se mette à crier : « Hé, je vois ta culotte ! » Surprise, elle avait perdu l'équilibre en voulant tenir sa jupe, et aurait dégringolé de trois mètres si Jordan ne l'avait pas rattrapée. Plus tard, assis près du jacuzzi des Petrillo, il avait essuyé ses larmes en lui assurant que personne n'avait rien pu voir (même s'il avait lui-même aperçu une légère ombre à travers le nylon de sa culotte, vision qui l'avait passablement excité).

Ils étaient allés ensemble au bal de fin d'année, à la remise des diplômes et à l'université d'État de l'Ohio, Jordan pour étudier la criminologie et Patti l'éducation des jeunes enfants. Il avait décidé de devenir policier depuis qu'il en avait vu un en sixième à l'occasion de la Journée des métiers. L'uniforme et le pistolet l'avaient bien sûr impressionné, mais plus encore le calme et le sang-froid de cet homme, à tel point qu'il lui avait suffi de se présenter devant la classe en retirant lentement ses lunettes teintées pour obtenir le silence (prouesse que Mme McKenna, leur professeur, n'accomplissait que rarement). Jordan rêvait de ce genre d'autorité, de la sérénité qui émanait de cet homme. Chez lui, sa mère criait après son père, son père beuglait après Jordan et son frère Sam, et tous les quatre hurlaient après la télé quand l'équipe des Bears ou des Cubs de Chicago les décevait.

Trois ans après avoir décroché son diplôme, il avait épousé Patti. Ils avaient emménagé dans un immeuble de trois étages sans ascenseur au cœur du quartier polonais de Chicago, dans un appartement comprenant une chambre, une minuscule kitchenette et une petite terrasse qui tremblait à chaque passage du métro. Ils se baladaient le samedi matin, faisaient les courses l'après-midi et passaient le dimanche à cuisiner des plats compliqués inspirés des livres de recettes exotiques de Patti, puis invitaient des amis à manger par terre dans des bols dépareillés. Patti avait été engagée comme spécialiste de l'apprentissage de la lecture dans l'école élémentaire du coin, tandis que Jordan gravissait les échelons dans le département de police de la ville.

À trente ans, ils avaient décidé que la vie en province leur correspondait mieux que Chicago. Jordan avait pris son poste à Pleasant Ridge et ils étaient retournés dans leur petite ville natale. Ils avaient trouvé une maison avec trois chambres dans le quartier où Patti avait grandi. La maison avait besoin d'être rafraîchie – surtout les salles de bains, tapissées de papiers peints métallisés aux motifs psychédéliques des années 1970 –, mais il y avait un grand jardin, un sous-sol aménagé, un pommier qui poussait sous la fenêtre de leur chambre et, bien sûr, toutes les sécurités enfant. Il ne manquait plus que le bébé.

Patti avait jeté sa plaquette de pilules le mois de son trentième anniversaire. Le soir, en regardant sa femme toute rouge et tout essoufflée, il se disait, émerveillé : On est peut-être en train de faire un bébé. De commencer une nouvelle vie. Le premier mois, il ne s'était rien passé, mais cela ne les avait pas inquiétés. Au bout du troisième mois, ils plaisantaient de leurs échecs, un peu anxieux tout de même. Après six mois sans résultat, hormis quelques brûlures depuis qu'ils avaient décidé de pimenter la chose en faisant ça sur le tapis du salon, Patti avait pris rendez-vous avec son gynécologue, qui leur avait annoncé qu'ils allaient très bien tous les deux. Les ovules de Patti étaient parfaits, son utérus était accueillant, et les spermatozoïdes de Jordan étaient nombreux et toniques. Mais, pas de chance, ça n'avait pas pris. « Continuez », avait conseillé le médecin, et c'est ce qu'ils avaient faits tous les deux jours, sauf entre le quatorzième et le dix-huitième jour du cycle de Patti, où ils faisaient l'amour chaque matin. Puis Jordan se rasait et se douchait pendant que sa femme restait allongée les jambes en l'air.

Le médecin de Patti lui avait prescrit du Clomid, ce qui la mettait de mauvaise humeur, lui donnait de l'acné et lui faisait prendre, selon elle, cinq kilos en dix minutes. Quatre mois plus tard, en rentrant chez lui un soir, Jordan avait trouvé sa femme en pleurs, en train de brandir un test de grossesse comme la flamme olympique. « Enfin ! avait-elle crié en lui sautant au cou. Enfin ! » Jordan avait descendu le vélo d'appartement au sous-sol et l'avait remplacé par le berceau qui avait servi aux nièces et aux neveux de Patti. Six semaines plus tard, elle était sortie des toilettes les yeux écarquillés, le visage pâle. Jordan l'avait prise dans ses bras, comme le soir de leur mariage lorsqu'il l'avait portée pour entrer dans leur chambre d'hôtel, et l'avait conduite à l'hôpital. Trop tard.

« La bonne nouvelle, c'est que nous savons que vous pouvez être enceinte », avait déclaré le médecin après le curetage, tandis que Patti pleurait sur son lit d'hôpital. Bonne nouvelle, avait songé Jordan en se détournant. C'est ça. On avait augmenté la dose d'hormones. Patti avait cessé de manger tout ce qui n'était pas bio. Puis elle avait proscrit complètement les viandes et les produits laitiers, et ajouté à son régime des poignées de vitamines et de compléments le matin – du fer et de l'acide folique, de l'huile de lin et des capsules d'ail. Elle commençait à sentir vaguement la crevette sautée, mais Jordan s'était bien gardé de le lui faire remarquer. Elle s'était inscrite à un forum de soutien sur Internet. Puis elle avait rejoint un vrai groupe de parole qui se réunissait toutes les semaines à l'hôpital, et elle avait encouragé Jordan à l'accompagner. Mais, après avoir passé toute une soirée à écouter une bande de femmes larmoyantes et leurs maris abattus parler de détérioration de follicules et de motilité insuffisante, de prééclampsie et d'ovaires polykystiques, Jordan avait décidé qu'il en avait assez. « Si ça doit arriver, ça arrivera, avait-il dit à Patti, répétant une phrase de leur médecin. Il faut laisser la nature suivre son cours. » Elle l'avait regardé avec méfiance, et lui avait fait remarquer qu'elle avait trente-deux ans, presque trente-trois, et que l'heure tournait. En clair, la nature avait besoin d'un petit coup de pouce.

Elle était tombée de nouveau enceinte au mois de septembre et avait fait une fausse couche le 3 novembre. Le médecin avait conseillé d'attendre quelques mois avant de retenter, mais Patti ne l'avait pas écouté. Elle n'avait pas pris la peine non plus de transmettre cette information à Jordan, qui aurait été heureux de s'abstenir. Faire l'amour avec Patti était devenu aussi routinier et plaisant que vider le lave-vaisselle ou sortir les poubelles. Au lieu de la regarder avec extase en songeant : On est peut-être en train de faire un bébé, lorsqu'il allait et venait (toujours dans la position du missionnaire pour mettre toutes les chances de leur côté), le corps luisant de transpiration tandis que Patti souriait sans joie, une seule pensée lui traversait la tête : Pitié, faites que ça marche, cette fois-ci. C'était tout de même un comble. À quatorze ans, il ne pensait qu'au sexe, et il lui suffisait de regarder la fente d'une pêche au rayon fruits et légumes pour se mettre à bander. Maintenant qu'il pouvait faire l'amour autant qu'il le voulait – du moins pendant les six jours où Patti était le plus fertile –, rien ne lui faisait plus envie qu'une bonne bière fraîche et un oreiller moelleux.

En janvier, Patti avait été de nouveau enceinte. Au milieu du mois de février, ils s'étaient retrouvés encore à l'hôpital, Patti en pleurs sur le lit, Jordan debout à côté et leur médecin près de l'appareil d'échographie. Ce sont des choses qui arrivent. Parfois c'est mieux comme ça. Vous êtes jeunes et en bonne santé, il faut juste être patients.

Sur le chemin du retour, dans la voiture, Jordan avait suggéré d'une voix mal assurée qu'ils pourraient peut-être adopter ou faire appel à une mère porteuse. Il avait lu un article quelque part, et il y avait cette actrice qui était passée à la télé… Patti s'était tournée vers lui, furieuse.

« Tu veux abandonner, c'est ça ? Après tout ce que j'ai enduré, tu veux laisser tomber ?

— Non. »

Non, bien sûr qu'il n'avait pas envie de laisser tomber. Il se disait juste qu'ils pourraient s'accorder une pause. Sa femme s'était remise à pleurer.

« Je n'ai pas envie d'une pause, avait-elle dit la voix brisée. J'ai envie d'un bébé. »

Ils étaient passés des hormones à la fécondation in vitro. Au lieu de faire l'amour, Jordan devait se masturber tous les deux mois dans un gobelet à l'aide d'un numéro tout écorné de *Penthouse*, tandis qu'une infirmière rôdait de l'autre côté de la porte. Patti se rendait deux soirs par semaine aux réunions de son groupe de parole pour couples infertiles, et passait le reste de son temps sur Internet, à chercher des remèdes homéopathiques et des médecines alternatives, ou à lire des témoignages de femmes qui avaient réussi à donner naissance à de beaux bébés malgré des antécédents de fausses couches, malgré un cancer du sein, un utérus rétroversé ou une trompe de Fallope en moins, malgré des AVC, un lupus ou un syndrome des ovaires polykystiques ou, dans un cas que Patti lui avait montré, malgré une amputation des deux bras et des deux jambes.

Elle était retombée enceinte en avril. Elle avait perdu ce bébé (c'est comme ça qu'elle s'était mise à appeler ses fausses couches, des « bébés perdus ») dans la troisième semaine de juin. Le 4 juillet, pour la fête nationale, ils devaient participer à un pique-nique entre voisins avant d'aller voir le feu d'artifice sur le lac Michigan à Chicago. À seize heures, Patti avait tendu à Jordan une grande coupe remplie de salade de fruits, en lui souhaitant de bien s'amuser.

« Tu ne viens pas ?

— Je ne peux pas », avait-elle répondu. Il savait pourquoi. Le pique-nique avait lieu chez Larry et Cindy Bowers, leurs voisins, et Cindy attendait des jumeaux. Sarah et Steve Mullens, qui habitaient une rue plus loin, avaient un petit garçon de trois mois, Franklin, que Steve s'obstinait à porter suspendu à son ventre comme une bombe. Steve avait annoncé aux autres hommes qu'il avait créé un blog consacré au bébé – « à notre aventure ensemble » – et, au lieu de le regarder comme s'il était devenu fou, les autres avaient approuvé d'un air sérieux et noté le lien sur leur BlackBerry.

Patti avait été de nouveau enceinte en septembre. Après avoir perdu ce bébé fin octobre, elle était revenue un soir d'une réunion de son groupe de parole en annonçant qu'elle voulait célébrer une messe du souvenir.

Surpris, Jordan avait levé les yeux de son magazine.

« Une messe pour quoi ? »

Elle l'avait regardé comme s'il était un extraterrestre.

« Pour nos bébés.

— Patti. »

Il avait refermé son magazine et l'avait posé sur la table basse. Il avait parlé d'une voix calme, même s'il sentait quatre ans de frustrations et de déceptions bouillonner dans ses veines : les pilules, les piqûres et les cycles FIV (l'assurance ne couvrait rien, et leurs économies s'étaient réduites à quelques milliers, puis à quelques centaines de dollars) ; les soirées que Patti avait passées à pleurer avec son groupe de parole ou collée à son ordinateur portable, cherchant à se convaincre que ça allait arriver, qu'elle pouvait provoquer les choses par sa seule volonté ; les livres sur la grossesse qui avaient envahi leurs étagères, et leurs conversations, que ce soit au lit, en voiture ou en vacances, qui tournaient toujours autour du sujet – le sperme, les ovules et le berceau vide sous la lucarne de la troisième chambre, si lumineuse le matin.

« Tu ne peux pas célébrer une messe pour un truc qui part avec la chasse d'eau. »

C'était horrible de dire ça. Il le savait avant même d'avoir fini sa phrase, de voir les yeux de Patti lancer des éclairs et ses poings se serrer. Elle avait fait trois pas vers la cuisine. Puis elle s'était arrêtée, s'était retournée, avait attrapé la boîte en cèdre qu'ils avaient achetée pendant leur lune de miel au Mexique et l'avait lancée de toutes ses forces vers la tête de Jordan. Il l'avait reçue dans le coin de l'œil gauche et avait aussitôt ressenti une douleur abominable.

« Aïe ! avait-il crié. Putain, ça fait mal ! »

Patti s'était enfermée dans la salle de bains, le laissant assis là avec la boîte cassée sur les genoux et le sang qui coulait sur sa joue.

Il avait emballé des glaçons dans un torchon, qu'il avait pressé contre son visage, et s'était rendu aux urgences, où il avait raconté au médecin, aux infirmières puis à l'ophtalmologiste de garde qu'il s'était cogné dans une porte. Si une femme amochée s'était présentée au poste avec une excuse aussi vaseuse, il aurait prévenu les services sociaux avant même qu'elle ait fini de parler, mais la spécialiste des yeux lui avait juste demandé de pencher la tête en arrière pendant qu'elle lui mettait des gouttes.

« Vous avez une grosse éraflure sur la cornée », avait-elle dit, après qu'il fut resté une éternité le menton posé sur un support en métal, à essayer de ne pas bouger tandis qu'elle lui passait une lumière violette sur l'œil.

Il n'était pas surpris. Chaque fois qu'il clignait des yeux, il avait l'impression de sentir des grains de sable.

« Qu'est-ce qu'on fait, alors ? »

Une opération, sûrement, avait-il songé sombrement. Que rêver de mieux qu'une opération pour clore cette magnifique journée ?

« On ne peut pas faire grand-chose, à part attendre. »

Le médecin lui avait donné une crème antibiotique, prescrit des opioïdes et l'avait prévenu que son œil coulerait peut-être de temps en temps jusqu'à ce qu'il soit guéri.

De retour chez lui, il avait nettoyé le sang sur le tapis et jeté la boîte en cèdre à la poubelle. À neuf heures du soir, il avait frappé à la porte de la salle de bains.

« Patti ? » Pas de réponse. « Excuse-moi. » Toujours rien. « On peut organiser une messe, si c'est important pour toi. On peut faire ce que tu veux. » Après quelques instants de silence, la voix glaciale de Patti lui était parvenue à travers la porte.

« Ce que je veux, c'est que tu dormes ailleurs cette nuit. »

Ils étaient restés ensemble une année de plus. Jordan l'avait de nouveau accompagnée aux réunions du groupe de parole. Il s'asseyait à côté d'elle et lui tenait la main pendant qu'elle pleurait. Ils avaient suivi une thérapie de couple et étaient sortis tous les samedis soir, au restaurant puis au cinéma, avant de rentrer à la maison, où aucune baby-sitter ne les attendait. Ils dormaient sous la troisième chambre qui était vide, à présent – peu après leur dispute, Patti était allée passer un week-end chez sa mère et Jordan avait consacré la matinée du samedi à démonter le berceau et à le descendre, morceau par morceau, au sous-sol. Lorsque Jordan caressait la joue de sa femme en lui faisant l'amour, il n'était plus surpris de sentir des larmes sous ses doigts. Plus tard, il se dirait que leur mariage avait pris fin à l'instant où elle s'était emparée de cette boîte, mais, à l'époque, il avait réussi à se convaincre qu'ils s'en sortaient bien. Ils étaient allés aux Bahamas pour leur dixième anniversaire de mariage, et sur le trajet du retour, dans l'avion, Patti s'était endormie contre son épaule. Il avait alors repensé avec fierté au titre d'un recueil de poèmes qu'il avait lu à la fac : *Regarde ! Nous y sommes arrivés.* Il croyait que c'était le cas.

Et puis il y avait eu le dentiste.

Jordan secoua la tête en se frottant les yeux. Celui de gauche s'était remis à couler, et il l'essuya avec une serviette. Même guéri, son œil pleurait toujours, trois ans après. Parfois, sa vision se dédoublait, ce qu'il aurait d'ailleurs dû préciser au responsable de la mairie qui l'avait nommé chef de police. Mais qu'était un léger trouble de la vision, face à un mariage raté et à des bébés qui n'avaient jamais vu le jour ?

Il avait demandé à ses subordonnés de se partager la liste des invités et de tous les appeler, de contacter tous les hôpitaux, et de vérifier si le central avait eu vent d'un type qui se baladait avec une blessure à la tête et un pantalon trop lâche. Il monta dans sa voiture et appela Paula, pour comparer les dernières adresses de la base de données de la police avec celles de la liste que Christie Keogh lui avait remise. Il avait l'intention d'aller voir à Crescent Drive si Jonathan Downs était dans les parages.

20

« On y est », a dit Val tandis qu'on remontait l'allée.

Le soleil faisait fondre le givre sur ma pelouse, et mon journal, emballé dans son plastique bleu, m'attendait sur le seuil. Val a coupé le moteur. Je suis descendue de la voiture au moment où les Bucci partaient de chez eux dans leur 4 × 4.

« Bonjour, Addie ! » a crié M. Bucci en sortant le bras par la fenêtre.

Je l'ai salué comme si de rien n'était.

Sur les consignes de Val, j'ai rentré sa Jaguar dans le garage, à côté du vieux break de mes parents recouvert d'une bâche, et j'ai refermé la porte.

« Et maintenant ? »

J'ai ramassé mon journal avant d'entrer dans la maison.

« J'ai besoin d'une douche et d'un café. Pour la suite, on verra plus tard… »

Elle s'est étirée, le bassin en avant, la tête rejetée en arrière.

« Est-ce que tu as pris l'annuaire de la classe ? »

Val me l'a tendu.

« On devrait peut-être lister toutes les personnes que Dan fréquentait, ou les types avec qui il était hier soir, et les appeler pour leur demander s'ils ont eu de ses nouvelles. »

Val a réfléchi un instant, avant de secouer la tête.

« Les gens ne doivent pas savoir qu'on le cherche.

— Bon, mais si on ne dit pas qui on est ? On peut se faire passer pour des télévendeuses, prétendre qu'on essaie de contacter Dan Swansea. Soit ils répondront : "Vous vous trompez de numéro", soit : "Vous tombez bien, il est juste à côté de moi sur le canapé."

— Je crois qu'on devrait peut-être quitter la ville, a déclaré Val en se mordillant un ongle.

— Oh, Val... »

Une dizaine d'excuses me sont venues à l'esprit : la carte postale avec le bouquet de fleurs que je devais remettre bientôt, mes responsabilités, mon frère. Mon rendez-vous chez le médecin, le jeudi suivant. La grosseur dans mon ventre.

« Réfléchis bien ! m'a-t-elle lancé par-dessus son épaule en montant l'escalier. Fais ta valise. Ça peut être marrant ! » J'ai entendu la porte de la salle de bains s'ouvrir et l'eau se mettre à couler.

« Hé, je peux t'emprunter des fringues ?

— Prends ce que tu veux. »

Comme tu l'as toujours fait, ai-je songé, sentant ma vieille rancœur refaire surface. Mais l'amertume que j'avais gardée en moi pendant plus de quinze ans était en train de se dégonfler comme un ballon percé. Si les années de lycée à Pleasant Ridge avaient été terribles pour moi, elles semblaient l'avoir été tout autant pour Valerie... Et au fond de moi, je l'avais peut-être toujours su.

Dans la cuisine, j'ai fait griller deux bagels coupés en deux avant de sortir du réfrigérateur le beurre, le fromage et la confiture. J'ai glissé quelques bouteilles d'eau dans mon sac fourre-tout, puis j'ai respiré un instant les odeurs de ma maison. La peinture, le thé Earl Grey, le savon pour parquet, la laine des nouveaux tapis, et d'autres parfums qui ne pouvaient subsister que dans ma mémoire : l'après-rasage que mon père mettait pour les grandes occasions, la crème pour les mains au lait de rose que ma mère gardait sur sa table de nuit, le sirop d'érable qui chauffait sur la cuisinière.

Je versais de la crème dans un pichet en céramique que j'avais peint lorsque j'ai entendu une portière claquer. En courant à la fenêtre, j'ai cru défaillir : une voiture de police était garée juste devant chez moi. Un homme brun, aux épaules un peu voûtées sous sa veste de sport, regardait ma maison, les yeux plissés. Il a traversé la pelouse en se dirigeant vers la porte d'entrée.

Et merde. Merde, merde, merde ! J'ai monté l'escalier en courant et frappé à la porte de la salle de bains.

« Val, les flics sont là », ai-je murmuré.

La porte s'est ouverte et j'ai vu Valerie plantée derrière, une serviette enroulée autour du corps et une autre sur la tête.

« Oh, c'est pas vrai ! C'est pas vrai !

— Reste ici. Je m'en occupe. »

Mon cœur battait fort et j'avais la bouche sèche, mais je me sentais pourtant étrangement calme. Je n'avais pas la moindre idée de ce que j'allais faire, mais j'avais le sentiment que je trouverais bien quelque chose à dire pour m'en sortir ; ce qui était pour le moins étonnant, puisque parler n'avait fait jusque-là que m'attirer des ennuis.

« Reste ici, ai-je répété, ne fais pas de bruit. Et surtout, ne descends sous aucun prétexte. »

Valerie est retournée dans la douche en tirant le rideau derrière elle. La sonnette a retenti au moment où je refermais la porte de la salle de bains, et je suis allée ouvrir après avoir inspiré à fond et m'être rapidement recoiffée.

« Mademoiselle Downs ? » a demandé le policier.

Il était beau, ce que je n'aurais jamais dû remarquer, vu les circonstances. Il avait la mâchoire carrée et mal rasée, une fossette au milieu du menton, et de grands yeux sombres aux longs cils, creusés de cernes.

« Jordan Novick, chef de police. Puis-je entrer ?

— Que se passe-t-il ? Il est arrivé quelque chose ?

— Je peux vous parler à l'intérieur ?

— Bien sûr », ai-je répondu en ouvrant toute grande la porte.

21

Jordan Novick ne croyait pas au coup de foudre. À l'attirance sexuelle, sans aucun doute : l'arrondi d'un genou, la façon dont les cheveux d'une femme retombaient sur sa nuque, un sourire chaleureux, une belle paire de seins – il n'était pas plus immunisé qu'un autre homme contre ce genre de plaisirs. Adelaide Downs (« Appelez-moi Addie », lui avait-elle dit en glissant sur le parquet dans ses chaussettes en laine) n'avait rien d'un top model ; rien non plus d'un monstre de deux cents kilos, comme l'avait suggéré Judy Nadeau. Addie Downs était simplement une femme aimable et assez bien roulée dans son jean et son pull-over noir, une femme plutôt sympa avec un sourire plutôt agréable, des cheveux couleur de miel, des lèvres pleines et de petites rides de sourire au coin des yeux. Sa maison, en revanche, songea-t-il tandis qu'elle le conduisait au salon en regardant par-dessus son épaule d'un air inquiet, sortait de l'ordinaire.

« Qu'est-ce qui se passe ? » s'enquit-elle à nouveau.

Jordan s'installa sur le canapé recouvert d'un tissu doux et doré, qui paraissait lui suggérer de quitter ses chaussures pour s'y lover. La couverture rouge cerise jetée sur l'un des accoudoirs donnait envie de se glisser dessous pour une courte sieste. Des petits tableaux étaient accrochés aux murs par groupes, certains dans des cadres dorés, d'autres dans des cadres en bois, qui correspondaient tout à fait au style d'art que Jordan appréciait : des tableaux qui représentaient vraiment quelque chose, et non des amas de taches et de barbouillages intitulés *Coucher de soleil en Arcadie* ou *Femme au bord de la crise.* Adelaide Downs possédait des peintures de fleurs qui ressemblaient à des fleurs, d'océans qui ressemblaient à des océans. On voyait par exemple une part de gâteau d'anniversaire avec une bougie plantée dans un glaçage tellement réaliste que Jordan avait envie d'y plonger le doigt pour le goûter ; ou un chat noir qui relevait la tête d'une soucoupe de lait, le regard froid, vert et narquois.

Jordan détourna les yeux de l'animal pour pouvoir répondre.

« J'ai quelques questions à vous poser au sujet de la réunion d'hier soir. »

Elle s'assit dans le fauteuil à côté du canapé, d'un air tendu. Soudain, elle tourna la tête vers la cuisine, d'où s'échappait une fumée bleuâtre.

« Oh, mince ! Excusez-moi, je reviens. »

Elle sortit de la pièce en courant.

« Au fait, vous voulez un bagel ? »

Jordan n'avait jamais accepté de nourriture alors qu'il était en service. Mais il se rendait compte, subitement, qu'il était affamé. Il n'avait pas pris de petit déjeuner, et la veille au soir il n'avait réussi à avaler que quelques bouchées de sa tourte gluante. Il avait envie qu'Adelaide Downs lui apporte un bagel et qu'elle en mange un avec lui.

« Je veux bien. Si ça ne vous dérange pas.

— Non, non, pas du tout. Bien grillé, ça vous va ? »

Il acquiesça, puis se leva pour observer les tableaux. L'un d'eux lui plaisait particulièrement : il représentait une plage déserte avec l'océan au fond et un unique parasol rouge et orange planté dans le sable comme une fleur. Il resta debout à l'admirer jusqu'à ce qu'Adelaide Downs revienne avec un plateau – bagels grillés, confiture orange doré, fromage et beurre, café, pichet de crème et deux tasses. Jordan se rassit. Alors qu'elle se penchait pour disposer les assiettes et les serviettes, il ne put s'empêcher de respirer l'odeur de ses cheveux. Elle sentait le sucre et le citron, et la peau de ses bras, sur lesquels elle avait remonté les manches de son pull, avait l'air aussi lisse qu'un pétale de magnolia. Elle était sans doute tout aussi douce.

Adelaide Downs servait le café, l'air toujours aussi inquiet. Il avait envie de lui prendre la main et de la lui serrer, de lui dire que tout irait bien, et il ne savait pas pourquoi. Cela n'avait aucun sens. Certes, elle avait un physique plutôt agréable, des fesses rebondies, ni maigres ni nerveuses comme celles de la plupart des filles d'aujourd'hui. Mais ce n'était pas Holly Muñoz. Holly, avec toutes ses heures de course et de vélo, ses fentes et ses flexions, possédait des fesses admirables. Mais Holly n'avait que vingt-six ans, et elle n'avait jamais eu d'enfants. Qu'en était-il d'Addie ? Au prix d'un violent effort, Jordan se redressa, tenta de s'arracher à l'agréable torpeur dans laquelle le canapé l'avait plongé, et sortit son calepin. Pas d'enfants, décida-t-il : il ne voyait aucun jouet en plastique, rien qui évoquât la présence d'un bébé ou d'un gamin plus grand. Pas de mari non plus : elle ne portait pas d'alliance, et, encore plus parlant, une seule télécommande était posée sur la table basse.

« Que s'est-il passé à la réunion, alors ? » demanda-t-elle.

Il s'apprêtait à lui répondre lorsqu'elle baissa la tête en rougissant.

« Vous voulez un donut ? »

Elle sortit un paquet de son sac à main et le posa à côté de la cafetière, d'où s'élevaient des volutes fumantes.

« Je n'osais pas trop vous les proposer. Vous savez, avec ce qu'on dit sur les policiers et les donuts... »

Elle eut un petit rire nerveux, puis porta une main à ses lèvres.

Jordan ouvrit le sac en retenant son souffle. Des donuts à la gelée de framboise. Dieu bénisse mille fois Adelaide Downs.

« Comme beaucoup de clichés, celui sur les flics et les donuts a la vie dure parce qu'il est vrai. Ils viennent de chez Ambrosia ? demanda-t-il, nommant le meilleur salon de thé de Pleasant Ridge, et le seul ouvert vingt-quatre heures sur vingt-quatre.

— C'est là qu'ils font les meilleurs, non ? »

Jordan acquiesça. Il mangea la moitié d'un donut et versa du sucre dans l'une des tasses. Du bon café et de la vraie crème, pas du lait écrémé ou un de ces trucs sans matières grasses. Encore un point pour elle.

« Et il y a d'autres clichés sur les policiers qui sont vrais ? » demanda-t-elle.

Jordan sirota son café. Elle le taquinait, et c'était plutôt agréable.

« Oui. Par exemple, tout le monde croit qu'on a des quotas à respecter, et que, du coup, on traîne sur les parkings des bars et aux endroits où on sait que les gens roulent vite ou en état d'ivresse. Eh bien c'est vrai. Si vous voulez de l'argent, vous allez à la banque. Si vous voulez des gens ivres, vous attendez à la sortie des bars. Ah, et on frappe les suspects, aussi.

— C'est vrai, pourquoi se gêner ?

— On ne les frappe même pas pour les forcer à avouer, continua-t-il. C'est juste pour s'occuper les mains. On essaie tous d'arrêter de fumer, alors... Ah, et quand on fait des surveillances ? »

Il baissa la voix.

« On pisse dans des pots de mayonnaise vides.

— Ça m'a toujours étonnée. Pourquoi pas des pots de moutarde ? Ou de n'importe quel autre condiment ?

— L'ouverture est plus large.

— Logique », répondit-elle avec un sourire, les joues toutes roses.

Ils restèrent un moment à se regarder sans rien dire. Puis Jordan fit un geste vers le mur.

« Où avez-vous trouvé tous ces tableaux ?

— Ceux-là ? »

Elle semblait troublée.

« Ils sont à moi. Enfin, évidemment qu'ils sont à moi, je ne les ai pas volés. C'est moi qui les ai faits. »

Elle leva sa tasse.

« Et ça aussi. »

Jordan regarda l'objet en céramique vernissée, couleur crème. Sur un côté était peint un petit bouquet de fleurs – des jonquilles, peut-être ? –, attachées avec un ruban de couleur.

« Vous faites de la poterie ?

— Non, non, je ne parlais pas de la tasse. Les fleurs qui sont dessus, c'est moi qui les ai peintes. »

Il les regarda de plus près.

« C'est joli. Alors comme ça, vous êtes une artiste ? »

Elle chassa le mot d'un geste de la main, gênée.

« Je fais surtout des cartes de vœux. Une tasse de temps en temps. Et j'ai fait un repose-cuillère, une fois. Un vrai événement. »

Il termina son donut et se retint de soupirer d'aise.

« C'est vraiment bon. Vous me sauvez la vie.

— Rien que ça. »

Elle devait rougir facilement lorsqu'elle était troublée ou, songea-t-il, excitée. Il imagina sa peau prenant une jolie couleur rosée de la gorge à la poitrine, ses pupilles dilatées et ses cheveux étalés sur l'oreiller tandis qu'elle rejetterait la tête en arrière...

« Vous n'êtes pas difficile, fit-elle remarquer.

— Oui, mais ne le dites à personne, d'accord ? »

Il baissa les yeux, se rappelant soudain qu'il n'était pas venu ici pour bavarder avec une célibataire sympa en mangeant ses donuts.

« Votre frère, commença-t-il. Avez-vous eu de ses nouvelles dernièrement ?

— Jeudi. Je l'ai vu jeudi pour Thanksgiving. Pourquoi ? »

Son visage s'était rembruni.

« Il vit ici ?

— Non. Jon habite dans une structure qui s'appelle Crossroads. Il s'y est installé à vingt et un ans. Pourquoi ? Il est arrivé quelque chose ?

— Était-il présent à la réunion, hier soir ?

— Je ne crois pas... enfin, je n'y étais pas non plus, mais je ne crois pas qu'il ait voulu y aller, répondit-elle en se tordant les mains. Et il n'avait aucun moyen de s'y rendre. »

Elle marqua une pause, hésitant de toute évidence à lui en dire plus.

« Ça n'a pas été très facile pour Jon, au lycée, finit-elle par confier. Mon frère a eu un accident de voiture lorsqu'il avait quinze ans. Les deux garçons à l'avant ont été tués, et Jon a été gravement blessé. Il a eu des lésions cérébrales, qui se sont traduites par des pertes de mémoire à court terme, des crises d'épilepsie – voilà un moment qu'il n'en a pas eu, mais cela lui arrivait assez souvent quand il était adolescent – et quelques changements de personnalité. Les médicaments aident, mais il pouvait être – il peut être – un peu bizarre.

— Tout le monde est bizarre au lycée », observa Jordan.

Addie Downs parut surprise.

« Vous pensez ?

— Vous auriez dû me voir. J'avais tellement de boutons qu'on aurait dit une pizza à la saucisse. »

Elle sourit faiblement, toujours aussi préoccupée. Jordan lutta contre l'envie de lui toucher la main. Qu'est-ce qui te prend, au juste ? se dit-il.

« Vous étiez chez vous, hier soir ? demanda-t-il.

— J'avais un rendez-vous.

— Comment ça s'est passé ?

— À peu près aussi bien qu'au lycée, répondit-elle en grimaçant.

— Vous pouvez me donner son nom ? »

Elle posa une moitié de bagel sur son assiette.

« Seulement si vous me dites ce qui se passe.

— On a trouvé une ceinture d'homme et du sang sur le parking du country-club. On essaie de savoir à qui ils appartiennent, et de s'assurer que personne n'est blessé. »

Addie Downs fronça les sourcils.

« Je vais peut-être appeler Jon pour savoir s'il va bien.

— Y avait-il quelqu'un au lycée qui était particulièrement méchant avec lui ? demanda Jordan d'un air détaché. Quelqu'un dont il aurait pu vouloir se venger ? »

Addie sembla surprise. Puis elle plissa les yeux.

« Vous pensez que Jon s'en est pris à quelqu'un ? »

Sa voix partait dans les aigus ; cette jolie couleur rose lui montait encore aux joues.

« Jon ne ferait jamais de mal à personne.

— Mademoiselle, nous essayons de savoir à qui appartient cette ceinture, et si cette personne est blessée. Nous n'accusons personne. »

Adelaide Downs le fusillait du regard.

« Ça lui est arrivé de prendre des affaires dans les casiers des autres, dit-elle. Quelqu'un vous en a parlé, c'est ça ? C'est pour ça que vous êtes là. Vous pensez que Jon a fait quelque chose.

— Personne ne pense que Jon a fait quoi que ce soit. Tout ce que nous voulons, pour l'instant, c'est nous assurer que tout le monde va bien. Y compris Jon.

— Excusez-moi. »

Elle serrait les poings comme si elle s'apprêtait à lui flanquer un coup. C'était charmant, même s'il était certain qu'elle n'en avait pas du tout conscience.

« Vous êtes déjà allé au lycée ?

— Promo de 1987 », répondit-il spontanément.

Mais elle ne sembla pas l'entendre.

« Il y a quatre étages. Certains garçons – je n'ai jamais su lesquels – s'amusaient à prendre le sac à dos de Jon et à le jeter dans la cage d'escalier. Du quatrième étage. Si le sac était tombé sur quelqu'un, il aurait pu le blesser sérieusement. Les gars partaient en courant, et les profs trouvaient le sac à dos avec le nom de Jon écrit dessus. Mon frère se faisait punir, parce qu'il ne voulait pas dire qui avait fait ça. »

Elle poussa un gros soupir.

« Vous comprenez pourquoi j'ai tendance à le surprotéger.

— Je comprends. »

Plus que cela, il l'admirait. Il préférait ne pas savoir ce que son propre frère raconterait si les flics venaient frapper chez lui un jour avec le même genre de questions. Sam le jetterait probablement dans la fosse aux lions sans aucun complexe – c'est même lui qui appellerait la police en premier, d'ailleurs.

« Ça nous rendrait service de savoir où était votre frère, hier soir, expliqua-t-il.

— Au travail. »

Addie referma la boîte de fromage d'un coup sec et essuya le couteau à beurre sur une serviette en tissu. Elle avait toujours les joues aussi roses.

« Il travaille du mardi au samedi à la pharmacie Walgreens, en bas de Wacker Drive, depuis quinze ans. Il bosse toujours les jours fériés pour permettre à ses collègues de rester en famille.

— Ça me paraît criminel. »

Addie ne répondit pas.

« Je plaisante, précisa-t-il, sans parvenir à lui arracher un sourire.

— Vous pouvez certainement parler à son chef, ou vérifier sa carte de pointage. Écoutez, je sais que dans les films le coupable est toujours le type qui a des problèmes mentaux, mais, croyez-moi, mon frère ne ferait pas de mal à une mouche. »

Jordan se leva en même temps qu'Addie et se pencha pour prendre le plateau.

« Laissez-moi vous aider.

— Merci, ça ira. »

Pendant quelques secondes, ils se retrouvèrent face à face, tenant chacun un bout du plateau, si proches que leurs nez se touchaient presque, si proches que Jordan pouvait sentir l'odeur de sucre et de citron de la jeune femme. Elle finit par lâcher prise.

« Je vais vous donner le numéro du centre de Jon, le nom de son chef et le numéro de la pharmacie, dit-elle. Ils pourront vous dire où il était hier soir.

— Merci », répondit-il en lui tendant le plateau. Elle l'emporta à la cuisine, puis revint quelques instants plus tard avec une feuille de papier.

« Il vous faut autre chose ?

— Votre rendez-vous d'hier soir. Je suis désolé, mais il me faudrait un nom.

— Matthew Sharp.

— Et vous êtes allés où ? »

Elle lui cita le nom d'un restaurant en ville.

« Vous aimez le martini ? Là-bas, ils en servent avec des olives fourrées au bleu. » Qu'est-ce qui me prend ? songea-t-il. Je perds la tête !

« J'ai pris du vin », répondit-elle.

Il lui tendit la main, et Addie sembla hésiter avant de la lui serrer. Sa paume était toute chaude contre la sienne.

« Pardon de vous avoir blessée.

— Ce n'est rien », répondit-elle froidement.

Elle resta un moment sans rien dire.

« Attendez. »

Jordan patienta, et la vit revenir quelques secondes plus tard avec le sachet de bagels.

« Tenez. Prenez-les.

— Oh non, ce n'est pas la peine.

— Cela me fait plaisir. »

Elle lui fit un petit signe de la main.

« Et ne frappez pas vos suspects », ajouta-t-elle.

L'espace d'un instant, il crut qu'elle allait dire autre chose, mais elle se contenta de refermer la porte.

22

Dans ma chambre, Valerie m'a écoutée, impassible, lui raconter d'une voix tout essoufflée ma conversation avec Jordan Novick.

« La ceinture, a-t-elle marmonné. Merde. On aurait dû la prendre. Et s'ils trouvent des empreintes ?

— Je l'ai à peine touchée. Et je pense que c'est plutôt le sang qui pose problème. Mais, Val, ils croient que Jon est le coupable !

— Ou alors ils pensent que c'est sa ceinture. Son sang.

— Écoute, il va leur falloir à peu près cinq minutes pour découvrir que Jon va très bien, dix pour confirmer qu'il n'était pas à la réunion, dix autres pour trouver à qui appartiennent la ceinture et le sang… et ça prendra cinq secondes à Dan pour leur raconter ce qui s'est passé. Qu'est-ce qu'on va faire ? Il faut trouver Dan, ai-je dit, répondant à ma propre question. Il faut le trouver avant la police.

— D'accord, mais comment ? »

Val s'est assise sur mon lit, a retiré la serviette qu'elle avait enroulée autour de sa tête et s'est mise à s'éponger délicatement les cheveux.

« Je t'ai déjà dit, les gens ne doivent pas savoir qu'on le cherche, sinon ils vont se poser des questions.

— Mais c'est pourtant ce qu'on a fait. On est même allées chez Chip ! Et tu as parlé avec le concierge de Dan !

— Ils ne vont pas appeler le concierge.

— Valerie. Évidemment qu'ils vont appeler le concierge ! »

Elle s'est mordillé un ongle.

« En tout cas, Chip ne dira rien. Il ne sait pas qu'on cherchait Dan.

— Oh, bien sûr. Il pensera que tu lui as sauté dessus parce que tu étais folle amoureuse de lui !

— Exactement. J'ai été plus que convaincante, tu sais.

— Valerie, réfléchis. Nous sommes considérées comme suspectes. Donc…

— Tu es déjà allée en Floride ?

— Quoi ? »

Elle a rejeté ses cheveux humides en arrière.

« Je continue à croire que le mieux à faire, c'est de quitter la ville pendant quelque temps. »

Luttant contre mon impatience, et contre l'envie d'attraper ses épaules bronzées pour la secouer vigoureusement, j'ai répondu d'une voix calme :

« Je ne pense pas que ce soit le meilleur moment pour partir en vacances. On n'est plus des gamines. On ne peut pas tout plaquer comme ça et aller au cap Cod.

— Mais que veux-tu qu'on fasse d'autre ? »

Elle s'est levée et s'est mise à faire les cent pas, laissant des empreintes humides sur le tapis de ma chambre.

« On ne peut pas chercher Dan. On ne peut pas rester ici à se tourner les pouces. »

Elle s'est dirigée vers la porte, s'est retournée, avant de revenir vers moi.

« Si ça se trouve, Dan ne se souvient même pas de ce qui s'est passé. Il est peut-être devenu amnésique…

— Oh ! Arrête !

— Si ça se trouve, a-t-elle continué, il ne veut surtout pas parler de ce qui s'est passé. Le fait de s'être fait avoir, de s'être retrouvé tout nu… Je parie qu'il est tout simplement terré quelque part, en train d'essayer d'oublier tout ça, et d'espérer que je ne vais pas envoyer sa photo par mail à tous les gens de mon carnet d'adresses, ce que je pourrais très bien faire. En plus, c'est lui qui s'est jeté sous ma voiture. »

Elle a marqué une pause.

« Enfin, je crois. Allez, viens ! s'est-elle écriée en sautant et en tapant dans ses mains comme une pom-pom girl, ce qui m'a rappelé le bon vieux temps. Tu n'avais rien prévu pour le week-end ?

— Euh… je ne peux pas laisser Jon.

— On n'aura qu'à passer le voir avant. »

Elle a ouvert mon placard et s'est mise sur la pointe des pieds pour attraper la seule valise que je possède, un petit modèle à roulettes dont ma mère se servait lorsqu'elle passait la nuit à l'hôpital.

« Où sont tes sous-vêtements ? »

Avant que j'aie eu le temps de répondre, elle a sorti d'un tiroir une poignée de culottes en coton usé.

« Beurk. Elles sont où, les vraies ? »

En fouillant un peu plus, elle a trouvé la jolie lingerie en dentelle que j'avais achetée pour Vijay au printemps, et l'a fourrée dans la valise.

« Ensuite… tu as un maillot de bain ?

— Dans la salle de bains. »

C'était peut-être le manque de sommeil, ou bien la poussée d'adrénaline provoquée par la visite du policier (charmant, au demeurant), mais j'avais l'impression d'avoir de nouveau neuf ans et de m'apprêter à traverser la rue en courant avec mon maillot de bain dans mon sac à dos, pour rejoindre Val et partir vers des contrées fabuleuses.

« Ton maquillage ? Ta crème pour le visage ?

— Je n'en mets pas beaucoup, et…

— Des capotes ? Des pilules ? Des pilules du lendemain ?

— Quel genre de vacances tu prends ?

— De bonnes vacances », a-t-elle répondu en me faisant un gros clin d'œil qui m'a rappelé sa mère de façon troublante.

Elle a fouillé dans mon placard et en a sorti une robe d'été rose plissée, un gilet jaune pâle et une paire d'espadrilles orange à lacets que j'avais achetée deux étés plus tôt au prix incroyable de huit dollars, avant de me rendre compte que si elles étaient si peu chères, c'était parce qu'il n'y avait pas de place dans ma garde-robe, ni dans celle d'aucune autre femme, pour des espadrilles orange à lacets. Sauf peut-être dans celle de Valerie, ai-je songé en la voyant tourner les chaussures d'un côté et de l'autre à la lumière.

« Sympa », a-t-elle dit.

J'ai sorti un sac fourre-tout de mon placard pour y mettre tout ce que Val avait oublié (elle avait ajouté une bougie parfumée et je ne sais quelle lotion dans la valise, mais n'avait pas pensé au dentifrice, aux chemises de nuit ou aux soutiens-gorge) : j'ai pris des vêtements de sport, un ou deux pantalons en coton, des tee-shirts, mes vitamines, un carnet à dessins et une boîte de crayons de couleur, et ma photo de famille préférée. Nous avions posé devant chez nous pour mon premier jour d'école ; je portais un pull bleu marine, Jon un jean neuf, ma mère une robe blanche flottante et mon père un costume-cravate, et nous souriions tous les quatre face au soleil.

Dans la salle de bains, Val s'est plainte du manque de puissance de mon sèche-cheveux, avant de rejeter tout ce que contenait mon armoire et de se saucissonner de nouveau dans son body et sa robe rouge moulante. Je me suis assise sur mon lit pendant qu'elle se mettait du fond de teint, du fard à paupières, du blush, du gloss, de l'eye-liner et même quelques faux cils, le tout sorti d'une trousse qu'elle avait prise dans son immense sac à main rouge.

« Tu sais, on devrait vraiment y aller, ai-je dit. Vu qu'on est en cavale…

— J'ai une image à entretenir, a-t-elle répondu. Tu crois que j'ai envie de finir dans la rubrique "Les stars sans maquillage" ? »

Avant que j'aie eu le temps de répondre, ou de lui faire remarquer qu'elle n'était pas une star, elle s'est mise à mâchonner le bout d'un crayon à paupières.

« Il nous faut une autre voiture, a-t-elle marmonné.

— On ne peut pas prendre la mienne ?

— On a besoin d'une voiture qui ne soit associée à aucune de nous.

— Pourquoi ? »

La réponse m'a frappée en même temps que je posais la question : tout ça était bien réel. Val avait commis un crime, un crime dont j'étais à présent complice, et au lieu d'agir comme une fille sage, au lieu de tout rapporter comme je l'avais toujours fait, je m'apprêtais à faire fi de toute prudence et à transgresser les règles. Et, étrangement, c'était plutôt grisant.

« J'ai une idée. »

Dans le garage, Val m'a aidée à retirer la bâche du break, qui reposait sur ses pneus à moitié dégonflés comme un vieux dinosaure fatigué. Elle a froncé le nez quand j'ai ouvert la portière.

« Tu es sérieuse ? Y a la radio, au moins, là-dedans ?

— Oui. Et même un lecteur de cassettes ! » ai-je précisé en me glissant derrière le volant.

Je me suis sentie soulagée quand le moteur a bien voulu démarrer.

« Quelle bagnole pourrie !

— En tout cas, elle roule. C'est l'essentiel. »

J'ai reculé dans l'allée à travers un nuage de fumée bleuâtre, avant de descendre la rue avec précaution, tout en planifiant l'itinéraire dans ma tête : d'abord, la première station-service pour regonfler les pneus et faire le plein ; ensuite, l'autoroute ; enfin, le centre de mon frère.

23

Quelqu'un – Holly, sans doute – avait décoré le poste de police pour Noël. Jordan aperçut un petit sapin argenté sur le bureau de Paula, un bol rempli de chocolats dans des papiers rouges et verts à côté du téléphone, une couronne sur la porte, et un vrai sapin de Noël qui sentait le grand air, près des bureaux des policiers. L'arbre était orné d'ampoules rouge et or, de guirlandes de pop-corn et de canneberges, et – Jordan cligna des yeux, croyant rêver – d'un soutien-gorge en dentelle suspendu tout en haut à la place de l'ange.

Il venait juste de fourrer le sous-vêtement dans la poche de sa veste quand Holly s'approcha de lui.

« Ça va, comme ça ? demanda-t-elle en montrant le sapin. J'ai essayé de trouver une menora, ou autre chose... Vous savez, pour ne blesser personne...

— C'est très bien », lui assura-t-il.

Le soutien-gorge – Jordan était certain qu'il appartenait à Holly, et que Gary Ryderdahl l'avait accroché là pour plaisanter – pesait contre sa hanche. Il passa d'un pied sur l'autre.

« Vous avez avancé avec cette liste ?

— Jusque-là, tout le monde répond à l'appel. »

Jordan lui fit signe de continuer, mais Holly se contenta de le regarder par en dessous, avec ses grands yeux doux et bruns.

« Vous avez passé de bonnes fêtes de Thanksgiving ? » lui demanda-t-elle.

Jordan enfonça les mains dans ses poches, tombant sur un sachet de donuts d'un côté et sur le soutien-gorge de l'autre. Ses parents, qui s'étaient retirés à Scottsdale, avaient insisté pour qu'il vienne passer le week-end – sa mère avait transformé la chambre d'amis en sanctuaire de méditation, mais, comme l'avait déclaré son père d'un ton bourru, le clic-clac n'était pas si mal. Même son frère Sam avait fait l'effort de l'inviter, mais Jordan avait invoqué le travail et promis à tout le monde de les voir à Noël. Il avait célébré Thanksgiving avec un plat surgelé à la dinde qu'il avait réussi à glisser dans le mini-four par le côté (les pommes de terre étaient brûlantes, alors que la dinde était à moitié gelée), et plusieurs épisodes enregistrés de *Au lit, les petits !* Il était allé se coucher à dix heures, incapable de supporter une minute de plus sa propre compagnie, ni sa propre solitude.

« Oui, c'était très bien », répondit-il à Holly sur un ton qui, espérait-il, couperait court à la conversation.

Peine perdue. Holly se lança dans la description de son repas avec ses quatre sœurs, leurs maris et tous leurs enfants, et son père qui, chaque année, insistait pour faire frire une dinde de dix kilos dans un grand récipient en inox qu'il avait installé dans le garage.

« La dinde est toujours infecte, expliqua-t-elle en faisant les gros yeux. Du coup, chaque année, le dimanche suivant, on se relaie avec mes sœurs pour inviter tout le monde. On cuit la dinde dans le four, on fait des lasagnes... »

Elle regarda Jordan avec espoir.

« Vous pourriez venir. Il y a toujours trop à manger.

— Ç'a l'air sympa », se força-t-il à dire.

Une grande table ronde avec Holly, ses sœurs, leurs maris… et leurs enfants.

« Revenons-en à notre affaire. C'est peut-être un vrai crime. »

Elle lui sourit, visiblement amusée par l'idée.

« Faire frire une dinde innocente. Ça, c'est un crime.

— Tenez-moi au courant. »

Il alla se réfugier dans son bureau, où il s'empressa de cacher le soutien-gorge au fond d'un tiroir, sous cinq années d'évaluations de performances et deux boîtes de cookies Girl Scout achetées à la petite-fille de Paula au printemps précédent (il avait demandé à la fillette si la variété « Samoa » était fabriquée avec de vrais Samoans, et elle l'avait regardé d'un air bizarre, en reculant lentement jusqu'au bureau de sa grand-mère). Il posa le sac de donuts sur son sous-main, sortit son bloc-notes et se mit à le feuilleter, s'arrêtant sur certains mots : « végan » ; « liste d'invités » ; « Matthew Sharp » ; « ne ferait pas de mal à une mouche ». Tout en avalant un autre donut – les cristaux de sucre craquaient délicieusement sous ses dents –, il chercha « Adelaide Downs » sur Google. Plusieurs résultats s'affichèrent : le site des cartes Happy Hearts, des photos de porcelaines qui avaient été en vente trois ans plus tôt. Suivaient les sites sur lesquels tout le monde apparaissait aujourd'hui, même le plus misanthrope des ermites : « Étiez-vous au lycée avec Adelaide Downs ? Êtes-vous un ami d'Adelaide Downs ? Il cliqua sur les liens et entra le nom et l'adresse de la jeune femme, en espérant tomber sur une photo (juste pour se convaincre qu'elle n'avait rien d'exceptionnel). Mais il n'y avait que des images de ses cartes de vœux, d'un service d'assiettes à dessert, et du fameux repose-cuillère.

Jordan s'essuya la bouche avec une serviette en papier et composa le numéro de téléphone qu'Addie lui avait donné. M. Duncan, le gérant de la pharmacie Walgreens, lui demanda de patienter pendant qu'il vérifiait les feuilles de présence. Il revint quelques instants plus tard en s'excusant :

« Jon devait travailler hier soir, mais apparemment il n'est pas venu. »

Jordan le remercia, se leva, fit signe à Holly qui était au téléphone, piqua une poignée de chocolats dans le bol de Paula, et repartit vers sa voiture. Dix minutes plus tard, il s'arrêtait au coin de Main Street et de Crescent Drive. Il mangea un chocolat et attendit patiemment, les mains à plat sur ses genoux, les yeux rivés sur la rue. Cinq minutes plus tard, un vieux break vert aux pneus à moitié dégonflés déboulait dans le carrefour. Il distingua une blonde au volant, et une autre femme coiffée d'un foulard à côté d'elle. La voiture cala, pétarada, cracha un nuage de fumée graisseuse, puis partit en toussotant vers le centre-ville. « Jon ne ferait pas de mal à une mouche. » C'est ce qu'on va voir, songea Jordan en s'engageant derrière le break.

24

« Alors, qu'est-ce que tu deviens ? » ai-je demandé à Val tandis que nous roulions vers l'ouest.

Nous étions en route – en cavale, pour être plus juste – depuis dix minutes, et Val n'avait pas cessé de se plaindre de la voiture.

« C'est une vraie chiotte, non ? avait-elle fini par dire au moment où nous dépassions la pancarte "VOUS QUITTEZ PLEASANT RIDGE, UNE VILLE PLAISANTE À VIVRE !".

— Je ne sais pas de quoi tu parles.

— Un tacot. Un tas de merde sur roues. Une vieille caisse. Un cercueil roulant. »

Elle a reniflé.

« Apparemment, tu as raté notre émission sur l'argot des banlieues.

— Apparemment. »

Je n'ai pas pu m'empêcher de sourire. Elle se tournait dans tous les sens et inspectait l'extérieur du break à travers la vitre de sa portière, aussi dégoûtée que si elle avait mordu dans quelque chose de pourri. Pour finir, elle a poussé un gros soupir.

« Quelque chose est mort là-dedans, ou quoi ?

— Mon père, ai-je répondu en me délectant – non sans une certaine culpabilité – de l'expression horrifiée qui déformait son joli visage. Mais on l'a fait nettoyer.

— Vous ne l'avez pas vendue ?

— Ce n'était pas la faute de la voiture. Elle roule encore. »

Val s'est renfrognée en se tassant dans son siège.

« Au fait, a-t-elle dit au bout de quelques minutes. Est-ce que tu me regardes ?

— Des fois. »

Sa déception était aussi palpable que si la température avait chuté de dix degrés dans la voiture.

« Je suis déjà couchée à cette heure-là, en général. »

Je lui ai jeté un coup d'œil en biais. Les sourcils froncés, les bras croisés sur la poitrine, elle faisait la moue.

« Je regarde la météo sur Internet », ai-je lâché.

Val m'a fusillée du regard.

« Eh, du calme ! Tout le monde le fait ! C'est tellement pratique ! Ils mettent à jour leurs bulletins en permanence.

— Tu parles ! Les sites de météo en ligne utilisent exactement les mêmes sources que nous. Alors, si tu crois que leurs informations sont plus justes, tu te fourres le doigt dans l'œil.

— D'accord, mais c'est quand même plus pratique.

— Oh, comme si tu étais débordée au point de ne pas pouvoir rester deux minutes devant le journal ! Tu sais, on passe la météo au tout début des infos. Tu peux même aller faire dodo à onze heures trois, si tu veux.

— Pourquoi regarderais-je la télé alors que je peux avoir la météo sur mon téléphone ?

— C'est ça, le problème de l'Amérique. Il n'y a plus de fidélité. Avant, les gens regardaient les mêmes chaînes toute leur vie. Les grands-parents, les parents et les enfants, assis tous ensemble devant le poste de télévision, en train de regarder les vedettes du petit écran. Et maintenant, tout ce qu'on entend, c'est : “Oh, je peux

regarder la météo sur mon téléphone ! Je n'ai plus besoin du journal de MyFox Chicago ! "
— Hé. Ne t'énerve pas. »
Val s'est laissée aller en arrière dans son siège.
« Ce qui est grave, c'est que tu n'es pas la seule. Tu sais quel est l'âge moyen des téléspectateurs de MyFox ? »
Elle a marqué une pause.
« Ils sont déjà morts. Parce que tout le monde regarde la météo sur son téléphone et les infos sur son BlackBerry. Et en plus, depuis qu'on est passé à l'image haute définition... »
Elle a porté une main à sa joue.
« Ça montre tout. La moindre ride, le moindre pore dilaté... Ç'a été très éprouvant pour moi. »
J'ai failli lui faire remarquer que ce devait être encore plus éprouvant pour Dan Swansea, en ce moment, mais je n'ai rien dit.
« Tu ne t'es jamais mariée ? a demandé Val.
— Non. »
Je n'ai même pas eu de petit copain avant cette année, ai-je songé.
« Tu veux des enfants ?
— Je ne sais pas. Peut-être. »
L'idée d'être maman me plaisait, mais la réalité des enfants n'était pas si séduisante. Beaucoup m'avaient montrée du doigt et s'étaient moqués de moi au fil des ans. Cela ne m'empêchait pas, de temps en temps, d'avoir envie d'un bébé et des amis qui allaient avec. Je m'arrêtais parfois en ville, en revenant du bureau de poste, dans un salon de thé de Main Street. Le mardi matin, un groupe de mamans se retrouvaient au fond de la salle avec leurs bébés et leurs grosses poussettes. Elles buvaient des chaï latte en parlant de leurs maris, ou d'un article du *Times* selon lequel il était sain pour les enfants

de manger de la terre. Un jour, l'une d'elles, une créature à queue-de-cheval, ultramince et pleine d'entrain, avait tenté d'intéresser les autres à un cours de langue des signes pour bébés. Une de ses copines, qui portait encore un jean de grossesse neuf mois après son accouchement (j'avais vu l'étiquette quand elle s'était penchée pour ramasser un anneau de dentition), avait regardé sa fille, perchée sur une chaise haute, en train de s'écraser une banane sur le front. « Je ne suis pas sûre que ce qu'elle a à me dire pour l'instant m'intéresse vraiment », avait-elle observé.

« Alors, qu'est-ce que tu as à me raconter ? » m'a demandé Val.

Je ne savais pas vraiment quoi lui répondre. Fallait-il lui dire que, lorsque j'étais obèse, je commandais des cookies glacés sur Internet en choisissant chaque fois des emballages différents – Thanksgiving, Noël, Joyeux Anniversaire, Fête nationale… – pour que l'inconnu qui gérait ma commande ne se doute pas que les deux kilos de gâteaux étaient pour moi ? Que, dans les moments où je me sentais vraiment seule, j'allais au supermarché lorsqu'on annonçait une tempête de neige, pour me joindre à la foule qui se jetait sur la dernière douzaine d'œufs, le dernier pack de lait, les derniers rouleaux de papier toilettes, juste pour avoir l'impression d'appartenir à un groupe ? Comment, au salon de thé, j'avais regardé la maman en jean de grossesse rire en voyant sa fille ramper par terre, ses petites mains potelées claquant sur le parquet, tandis que ses copines faisaient des réflexions à voix basse sur les échardes et les germes ? Je pourrais être amie avec elle, avais-je songé, mais j'avais été bien trop timide pour lui parler.

« Pas grand-chose, en fait, ai-je répondu à Val.

— Et tes sous-vêtements en dentelle, c'est pour qui ?

— J'aime bien les jolies choses.

— Bien sûr. »

Nous nous sommes arrêtées dans une station-service pour faire le plein et regonfler les pneus, puis dans une supérette pour acheter des chips, des sodas et un sandwich au thon pour mon frère. Nous avons réussi à dénicher ce qui devait être la dernière cabine téléphonique de Chicago. Je voulais appeler le centre Crossroads de chez moi, mais Val avait décrété que tous les appels que nous passerions, sur le fixe comme sur le portable, seraient mis sur écoute. Mme Jennings m'a annoncé ce à quoi je m'attendais à moitié : Jon s'était encore échappé.

« Mauvaise nouvelle, ai-je dit en remontant dans la voiture, où Val retouchait son maquillage dans le rétroviseur. Jon est parti.

— Qu'est-ce qu'on fait, alors ?

— Je sais où le trouver. »

Quarante-cinq minutes plus tard, nous avons garé le vieux break de mon père à deux rues de l'Art Institute, un des lieux de prédilection de Jon lorsqu'il ne travaillait pas. J'ai mis mon bonnet, mon écharpe et mes mitaines. Val s'est drapée dans le manteau que je lui avais prêté, avant d'ajuster le châle à franges qu'elle s'était enroulé sur la tête, façon babouchka.

« Voilà, a-t-elle dit en chaussant des lunettes de soleil énormes. Je suis incognito.

— Génial. »

Il nous a fallu une demi-heure pour trouver mon frère, qui était assis sous un pont non loin de Michigan Avenue, le dos appuyé contre un pilier en béton, les yeux levés vers le ciel. Il avait couvert ses jambes avec le sac de couchage que je lui avais offert à Noël, et rentré ses mains dedans pour les maintenir au chaud.

« Salut, Addie, m'a-t-il lancé lorsque je me suis assise à côté de lui.

— Salut, Jon. Comment ça va ?

— Ça va. »

« Voyez ça comme une renaissance », nous avait conseillé l'un des neurologues lorsque Jon était sorti du coma, avant qu'il se mette à parler… à jurer et à tout jeter. « La personne que vous connaissiez n'est plus là. Il va falloir vous y habituer. » Mon père s'était détourné, le visage aussi pâle que la blouse du médecin. Ma mère avait sangloté sans bruit dans ses mains. Le nouveau Jon, qui avait vécu maintenant plus longtemps que l'ancien, s'emportait facilement, se montrait distrait, maladroit et parfois contrarié, mais sa douceur d'enfant perçait encore de temps à autre.

J'ai inspiré une bouffée d'air glacial.

« Tu étais au travail, hier soir ? »

Il a réfléchi un instant, les sourcils froncés.

« Il y avait une averse météorique. Je voulais la voir. »

J'ai senti mon cœur se serrer. Pas de travail, ça voulait dire pas d'alibi.

« Oh, Jon.

— Mais j'ai prévenu ! J'ai tout fait comme il faut. J'ai prévenu, et ils m'ont dit que c'était d'accord. J'en suis sûr. Enfin, presque. Je crois que j'ai appelé.

— Je ne t'en veux pas. »

J'ai sorti de mon sac ce que je lui avais apporté : un bonnet et des gants, au cas où il aurait oublié les siens (il les avait oubliés), un tube de baume à lèvres au cas où les siennes seraient gercées (elles l'étaient).

« Jon, je vais partir quelques jours, avec Valerie. Tu te souviens de mon amie Valerie ? On part en voyage. »

Il continuait à regarder le soleil.

« Vous allez dans un pays chaud ?

— Je ne sais pas. Mais il faut d'abord que tu rentres chez toi. Je peux te raccompagner, si tu veux.

— Est-ce que je peux aller au cinéma, d'abord ? Je te promets que je reviendrai pour dîner. Et j'irai au travail, ce soir.

— D'accord. Le cinéma, et après tu rentres. Écoute-moi, Jon, je vais te dire une chose importante. Si quelqu'un vient te demander ce que tu faisais hier soir, tu dois lui dire la vérité.

— Addie, je dis toujours la vérité, a-t-il répliqué, blessé.

— D'accord.

— Toujours », a-t-il insisté.

Il avait l'air tellement sérieux. Je l'ai serré dans mes bras.

« D'accord. »

Je suis restée assise à côté de lui pendant un moment, sentant le béton froid dans mon dos et la chaleur du soleil sur mon visage.

« Hé, c'est pas si mal, ici. »

Jon m'a tapoté le dos de la main – comme les coups de bec d'un petit oiseau insistant.

« Quand tu seras là-bas, passe le bonjour à maman de ma part, d'accord ? Dis-lui que j'ai vu deux éclipses totales et une éclipse partielle.

— Oh, Jon. »

Ça arrivait de temps en temps. Nous parlions tranquillement, presque normalement, et tout d'un coup il disait quelque chose qui me rappelait que rien n'était normal, rien du tout.

« Bien sûr, ai-je répondu, n'ayant pas la force d'expliquer pour la énième fois que notre mère était morte. Je lui dirai. »

Je l'ai aidé à rouler son duvet et l'ai accompagné à l'arrêt de bus, puisqu'il ne voulait pas que je l'emmène au cinéma en voiture (Jon adorait prendre les transports en commun, et les éducateurs nous avaient conseillé, à ma mère et à moi, de le laisser faire, car c'était bon pour lui de prendre de l'indépendance). Je lui ai écrit le numéro du bus et le nom du cinéma, lui ai donné vingt dollars et l'ai embrassé sur la joue.

« Je t'aime.

— Je t'aime aussi », a répondu Jon.

Puis je suis revenue vers Val, qui m'attendait sur le trottoir et nous regardait derrière ses lunettes de soleil.

« Ça va ? a-t-elle demandé.

— Ça va. »

Dans la voiture, elle s'est pelotonnée sur le siège passager et a enlevé son pull et son écharpe pour se faire un petit nid.

« Où est-ce qu'on va ? ai-je demandé tandis qu'elle retirait ses chaussures.

— Roule vers le sud. »

Elle a fermé les yeux et s'est endormie aussitôt.

25

Jordan avait suivi le break, s'arrêtant le long du trottoir chaque fois qu'Addie elle-même s'arrêtait : station-service, supérette, puis cabine téléphonique. Elle avait fini par se garer sur un parking. Il avait observé l'autre femme, celle au foulard enroulé autour de la tête, qui s'était remis du rouge à lèvres tandis qu'Addie sortait de la voiture avec un sac plastique à la main. Il avait marché à quelques mètres derrière elles jusqu'à ce qu'Addie s'approche d'un homme enveloppé dans un duvet et adossé à une pile de pont. Jordan patienta pendant qu'elle lui parlait, lui donnait le sac et l'accompagnait à un arrêt de bus. Puis, une fois qu'elle fut partie, il se fraya un passage parmi les SDF pour atteindre l'homme, appuyé contre la vitre de l'abribus avec son duvet coincé sous le bras, qui regardait calmement le ciel. Jordan lui dit bonjour. Comme l'autre ne répondait pas, il lui toucha l'épaule.

« Jonathan Downs ?

— Mmh ? » fit celui-ci sans le regarder.

Il avait le teint pâle et les cheveux clairs, comme sa sœur, une coupure sur une pommette, et les jointures des doigts couvertes de bleus et de croûtes. Jordan se demanda s'il s'était battu.

« Jonathan, je suis Jordan Novick, chef de police de Pleasant Ridge. Pouvez-vous me dire où vous étiez, hier soir ? »

Jonathan se mit à fredonner, le regard fixé sur le ciel.

« Je sais que vous n'êtes pas allé travailler. Vous étiez ici ?

— Je regardais la lune.

— Est-ce que quelqu'un vous a vu, hier soir ?

— Seulement la lune. »

Jonathan tourna de nouveau le visage vers le ciel. Son pantalon de toile était retenu par une ceinture – marron, pas noire.

« Vous n'êtes pas retourné à Pleasant Ridge ? Vous n'êtes pas allé au country-club ?

— Ne retourne pas à Rockville. Reste encore un an [1]. »

Il sortit de sa poche un portefeuille à velcro en nylon bleu, qu'il entreprit de vider de son contenu. Jordan vit passer une carte d'identité, une carte de bibliothèque, une carte de fidélité du restaurant Old Country Buffet, une carte de membre du vidéoclub Blockbuster, et une fiche de paie de Walgreens. Il y avait quarante-sept dollars en billets, quelques pièces, et un rectangle de papier plastifié qui indiquait : SI JE SUIS PERDU, MERCI DE CONTACTER ADELAIDE DOWNS. Jon trouva enfin sa carte de bus avec un grognement de satisfaction. Puis il rangea son portefeuille et regarda vers le coin de la rue pour voir si son bus arrivait.

« Hé, Jon, fit Jordan sur le ton de la confidence. Est-ce que quelqu'un a été méchant avec vous au lycée ?

— Addie, répondit-il aussitôt.

---

1. Paroles d'une chanson du groupe REM, « Don't go back to Rockville ».

— Non, je ne parle pas de votre sœur. D'autres garçons, par exemple. Peut-être ceux qui faisaient tomber votre sac à dos ?

— Je m'en fichais. J'ai regardé la lune. J'ai vu deux éclipses totales et une éclipse partielle. Vous avez déjà vu une éclipse ?

— Et qui était méchant avec Addie ? »

Jon ne l'écoutait pas.

« La pluie de météores des Perséides peut être vue à l'œil nu à partir de la mi-août. Mais j'ai un télescope. On la voit encore mieux avec un télescope.

— Jonathan, quelqu'un a été blessé à la réunion d'hier soir. Avez-vous unc idée de qui ça peut être ? »

Jon se tourna vers lui, l'air soudain inquiet.

« Addie ? Quelqu'un a fait du mal à Addie ?

— Non, non, Addie va bien. »

Jon secoua la tête, les sourcils froncés.

« On a fait du mal à Addie.

— Non, je vous assure qu'elle va bien. Je viens juste de la voir. »

Et toi aussi, songea Jordan. Ce devaient être les problèmes de mémoire à court terme que sa sœur avait évoqués.

« Je ne parle pas de maintenant, mais du lycée, reprit Jon d'une voix ferme. Dan Swansea, Kevin Elephant et tous les autres. Ils ont écrit des choses sur elle dans l'allée. »

Des choses écrites dans l'allée. Kevin Elephant. Ça n'avait aucun sens, mais Jordan le nota quand même.

« Avez-vous besoin de quelque chose ? Êtes-vous sûr que vous êtes bien, ici ? »

Jonathan le regarda comme s'il était fou.

« Je ne vais pas rester ici. Je vais prendre le bus pour aller au cinéma. »

Il sortit un papier de sa poche.

« Bus numéro soixante jusqu'au cinéma. Acheter un ticket pour la séance de quatorze heures. Aller aux toilettes avant le début du film. Prendre le bus soixante-douze et rentrer à la maison.

— Ah, d'accord. »

Jordan réfléchit un instant, puis lui tendit un billet de dix dollars.

« Tenez, si vous avez faim avant ou après la séance. »

Jon ouvrit son portefeuille, lissa le billet, puis le glissa à l'intérieur.

« Je peux vous emprunter un stylo ? » demanda-t-il. Quand Jordan lui en donna un, Jon écrivit « acheter quelque chose à manger » en toutes petites lettres, sous la consigne « acheter un ticket ». Jordan le salua maladroitement, retourna à sa voiture et partit en direction du foyer où Jonathan Downs avait vécu ces quinze dernières années.

26

« Pas question. »

La responsable du foyer, une femme noire, grande et mince, s'appelait Verona Jennings. Elle avait une paire de lunettes pendue au cou au bout d'une chaîne, et les bras croisés par-dessus.

« Non, non. Pas sans mandat.

— Bon, reprenons », dit Jordan.

Mme Jennings et lui se trouvaient dans la cuisine de Crossroads, assis à une table recouverte d'une nappe en plastique à carreaux rouges et blancs, avec, au milieu, un bouquet de fausses marguerites dans un vase. Sur le réfrigérateur étaient affichées plusieurs feuilles de papier plastifié en couleurs, avec des noms – ROGER, DAVID, JON, PHIL – inscrits tout en haut, et les emplois du temps – *6 h 15 : réveil ; 6 h 20 : brossage des dents, rasage, toilette ; 6 h 30 : petit déjeuner, médicaments* – écrits dessous. Seuls deux des pensionnaires se trouvaient actuellement dans la maison. Les six autres passaient les vacances en famille. L'un des hommes était debout devant la fenêtre, en train de regarder la rue silencieusement.

« Jon s'est-il déjà montré violent ?

— Il s'est déjà fait mal », répondit Mme Jennings.

Avant de le laisser entrer, elle lui avait demandé son numéro d'identification, et l'avait fait attendre le temps d'appeler le central pour vérifier.

« Je l'ai déjà vu s'énerver contre lui-même. Il se frappe la tête, si nous ne l'arrêtons pas. »

Jordan ne put s'empêcher de grimacer.

« Mais il n'a jamais fait de mal à personne, même si cela ne veut pas dire que ça ne peut pas arriver.

— Quand l'avez-vous vu pour la dernière fois ?

— Hier après-midi. Il est rentré du travail hier matin, juste avant huit heures, et il est monté directement dans sa chambre, comme il le fait d'habitude. Il est redescendu pour déjeuner – il y a des macaronis au fromage, le vendredi – et il est sorti se promener juste après. Rien d'anormal, encore une fois. Il va à la bibliothèque, au musée et au cinéma plusieurs fois par semaine, et je suis sûre que Tim, qui était de garde à ce moment-là, a pensé que c'était là qu'il allait. Par contre, il n'est pas rentré pour dîner le soir, mais on ne s'est pas inquiétés. Le vendredi soir, on mange du poisson au four, et ce n'est pas ce qu'il préfère. Il aime aller au McDo de temps en temps. Tim a dû se dire que Jon était parti manger dehors, et qu'il irait directement au travail après. Même s'il n'y est pas allé, ça n'a rien d'inhabituel non plus. »

Mme Jennings expliqua à Jordan que Jon était capable de suivre sa routine – travail, repas, promenades, sorties à la bibliothèque et au cinéma – pendant trois, quatre, voire six mois d'affilée. Puis il se passait quelque chose et il arrêtait subitement de prendre ses médicaments et disparaissait pendant une nuit ou deux. Addie le retrouvait. Elle lui parlait et le ramenait à la maison, et si ça n'allait pas, elle l'emmenait chez le médecin pour essayer d'ajuster son traitement – Jon prenait des antidépresseurs et un médicament contre les crises d'épilepsie. Jordan nota tout cela dans son carnet.

« Une réunion des anciens élèves du lycée était organisée, hier soir. Jon en a-t-il parlé ? »

Verona Jennings fit non de la tête. Jordan tenta une autre approche.

« Qu'a-t-il fait pour Thanksgiving ?

— Sa sœur est venue déjeuner avec lui. »

Elle lui montra une pile de restes dans le réfrigérateur, conservés dans des tupperwares soigneusement étiquetés.

« Vous voyez ? De la dinde, des patates douces confites, des haricots verts. Les plats préférés de Jon. Ils ont regardé un film de science-fiction dans sa chambre, après le repas. Addie est rentrée chez elle vers quinze heures, et Jon a fait une sieste. »

Elle referma le réfrigérateur et dévisagea Jordan calmement.

« Je peux savoir pourquoi vous me demandez tout ça, maintenant ? »

Jordan lui expliqua ce qu'il pouvait : la ceinture et le sang qu'ils avaient trouvés sur le parking, la camarade de classe de Jon qui s'était rappelé que celui-ci avait pris des choses dans les casiers. Avant même qu'il ait terminé, Mme Jennings l'interrompit :

« Déjà, il aurait fallu qu'il se rende à Pleasant Ridge. Et Jon ne conduit pas.

— Il n'a pas de voiture ?

— Il n'a jamais eu le permis. Et ça m'étonnerait qu'un bus s'arrête devant un country-club en banlieue. Et puis, même si c'était le cas, ça demanderait au moins trois ou quatre correspondances. Jon serait incapable de faire ça tout seul.

— Où est sa chambre ?

— Vous ne pouvez pas y entrer. Pas sans mandat de perquisition.

— Je ne veux pas la fouiller, lui assura Jordan. Je veux juste la voir. »

Elle le regarda pendant plusieurs secondes, puis elle finit par le conduire en haut d'un étroit escalier.

La chambre de Jon, située à une extrémité de la maison, était une petite pièce meublée d'un lit à une place et d'une commode, avec une fenêtre en hauteur munie de barreaux qui donnait sur un jardin envahi par les herbes. On aurait dit une aile du plus petit musée du monde : chaque mur était recouvert, du sol au plafond, de photos encadrées et de tableaux du même genre que ceux que Jordan avait vus chez Addie Downs. Il y avait des dessins d'un petit blondinet mince et bronzé – Jon lorsqu'il était enfant, sans doute –, courant, sautant, nageant ou tapant dans un ballon de foot. Parfois, on voyait aussi une femme ronde aux yeux bleus et aux cheveux longs, un homme pâle qui souriait faiblement avec des marionnettes dans les mains. Mais la plupart des images, peintes ou dessinées avec des crayons de couleur ou des pastels, montraient Jon petit, en train de pêcher dans un lac brumeux et argenté, de descendre à vélo une rue qui devait être Crescent Drive, d'attendre le car scolaire avec un sac sur le dos. Sur l'une des peintures, il était représenté avec un homme – son père, certainement –, debout dans la nuit, le visage levé vers le ciel étoilé.

« C'est impressionnant, n'est-ce pas ? » dit Verona Jennings.

Jordan ne put qu'acquiescer. Il comprenait ce qu'Addie avait cherché à faire en dessinant et en peignant toute la vie de son frère avant son accident : elle avait recréé un monde où on le voyait comme il avait été, jeune, beau, en pleine santé.

Il observa les quatre murs, contempla toutes les images, repérant sur certaines une fille qui devait être Addie, debout derrière son grand frère qui allumait un candélabre (une menora ? se demanda-t-il en repensant à Holly), ou assise au bord d'une piscine à côté d'une autre fille blonde et maigre, les pieds dans l'eau, tandis que Jon s'apprêtait à plonger du plus haut plongeoir.

« Cinq minutes, dit Verona Jennings. J'ai des choses à faire. »

L'épais tapis sur le sol ressemblait à celui qu'Addie avait dans son salon. Les deux gros oreillers sur le lit étaient recouverts de taies bleu foncé fraîchement repassées. Un emploi du temps plastifié – semblable à celui du frigo, sauf que celui-ci était orné d'étoiles dorées – pendait à la porte du placard, dans lequel on trouvait une demi-douzaine de chemises blanches, de jeans et de pantalons de toile, ainsi qu'un tablier rouge de chez Walgreens avec un badge rectangulaire : *Je suis Jon. Que puis-je pour vous ?* Deux photos, dans des cadres en plastique transparent, étaient exposées sur la commode. En s'approchant, Jordan reconnut Addie et Jon petits, sans doute lors d'une rentrée des classes. Ils portaient des sacs à dos et des vêtements tout neufs, et l'on voyait un car scolaire jaune au second plan. Addie souriait timidement. Jon, lui, plissait les yeux au soleil. Jordan tendit la main vers la photo.

« Ne touchez à rien ! » s'exclama Mme Jennings.

Il laissa retomber sa main et examina l'autre photo, sur laquelle on voyait Jon et Addie adultes, cette fois-ci. Frère et sœur posaient devant un sapin de Noël. Jon portait un jean et une chemise en tissu écossais. Sans son regard vide et hébété, il aurait été beau.

Addie Downs était plus grosse. Pas énorme, mais beaucoup plus enveloppée que la femme qu'il avait rencontrée. Sur la photo, elle portait des collants et une robe-pull qui descendait à mi-mollet. Ses cheveux châtain clair étaient retenus en arrière par un bandeau ; elle avait un double menton, des poignets épais, des mains potelées, et le même sourire doux et timide. Son physique en devenait encore plus touchant, car c'était le sourire d'une femme qui n'avait pas baissé les bras, qui rêvait encore de découvrir quelque chose de merveilleux sous le sapin de Noël.

La pauvre, songea-t-il, tandis que Mme Jennings précisait : « Elle a beaucoup maigri. » Les pauvres, tous les deux. Il attendit qu'elle sorte dans le couloir pour glisser discrètement dans sa poche la photo d'Addie et de son frère adultes. Jon n'avait pas l'air d'un criminel, mais il lui était déjà arrivé de se tromper sur les gens.

27

« Addie ? »

Je me suis réveillée en sursaut, imaginant que la main sur mon épaule était celle de Vijay, qu'il était revenu. Mais, en ouvrant les yeux, j'ai vu Val derrière le volant (elle conduisait depuis une heure). Nous nous trouvions dans le vieux break sur le parking d'un McDo. Je sentais l'odeur d'huile chaude et de viande grillée, et voyais l'enseigne rouge et jaune à travers le pare-brise. Le tableau de bord indiquait deux heures de l'après-midi.

« On est où ? »

J'avais la langue pâteuse. J'ai cligné des yeux et je me suis tortillée sur mon siège pour regarder autour de moi.

« À une centaine de kilomètres de Saint Louis. On a besoin d'argent. »

J'ai essayé de me rappeler ce que j'avais dans mon sac à main au moment où Val était arrivée chez moi. J'avais pris cent dollars en prévision de mon rendez-vous galant, j'en avais dépensé dix pour acheter des donuts et du café, vingt pour l'essence, et j'en avais donné vingt autres à Jon.

« Il me reste cinquante dollars.

— C'est pas assez. Mais ne t'inquiète pas, j'ai un plan. »

Elle a désigné d'un signe de tête l'entrée du restaurant. Au même moment, une femme qui tenait un bébé dans ses bras et une petite fille aux cheveux frisés par la main a poussé la porte.

« Oh non, j'y crois pas ! Tu veux braquer un McDo ?

— Ou peut-être un magasin d'alcools, a-t-elle répondu, songeuse. Ou une supérette. S'ils se font souvent braquer, c'est bien que ça doit être facile ! »

Je n'ai rien répondu, mais j'ai pensé que j'entendais surtout parler de gens qui se faisaient *arrêter* alors qu'ils tentaient de braquer un fast-food ou un magasin d'alcools.

« On pourrait peut-être tout simplement aller dans une banque, ai-je suggéré.

— Évidemment. C'est là qu'il y a le plus d'argent ! Bon, voilà ce qu'on va faire : on va acheter des masques. C'est moi qui parlerai. On leur dira qu'on veut dix mille dollars en petites coupures.

— Moi, je vais te dire ce qu'on va faire, ai-je rétorqué. Halloween, c'était il y a un mois, on ne trouvera jamais de masques. Alors on va aller dans une banque, et je vais retirer de l'argent.

— Tu ne peux pas faire ça ! a-t-elle protesté. Ça laisse des traces, et ils sauront qu'on est passées ici !

— Ah, parce que tu crois vraiment qu'on va passer inaperçues, si on braque une banque avec des masques d'Halloween ? Écoute... Est-ce que tu as pensé à ce qui va se passer quand tout ça sera fini ? »

Elle a croisé les bras sur sa poitrine, l'air maussade.

« Dan va sans doute refaire surface.

— Et après ? Tu penses à ton boulot ?

— Ils ne m'attendent pas avant mardi, et ce n'est pas un problème si je pars quelques jours. Ils penseront que je me fais refaire les nichons, ou autre chose.

— Tu ne dois pas les prévenir, avant de faire ça ? »

Elle a secoué tristement la tête face à ma naïveté.

« Addie, si tu les préviens, il y a forcément des fuites. Tous les bloggeurs se mettent à publier des photos de toi avant et après l'opération, et tout le monde est au courant.

— Mais, si tu fais de la chirurgie esthétique, est-ce que les gens ne sont pas censés remarquer la différence ? Ce n'est pas le but, justement ?

— Tu dis simplement que tu as pris le soleil, a-t-elle répondu en levant les yeux au ciel.

— Super. Écoute, tu n'as qu'à me déposer devant une banque, et j'irai au guichet retirer tout l'argent que j'ai sur mon compte. »

Évidemment, ça n'a pas été aussi simple que ça. La banque était bondée et surchauffée, et j'ai dû attendre un moment. Tandis que je remplissais mon bordereau de retrait, en tentant de deviner la somme nécessaire pour financer un séjour d'une durée indéfinie dans un lieu inconnu, je me suis dit que Jordan Novick n'avait probablement pas encore faxé mon nom et ma photo à toutes les agences de ma banque. Je ne l'intéressais qu'en tant que parente d'un suspect potentiel, et encore.

En tout cas, il avait été sympa, ai-je songé en rejoignant la file. La vie était mal faite : pour une fois que je rencontrais un type bien et sain d'esprit, il fallait que ce soit celui qui enquêtait sur un crime auquel j'étais maintenant associée... Et même si Dan Swansea finissait par innocenter Val, il y avait peu de chances pour que ce policier s'intéresse à moi.

« J'aimerais effectuer un retrait, s'il vous plaît. »

J'ai posé mon bordereau et mon permis de conduire sur le comptoir, devant la guichetière. Un instant plus tard, Valerie est apparue à côté de moi avec son châle à franges enroulé autour de la tête et du visage comme une burqa. Elle s'est emparée du bordereau.

« Ceci est un braquage.

— Oh, nom d'un chien, Val ! Ce n'est pas un braquage », ai-je assuré à la guichetière.

Celle-ci avait le visage rond, du rouge à lèvres rouge et un bonnet de père Noël en feutre et fausse fourrure. Elle nous a regardées tour à tour, médusée.

« Je suis armée, a murmuré Val. Donnez-moi tout ce qu'il y a dans le tiroir. »

Elle a sorti une pochette en plastique de son sac à main et l'a ouverte sous le nez de la guichetière.

« Mettez tout là-dedans. Personne ne bouge, personne n'est blessé. Faites ce que je dis, si vous tenez à la vie. »

Et comme elle semblait à court de répliques de films, elle a agité le sac pour ponctuer son propos.

« Ne faites pas attention à elle », ai-je dit à la jeune femme qui, à en croire son badge, s'appelait Tiara.

J'ai essayé de lui redonner le bordereau et mon permis de conduire, mais Val m'en a empêchée.

« Dix mille, en billets non marqués et dont les numéros ne se suivent pas, a-t-elle ordonné en bougeant à peine les lèvres. Pas de billets piégés. Pas d'alarme. Tu te tiens à carreau, et il n'y aura pas de problème. »

Tiara a fini par ouvrir la bouche, révélant un chewing-gum de la taille d'une balle de golf et un piercing en argent au milieu de la langue.

« Oh, putain.

— Ne faites pas attention à elle ! ai-je répété. Elle n'a pas de pistolet !

— Si. »

Val a sorti de son sac une boîte rectangulaire en argent.

« Maintenant, à vous de choisir : la vie ou la mort.

— Valerie, ai-je murmuré. Ça, c'est un étui à tampons.

— Ah. Mais j'ai vraiment un flingue. Il est quelque part là-dedans. »

Elle a entrepris de vider son sac sur le rebord étroit du comptoir en marbre : bonbons à la menthe, maquillage, étiquettes à bagages en cuir… Pendant ce temps, Tiara a ouvert son tiroir et fait glisser des liasses de billets vers moi. Je les repoussais vers elle quand Val a sorti un objet de son sac.

« Voilà !

— Ça, c'est un courbeur de cils.

— Et ça ?

— Un iPod.

— Écoutez, nous a chuchoté Tiara. Vous déposez deux paquets de billets de cinquante dans la Saturn verte au fond du parking, et on est quittes. Je ne déclenche pas l'alarme avant que vous soyez parties. »

Le visage de Val s'est éclairé.

« Sérieux ? »

Sa voix avait repris son ton habituel de présentatrice télé.

« Vous êtes trop cool !

— C'est du délire, ai-je soupiré. Écoutez, Tiara, il n'est pas question qu'on fasse ça. On n'est pas…

— Tenez », m'a-t-elle dit aussitôt. Elle était toute pâle, mais ses mains travaillaient rapidement et efficacement. Les liasses de billets s'entassaient dans le sac. J'ai jeté un coup d'œil autour de nous pour voir si quelqu'un, dans la banque, avait repéré le braquage en cours. Apparemment pas. Au guichet d'à côté, un petit homme chauve, l'air très agacé, parlait à la guichetière en haussant le ton, et plusieurs personnes s'agitaient près du distributeur automatique à cause d'un petit chien qui, semble-t-il, s'était oublié devant.

« Voilà, ça fait dix mille dollars. Vous pensez à moi, hein ? »

De son index verni de rose, elle a montré une photo qu'elle avait scotchée sur le côté de son ordinateur. On y voyait un petit garçon en pantalon de velours assis sur les genoux du père Noël.

« C'est mon bébé.

— On ne vous oubliera pas, lui a promis Valerie en attrapant le sac. Merci. »

J'ai attendu que Val soit sortie, puis j'ai récupéré mon bordereau de retrait pour barrer les deux mille dollars que j'avais prévu de retirer. À la place, j'ai écrit dix mille.

« Vous les prenez sur mon compte, d'accord ? ai-je demandé à Tiara, qui mâchait placidement son chewing-gum, comme si elle se faisait braquer tous les jours.

— Tant que vous pensez à moi. »

J'ai acquiescé – que pouvais-je faire d'autre ?

« Joyeux Noël ! » m'a-t-elle lancé.

Sur le parking, derrière la banque, nous avons trouvé la Saturn de Tiara. Les portières étaient fermées, mais la vitre du côté passager était suffisamment entrouverte pour qu'on puisse glisser deux liasses de billets.

« Waouh ! a fait Val en regardant vers la banque. Elle était trop sympa !

— Tu veux que je te dise ? Tu es complètement givrée. Tirons-nous d'ici.

— Tu ne veux pas braquer le McDo ? »

J'y ai réfléchi un instant. Aussi bizarre que cela puisse paraître, une partie de moi en avait envie.

« Allons-y.

— C'est toi qui conduis ! » a-t-elle répondu en me lançant les clés.

28

Il était au paradis. Cela expliquait tout. Il avait dû se faire renverser par une voiture, ou alors il était mort de froid, et maintenant il se retrouvait au paradis. Le paradis, c'était un lit blanc à baldaquin de dentelle blanche, avec une croix blanche en bois festonné clouée au mur juste au-dessus ; et, en face, une commode ornée d'un napperon et recouverte de poupées peintes aux robes raffinées, le genre d'objets que les dames vivant seules avec leurs chats devaient acheter sur Télé-achat. *« A new... day... has... come », chantait une douce voix de soprano. Au paradis, songea Dan, Céline Dion fournissait la bande-son.*

Il s'assit en gémissant, la tête submergée par un tsunami de douleur, tandis qu'une femme entrait dans la pièce. Elle tenait un plateau avec une tasse fumante au contenu indéterminé, un bol rempli de ce qui ressemblait à une bouillie d'avoine, un petit verre de jus d'orange d'une couleur presque psychédélique, et un grand verre de lait.

« Tu es réveillé », dit-elle tandis que Dan s'empressait d'arranger les couvertures pour cacher son érection matinale.

Il n'était pas sûr que la femme, avec sa robe de chambre en velours rose, était un ange – elle avait l'air un peu renfrognée et lui disait vaguement quelque chose –, mais il préférait ne prendre aucun risque et ne pas la choquer.

« Tiens. »

Elle posa le plateau sur ses genoux un peu rudement. Du thé brûlant déborda de la tasse et traversa les couvertures. Alors, Dan la regarda vraiment, attentivement, et toutes les pièces du puzzle se mirent en place.

« Sainte Marie ? » lâcha-t-il.

Ce n'était pas son vrai nom, bien sûr. En réalité, elle s'appelait Meredith Armbruster, mais Dan et ses amis l'avaient surnommée Sainte Marie, depuis qu'elle avait rejoint ce groupe religieux bizarre qui se réunissait dans une station-service rénovée, dans le quartier le plus minable de Pleasant Ridge ; Sainte Marie, qui s'était fait faire une dispense pour le cours d'EPS (sa foi lui interdisait de se montrer en sous-vêtements devant les autres filles), une autre pour le cours de sciences naturelles (pas d'évolution) et enfin pour celui d'éducation sexuelle (pas de fornication). Ils l'appelaient aussi Carrie, en référence au film dans lequel une fille se fait arroser de sang de porc pendant le bal de fin d'année et met le feu à toute la salle.

Elle fronça les sourcils.

« Prends ton aspirine. Bois ton lait. »

Il prit la tasse sur le plateau.

« Que s'est-il passé ? »

Il se rappelait qu'elle l'avait trouvé au bord de la route et ramené chez elle. Là, elle l'avait conduit dans la salle de bains et l'avait aidé à enlever les sacs-poubelle. Alors qu'il était nu et frissonnant devant elle, elle avait essuyé le sang de sa blessure à la tempe. Puis elle l'avait poussé sous la douche et lavé entièrement, en s'agenouillant pour lui savonner et lui rincer les pieds tandis qu'il se recroquevillait, tremblant de froid et de douleur et encore très très soûl, contre les carreaux roses de la douche.

« Que s'est-il passé ? » demanda-t-il à nouveau.

Il devina au silence qui les entourait qu'il n'y avait personne d'autre dans la maison. Ils devaient être chez les parents de Merry, et il se trouvait sans doute dans ce qui avait été sa chambre au lycée. Là où les filles normales auraient accroché des posters ou des photos, elle avait mis ce crucifix orné d'un chapelet. Coincée dans un coin du miroir, à l'endroit où une ado normale aurait placé une photo de son petit copain ou de sa meilleure amie, il y avait une image pieuse : Jésus, les mains jointes en prière et les yeux levés vers le ciel.

« Ce qui s'est passé, répondit Merry, est entre toi et Notre Père. »

Elle joignit les mains et tourna les yeux vers le plafond, exactement comme Jésus sur son miroir.

« Hier soir, insista Dan. Tu m'as trouvé...

— Tu marchais au bord de la route, vêtu de sacs-poubelle. Je t'ai aidé – c'était juste de la charité chrétienne, n'importe quelle personne convenable aurait fait pareil. Je t'ai ramené ici. Je t'ai lavé et je t'ai laissé dormir. »

Dan eut un rire contrit.

« J'imagine que j'étais bien bourré. »

Merry pinça les lèvres.

« "Ne regarde pas le vin lorsqu'il est d'un beau rouge, qu'il déploie sa robe dans la coupe et qu'il coule aisément. Par la suite il mord comme un serpent, il pique comme un aspic." »

Il acquiesça en grimaçant, sentant son estomac se soulever et le monde vaciller devant lui.

« Ça, c'est bien vrai. »

Elle le regarda un moment avec sévérité.

« Tu as gâché la vie de ces filles, finit-elle par dire.

— De quoi tu parles ?

— Valerie et Adelaide.

— Je n'ai rien... »

Les mots résonnaient dans sa tête, roulant d'un côté et de l'autre comme des boules de bowling.

« “Le diable qui les égarait fut jeté dans l’étang de feu et de soufre, où sont la bête et le prophète de mensonge. Ils seront tourmentés jour et nuit, à tout jamais.” »

Dan secoua la tête, ce qui ne fit qu’accentuer sa douleur. Il n’avait rien fait de mal. Val et lui n’avaient été que des gamins qui s’amusaient. Val avait pleuré après – ça, il s’en souvenait –, mais c’était parce qu’il s’agissait de sa première fois. C’est du moins ce qu’il avait pensé, ce qu’il s’était dit pendant des années, et quand Addie l’avait accusé, Val avait nié. Elle l’avait soutenu, lui. Elle avait mangé à côté de lui tous les midis pendant le reste de l’année, bon sang. Est-ce que c’était l’attitude d’une fille qui avait été violée ? Non. Non, vraiment.

Sauf que… Merry continuait à le dévisager. S’il avait raison, pourquoi Val s’était-elle montrée aussi en colère pendant la réunion ? « Tu m’as pourri la vie », lui avait-elle lancé, son joli visage tout déformé. Dan porta une main à sa tête et frotta là où il avait mal. C’était tout mou et poisseux, comme une meurtrissure sur une pomme.

« Repens-toi », lui ordonna Sainte Marie, le visage empourpré, le regard illuminé.

Elle se laissa tomber à genoux à côté de lui, faisant trembler les murs.

« Repens-toi », répéta-t-elle en lui prenant les mains et en le tirant hors du lit (il vit qu’il était nu, effectivement). Le lait, le jus d’orange et le thé se renversèrent partout sur le quilt. Dan Swansea s’agenouilla à côté de Sainte Marie et ferma les yeux.

29

De retour au poste de police, Jordan trouva ses collègues plongés dans leur travail, en train de tapoter sur leurs claviers, le téléphone coincé entre l'oreille et l'épaule. Ils avaient progressé, apprit-il tandis qu'il accrochait sa veste au portemanteau et entrait dans son bureau ; les trois agents en uniforme (il était certain que Holly Muñoz avait fait spécialement tailler le sien pour mettre en valeur ses fesses magnifiques) le suivirent comme les canetons de l'histoire que la Dame de la Nuit avait lue deux soirs plus tôt. Parmi les cent quatre-vingt-sept personnes inscrites et les treize non prévues qui avaient assisté à la réunion des anciens élèves, quatre-vingt-seize étaient des hommes, membres de la classe ou pièces rapportées. Quatre-vingt-quatre d'entre eux avaient été retrouvés : ils avaient répondu sur leur portable, chez eux ou chez leurs parents, et assuré qu'ils n'avaient pas perdu de ceinture ni de sang.

Il n'en restait plus que douze. Christie Keogh, jointe chez elle entre une séance d'entraînement et un rendez-vous avec la pédicure, l'informa que huit d'entre eux n'habitaient plus dans le coin et se trouvaient probablement dans l'avion qui les ramenait en Californie, dans le Connecticut ou sur une base de l'armée à Stuttgart, en

Allemagne. Il n'y avait plus que quatre personnes à retrouver.

Jordan était debout devant son bureau lorsque Holly Muñoz laissa échapper la liste qu'elle s'apprêtait à lui lire.

« Oups ! » s'exclama-t-elle.

Jordan rattrapa les pages avant qu'elles tombent par terre, et les lui tendit.

« Waouh, fit-elle, en s'arrangeant pour lui toucher la main lorsqu'elle reprit le dossier. Quels réflexes ! »

Si ça continuait, elle se pointerait un jour au travail avec les mots JE T'AIME écrits sur ses paupières, comme la fille dans le film d'Indiana Jones. Elle était adorable, mais aussi beaucoup plus jeune que lui et, qui plus est, sous ses ordres. Elle méritait mieux que lui. Quelqu'un qui n'avait pas déjà foiré un mariage, par exemple, et qui ne fantasmait pas sur une idole des porteurs de couches-culottes.

Il s'assit à son bureau pour écouter Holly.

« Scott Erhlich. Vit à Chicago. Célibataire, sans enfants, ne répond pas sur son téléphone fixe ni sur son portable. Eric Ramos. Habite à Cincinnati, marié à Kelly Granville – qui est diplômée de Pleasant Ridge. Ils ont trois enfants. Personne ne répond chez eux, et ils n'ont pas de portable. On est en train d'essayer de contacter les parents de sa femme, car on pense qu'ils ont pu aller les voir après la réunion. Kevin Oliphant…

— Attendez, l'interrompit Jordan, se rappelant ce que Jon lui avait dit : Quel nom avez-vous dit ? »

Holly le lui épela.

« Il vit à Pleasant Ridge.

— Il a un casier ?

— Arrêté trois fois pour conduite en état d'ivresse, et pour troubles de l'ordre public. Il semble qu'il ait participé à des bagarres dans des bars. Il a aussi une agression à son actif. Apparemment, il a poussé son ex-femme dans l'escalier parce qu'elle l'avait accusé d'avoir frappé son fils avec... »

Elle marqua une pause pour regarder son bloc-notes de plus près.

« Une poêle à frire en fonte ?

— Ma mère en avait une. On s'en sert pour faire frire du poulet, expliqua Gary.

— Ou pour faire cuire du pain de maïs, ajouta Devin Freedman. Ces poêles sont très lourdes.

— Ils en vendent chez Williams-Sonoma, renchérit Gary.

— Je sais ce que c'est, répondit Holly. C'est juste que je n'arrive pas à imaginer qu'on puisse s'en servir pour frapper quelqu'un. »

Jordan se pressa la main contre le front.

« Et le quatrième ?

— Daniel Swansea. Il ne répond ni chez lui ni sur son portable. Il est célibataire et vit dans un gratte-ciel en ville. Ses parents disent qu'il ne donne pas beaucoup de nouvelles. Le gardien de jour ne l'a pas vu ; on a laissé un message pour le gardien de nuit. Daniel Swansea travaille dans une concession Toyota, mais personne ne l'attend avant dimanche. »

Jordan nota les différents noms.

« Daniel Swansea », murmura-t-il, avant de feuilleter son bloc-notes.

Jon avait bien évoqué ce nom.

« Bon, c'est parti. Holly, vous prenez le premier, Scott Ehrlich. Gary, je vous charge de trouver Daniel Swansea. Allez chez lui, et s'il n'y est pas, parlez à ses voisins et à ses collègues de chez Toyota. Renseignez-vous sur ses amis, sur les endroits où il aurait pu passer la nuit. Et allez-y chacun avec une photo de la ceinture. Peut-être qu'ils la reconnaîtront. »

Il confia Eric Ramos à Devin et récupéra sur l'ordinateur les informations concernant Kevin Oliphant. Une inculpation pour agression, quelques bagarres et conduites en état d'ivresse, une femme poussée dans l'escalier, un gosse frappé... Un type comme ça pouvait bien finir sa réunion de lycée délesté de sa ceinture et d'un peu de sang.

30

Kevin Oliphant habitait un logement minable dans une maison de trois étages, derrière le supermarché discount en bordure de Pleasant Ridge. Après avoir cherché le nom sur les boîtes aux lettres, Jordan localisa l'appartement 1-C, au bout d'un couloir sombre qui sentait l'ail et le bois humide. Il frappa à la porte frêle en criant : « Police ! » Oliphant apparut, torse nu. Il avait quelques poils noirs bouclés sur la poitrine, et son ventre flasque débordait de son jogging marron. Ses pieds nus étaient pâles et étonnamment délicats ; son odeur rappelait celle des SDF qui traînaient autour de l'arrêt de bus de Jon, un mélange de bière et de vomi.

« C'est pour quoi ? grogna Kevin Oliphant en le dévisageant.

— Vous ne répondiez pas au téléphone.

— C'est illégal ? »

Il lâcha un énorme rot.

« Étiez-vous à la réunion des anciens élèves, hier soir ?

— Qu'est-ce que ça peut vous faire ?

— On a trouvé quelque chose sur le parking. Vous n'avez rien perdu ? »

Kevin Oliphant se gratta la tête.

« Si vous êtes venu pour m'arrêter, allez-y.

— J'aurais des raisons de vous arrêter ? »

Kevin se racla la gorge.
« Qu'est-ce que ça peut vous foutre ? »
En un éclair, Jordan franchit les deux mètres qui le séparaient de Kevin Oliphant et plaqua celui-ci contre le mur branlant du salon, où flottait une odeur nauséabonde.
« Et si tu répondais à mes questions ? »
Kevin tenta de se débattre, les yeux écarquillés.
« Si je fais des recherches sur toi, qu'est-ce que je vais trouver ? grinça Jordan. Quelques mesures d'éloignement ? Des P-V ? Tu as bien payé ta pension alimentaire, Kevin ? »
Il le secoua tellement fort que sa tête ballotta d'avant en arrière, mais Kevin ne pipa mot.
« Ta ceinture, ordonna Jordan en le relâchant.
— Quoi ?
— Montre-moi la ceinture que tu avais hier soir. »
Kevin le dévisagea un moment avant de s'éloigner dans le couloir. Une minute plus tard, il revint avec une ceinture en cuir noir.
« C'est bon, maintenant ?
— Non, c'est pas bon. »
Jordan jeta un coup d'œil autour de lui. Une moquette grise et rêche tapissait les murs du salon. Il aperçut un fauteuil inclinable tout taché avec une pile de journaux jaunis à côté, quelques cartons de pizzas dans un coin, une poubelle de cent litres qui débordait de canettes de bière vides et, au pied de la poubelle, plusieurs cadavres de bouteilles de vodka Popov.
Kevin Oliphant suivit le regard de Jordan.
« Quoi ? dit-il, sur la défensive. Je recycle. »
Jordan avança dans le couloir. L'évier dans la cuisine était rempli de vaisselle sale, et le plan de travail disparaissait sous des cartons de plats chinois à emporter et un paquet de huit rouleaux d'essuie-tout (visiblement, Oliphant utilisait les feuilles de sopalin comme assiettes,

comme serviettes, et probablement aussi comme papier toilettes). La salle de bains était dans le même état que le reste de l'appartement : lunette des W-C relevée et sol plus que douteux, tapis bleu dépenaillé devant la baignoire qui semblait ne pas avoir vu d'éponge depuis des mois, si elle en avait vu une un jour. La penderie dans le couloir était vide, à l'exception d'un manteau d'hiver enfilé sur un cintre métallique et de quelques tee-shirts sales jetés en tas. Le placard, dans la chambre, était rempli de vêtements rangés en vrac. Un simple matelas était posé à même le sol. L'endroit était déprimant, et Jordan ne put s'empêcher de penser à sa propre maison, certes plus propre et légèrement mieux meublée, mais qui restait celle d'un homme seul, un homme qui avait eu une femme dans sa vie, et qui avait tout foutu en l'air.

« Qu'est-ce que vous faites ? demanda Kevin en suivant Jordan. Eh, il vous faut pas un mandat, normalement ? »

Jordan se retourna et le fusilla du regard. Dans le salon, deux photos étaient exposées sur la télé, dans des cadres bon marché. Deux gamins, un petit garçon et un bébé. Dire que cette ordure avait des enfants, alors que lui-même n'en avait pas et n'en aurait probablement jamais… Jordan eut soudain envie de secouer Kevin Oliphant comme un prunier et de hurler.

« Où est la cave ?

— Pourquoi ? Vous pensez que je cache quelque chose ?

— C'est le cas ?

— Vous déconnez, ou quoi ? Je n'ai pas de cave.

— Un box, alors ? »

Oliphant se tritura les dents du fond avec la langue.

« Ils demandaient trente dollars de plus par mois, pour un box.

— Montrez-moi. »

Oliphant haussa les épaules et conduisit Jordan jusqu'à une porte près de la buanderie qui ouvrait sur un escalier en bois aux marches bancales. En bas se trouvaient une machine à laver et un sèche-linge, ainsi qu'une demi-douzaine de box grillagés remplis de bazar : rouleaux de papier cadeau, tricycle et transat pour bébé, cartons de vieux vêtements et de vieux livres, chaises de jardin en plastique, piles de magazines attachés avec de la ficelle. Jordan sortit sa lampe torche et éclaira chacun des box tandis que Kevin restait en haut de l'escalier à frissonner, pieds nus.

« Où est ta voiture ? »

Jordan savait qu'Oliphant en avait une ; du moins, il existait une Ford Explorer vieille de dix ans enregistrée à son nom.

« Elle est garée devant », répondit Kevin en faisant un geste du pouce.

Jordan sortit de l'immeuble pour inspecter le véhicule. Un certain nombre de gobelets à café écrasés et de canettes de soda vides jonchaient le plancher et le siège passager, mais il n'y avait aucune trace de sang, pas de tôle froissée, ni de cadavre.

Il retourna dans l'appartement. Kevin Oliphant avait enfilé un tee-shirt avec l'inscription CONTRÔLEUR DE FOUFOUNES DIPLÔMÉ et une paire de chaussettes grisâtres. Son gros orteil sortait de celle de droite. De mieux en mieux…

« Avec qui étais-tu, hier soir ? lui demanda Jordan.

— Chip Mason. On est allés à la réunion ensemble.

— Juste vous deux ?

— Non, Dan Swansea est venu aussi.

— Tu es arrivé à quelle heure au country-club ?

— Vers dix heures.

— Tu as parlé avec qui ?

— Mes potes.

— C'est-à-dire ?

— Phil Tressler. Russ Henderson. Jamie Wertz. On jouait au football. »

Kevin bomba le torse.

« On a gagné le tournoi en première année de lycée.

— Félicitations. Tu es reparti seul ?

— Chip m'a ramené chez moi. Dan nous a dit de partir sans lui. Il parlait avec un groupe de filles. Il espérait certainement se faire ramener par l'une d'elles, si vous voyez ce que je veux dire, expliqua-t-il avec un sourire vicieux.

— Tu sais où il est ?

— Probablement avec une nana.

— Qui ?

— Merde, j'en sais rien, moi ! Kara Tait, peut-être. Elle était toujours partante, à l'époque.

— Est-ce que tu as vu Jonathan Downs hier soir ?

— Jonathan Downs ? »

La surprise se lisait sur son visage.

« Sûrement pas. Il ne serait jamais venu. Ni lui ni le monstre obèse qui lui sert de sœur.

— Tu connais Adelaide Downs ?

— Si je la connais ? fit Kevin Oliphant d'un air mauvais. Cette pute nous a pourri notre dernière année.

— Comment ça ? »

Kevin lui lança un regard méfiant.

« Vous savez quoi ? Vous pouvez toujours vous gratter pour que je vous le dise. »

Il releva le menton, puis, avec une dignité qui contrastait singulièrement avec son tee-shirt CONTRÔLEUR DE FOUFOUNES, il ajouta :

« Je crois que vous devriez partir, maintenant. »

31

Si Kevin Oliphant n'avait rien voulu dire à Jordan, Christie Keogh se fit un plaisir de répondre à ses questions. Elle lui ouvrit la porte, les traits tirés et l'air inquiet, avec son fils et sa fille collés à ses jambes. Jordan s'accroupit en souriant. Il avait entendu dire que, pour parler aux enfants, il était important de se mettre à leur niveau. Mais, une fois dans cette position, il se demanda si ce n'était pas plutôt avec les chiens. La petite fille recula et se cacha le visage derrière les mains, en le surveillant à travers ses doigts. Le garçon, qui devait avoir sept ou huit ans, le regarda de haut en bas.

« Tu es policier ? demanda-t-il. Tu as un pistolet ? Je peux le voir ?

— Oh, Seigneur », murmura Christie.

Elle poussa les enfants jusque dans le salon, les installa devant un programme télévisé (Jordan fut soulagé que ce ne soit pas *Au lit, les petits !*), et le conduisit à la cuisine.

Cette fois-ci, elle était pieds nus et portait des séparateurs d'orteils en polystyrène. Elle avait remplacé sa tenue de sport par un jean foncé et un gilet gris avec une fermeture Éclair argentée, qu'elle n'arrêtait pas de tripoter tandis qu'elle expliquait comment Addie Downs avait pourri la vie de Kevin Oliphant.

« C'était pendant notre dernière année, commença-t-elle. Juste après la fête de début d'année, il y a eu une soirée chez Pete Preston. Il était quarterback dans l'équipe de foot. »

Elle lança un coup d'œil à Jordan.

« Enfin, peu importe. Valerie Adler est sortie avec Dan Swansea, ils sont allés dans les bois, et… »

Elle regarda vers le salon pour s'assurer que la porte était bien fermée.

« Ils ont fait l'amour, j'imagine. Moi, je n'y étais pas. C'est ce que j'ai entendu dire. »

Elle remonta sa fermeture Éclair, puis la redescendit.

« Enfin. Addie et Val étaient les meilleures amies du monde depuis toutes petites. Elles habitaient dans la même rue. Elles étaient toutes les deux à la fête, et Addie a raconté à ses parents que Dan avait violé Valerie. Les parents d'Addie – sa mère, je crois – l'ont répété au conseiller d'éducation du lycée. Mais Val a dit qu'il ne s'était rien passé. C'est ce qu'elle a dit au conseiller d'orientation – qu'elle était consentante, en gros. Et elle a dit à ses copines qu'Addie était jalouse, qu'elle avait des vues sur Dan et qu'elle n'avait pas supporté qu'ils sortent ensemble. Et les garçons… »

Elle baissa les yeux.

« Les élèves ont été assez durs avec Addie jusqu'à la fin de l'année.

— Comment ça, assez durs ? »

Elle tira sur sa fermeture, l'air embêté.

« Ben… Addie n'a jamais été très appréciée, de toute façon. Elle était grosse, et elle n'avait vraiment que Val comme amie. Après ce qui s'est passé pendant cette fête, elles n'ont plus été copines, et tout le monde au lycée… »

Elle marqua une pause.

« Dan et ses copains se sont ligués contre Addie. Ils racontaient des trucs. Ils la traitaient de balance ou lui faisaient des croche-pieds dans les couloirs. Ils écrivaient des choses sur elle dans les toilettes. Son casier a été vandalisé plusieurs fois, et certains garçons ont eu des ennuis après avoir peint des trucs dans son allée.

— Quel genre de trucs ? »

Christie haussa les épaules, le regard rivé sur le sol impeccable de sa cuisine.

« Des trucs méchants. Je ne sais pas exactement. Ils se sont fait arrêter – Dan et Kevin Oliphant, Russ Henderson et Terry Zdrocki. Ils ont été renvoyés du lycée pendant trois jours, et on leur a interdit d'assister à la cérémonie de remise des diplômes. »

Jordan réfléchit quelques instants.

« Étaient-ils à la réunion, hier soir ? »

La fermeture Éclair remonta, puis redescendit.

« Terry est mort dans un accident après la remise des diplômes. Je crois qu'il est monté sur un tramway – il était ivre – et qu'il a essayé d'attraper les câbles. Il s'est électrocuté. »

Elle déglutit.

« Tous les autres étaient là.

— Nous avons pu localiser presque tous les hommes présents à la soirée, dit Jordan. Sauf Dan Swansea.

— Vous pensez qu'il lui est arrivé quelque chose ?

— Nous ne pensons rien du tout pour l'instant, madame. Nous aimerions juste retrouver M. Swansea. Savez-vous avec qui il est reparti ? »

Christie fit non de la tête, les yeux écarquillés.

« Bon. Reprenons depuis le début. À quelle heure M. Swansea est-il arrivé ?

— Je crois qu'il est venu avec Chip Mason, et je me souviens de l'avoir vu au bar avec ses amis, mais je ne sais pas précisément quand il est arrivé.

— Avec quels amis ?

— Ceux de l'équipe de football. Russ et Kevin Oliphant... »

Elle eut une grimace de dégoût.

« Lui, il s'est laissé aller. Et pas qu'un peu.

— M. Swansea a-t-il parlé avec d'autres gens ? A-t-il dansé avec quelqu'un ?

— Oui, avec plusieurs filles.

— Lesquelles ?

— J'ai pas mal couru hier soir, donc je n'en mettrais pas ma main à couper. Avec Kara Tait, je crois. Euh... Lisa Schecter. C'est son nom de jeune fille, je ne suis pas sûre du nom de son mari. Elle porte les deux. Ah, et je crois que je l'ai vu parler avec Valerie. Je me trompe peut-être, alors. Peut-être que tout va bien entre eux deux. Val est météorologue, maintenant. Elle passe à la télé.

— À la télé », répéta Jordan tandis que son portable se mettait à vibrer.

Il s'excusa et s'éloigna dans le hall d'entrée pour décrocher.

« Oui ?

— Chef ? Vous m'avez dit d'appeler si on recevait un 10-57, annonça Paula. Pardon, un signalement pour disparition de personne.

— Quelqu'un a disparu ?

— Oui. »

Jordan s'attendait à entendre le nom de Daniel Swansea, mais Paula ajouta :

« C'est Adelaide Downs. Sa voisine vient de signaler sa disparition. »

Jordan prit son manteau dans le placard où Christie l'avait accroché, et fit signe à celle-ci qu'il devait partir.

« J'arrive », dit-il à Paula.

32

Lorsque Jordan arriva dans Crescent Drive, il était un peu plus de dix-huit heures et il faisait déjà nuit. Le ciel était piqueté d'étoiles ; un vent frais et vif agitait les branches des arbres tandis que la voisine d'Addie, Cecilia Bass, descendait d'un pas lourd les marches de son perron pour l'accueillir. C'était une petite vieille au cou fripé, au profil d'aigle et aux cheveux gris retenus en chignon sur sa nuque. Elle vérifia la plaque de Jordan en fronçant les sourcils, ses mains décharnées et veinées dépassant des manches de son long manteau. Ses jambes étaient nues, marquées de veines bleues et gonflées. Elle portait des bottes fourrées et s'appuyait sur une canne à quatre pieds.

« On m'a dit qu'il y avait un problème ? demanda Jordan lorsqu'elle lui rendit sa plaque.

— Ma voisine a disparu. »

Mme Bass brandit sa canne en direction de la maison d'Addie, manquant de peu le nez de Jordan.

« Il s'agit d'Adelaide Downs, qui habite au 14.

— Depuis quand a-t-elle disparu ?

— Depuis seize heures cet après-midi. Peut-être plus tôt. Mais je l'ai appelée à cette heure-là et il n'y avait personne, ni chez elle, ni sur son portable. »

Mme Bass ouvrit la porte et fit entrer Jordan dans un salon chaleureux et plein de babioles, aux murs tapissés de livres. Il lui fallut un peu de temps pour comprendre pourquoi cette pièce lui semblait étrangement familière – le papier peint rouge et blanc à fleurs de lis, les meubles en bois massif : il l'avait vue sur une photographie, dans la chambre de Jon Downs. C'était ici qu'Addie et son frère avaient posé devant un sapin de Noël.

Mme Bass s'installa dans un fauteuil inclinable encadré de deux piles chancelantes de romans d'Agatha Christie et de numéros du *National Geographic*, releva d'un coup le repose-pieds et pointa sa canne vers une causeuse drapée d'un tissu beige satiné et tout griffé. Jordan se jucha sur le bord du fauteuil, essuya son œil larmoyant et sortit son bloc-notes.

« Normalement, pour une personne majeure, on doit attendre au moins quarante-huit heures avant d'ouvrir une enquête pour disparition.

— Oui, mais là, c'est particulier. Addie a vraiment disparu.

— Qu'est-ce qui vous fait dire ça ?

— Je la connais bien, je suis sa voisine depuis qu'elle est née.

— Elle ne prend jamais de vacances ? demanda Jordan. Ne voyage jamais ? n'a pas de petit ami ? »

Mme Bass secoua la tête.

« Son frère ne va pas bien. Elle reste ici au cas où il aurait besoin d'elle. Elle sort quelques heures l'après-midi, pour aller à la piscine ou faire des courses. Et elle répond toujours au téléphone. »

Jordan acquiesça. Avec un frère comme Jon, il comprenait pourquoi Addie était attentive à la sonnerie du téléphone.

« Elle n'a pas de petit ami ? demanda-t-il à nouveau, en tentant de se convaincre que cette question était purement d'ordre professionnel.

— Pas que je sache, répondit Mme Bass après un moment d'hésitation. Vous savez, Addie a été très grosse pendant des années. J'ai toujours pensé qu'il faudrait un homme exceptionnel pour voir au-delà de son physique. Les hommes de votre génération sont d'une superficialité consternante. Mais j'ai gardé l'espoir que… »

Elle ne termina pas sa phrase. « Elle a disparu. Et je suis inquiète.

— Addie a-t-elle eu des problèmes avec quelqu'un ?

— Pas depuis des années. Pas depuis le lycée. Il y a eu ce problème avec sa copine Valerie… »

Il prit des notes tandis qu'elle lui racontait sa version de l'histoire dont Christie Keogh lui avait parlé : une fête de dernière année de lycée, Val et Dan Swansea partant dans les bois, l'accusation d'Addie, le démenti de Val, et les mois de harcèlement qui avaient suivi. Addie était allée à l'université pour revenir au bout de quelques semaines, à la mort de son père. Elle était restée pour s'occuper de sa mère, et n'avait plus quitté Pleasant Ridge depuis. Addie travaillait chez elle, n'avait apparemment pas de petit ami, ni d'amis tout court, même si Mme Bass convenait qu'Addie avait peut-être un « réseau social en ligne ». Quoi qu'il en soit, Addie Downs était toujours disponible pour signer un paquet, aider à déneiger une allée ou résoudre un problème informatique, ce pour quoi Mme Bass l'avait appelée en premier lieu.

« J'ai parlé à Mlle Downs ce matin », confia Jordan.

Mme Bass haussa ses épais sourcils gris.

« Et elle allait bien ?

— Il y avait une réunion des anciens élèves du lycée, hier soir.

— Je doute qu'Addie ait eu envie d'y participer.

— Nous avons trouvé du sang et une ceinture sur le parking du country-club. »

Les sourcils de la vieille dame s'arquèrent encore un peu plus.

« Vous ne pensez tout de même pas qu'Addie est impliquée dans un crime ?

— Nous devons examiner toutes les pistes. Ce matin, j'ai vu Addie Downs quitter Crescent Drive dans un break vert.

— La voiture de son père, murmura Mme Bass.

— Elle était avec quelqu'un. Une autre femme. Une blonde.

— Cela pourrait être Valerie », dit Mme Bass d'un air pensif.

Puis elle fit sursauter Jordan en applaudissant soudain de ses grandes mains marquées de taches de vieillesse.

« Eh bien, tant mieux pour elle ! Tant mieux pour elles deux !

— Sauf que j'ai une énigme à résoudre », rappela Jordan.

Mme Bass secoua la tête catégoriquement.

« Addie est une fille bien.

— Elle relève le courrier quand vous n'êtes pas là, signe les paquets, déneige l'allée.

— Addie ne ferait jamais…

— … de mal à une mouche ? »

Elle rabaissa brusquement le repose-pieds du fauteuil, avant de se lever.

« Jeune homme, vous êtes peut-être fonctionnaire de police, mais, sans vouloir vous offenser, vous avez encore beaucoup à apprendre sur la nature humaine. »

33

Jordan s'occupa de l'ordinateur de Mme Bass – il suffisait de cliquer sur « redémarrer » –, puis il s'enfonça dans l'obscurité, à travers la pelouse craquante de givre, pour rejoindre la maison d'Adelaide Downs. La porte était fermée. Aucune réponse lorsqu'il frappa et sonna. Il fit le tour et se mit sur la pointe des pieds pour regarder par les fenêtres de derrière à l'aide de sa lampe torche. Rien à signaler dans la buanderie. Rien non plus dans la salle à manger. Dans la cuisine, une lumière éclairait l'évier, et il distinguait, sur la table, une tasse et ce qui ressemblait à un verre d'eau. Un manteau de femme était posé sur le dossier d'une chaise, et sur le réfrigérateur se trouvait une feuille de papier au milieu des bons de réduction et des listes de courses. Jordan plissa les yeux pour lire le message : NOUS SOMMES LE VENDREDI 23 NOVEMBRE ET JE PARS REJOINDRE MATTHEW SHARP. S'IL M'EST ARRIVÉ QUELQUE CHOSE, C'EST PROBABLEMENT SA FAUTE. Suivaient une adresse à Pleasant Ridge, un numéro de téléphone, et un post-scriptum : JE VOUDRAIS DES OBSÈQUES MILITAIRES.

Jordan appela le central tout en revenant vers l'avant de la maison.

« Salut, Holly. On a quelque chose sur Matthew Sharp ?

— Vous n'avez pas eu mon texto ? »

Jordan émit un vague grognement qui pouvait signifier « Oui » aussi bien que « Non » ou que « Mon déjeuner ne passe pas ».

« C'est lui qui nous appelle à chaque pleine lune pour se plaindre qu'un vaisseau extraterrestre stationne de l'autre côté de sa fenêtre, expliqua Holly. Il dit que lui et Addie sont partis du restaurant vers neuf heures et demie, qu'il est rentré chez lui et s'est connecté sur un forum de discussion consacré aux phénomènes paranormaux. Des messages datés le prouvent.

— Beau travail », dit Jordan tout en jetant un coup d'œil dans le garage, où était garée une Jaguar gris argent.

Addie conduisait une Jag ?

« Dites donc, Holly, vous pouvez vérifier une plaque pour moi ? »

Il lui dicta le numéro d'immatriculation, puis attendit qu'elle reprenne le téléphone.

« La voiture appartient à Valerie Violet Adler. »

Bingo, songea Jordan.

« Et vous savez quoi ? ajouta Holly d'une voix surexcitée. Elle a un flingue.

— Pardon ?

— Enfin, elle a au moins un permis de port d'arme. De port d'arme dissimulée. Elle s'est fait agresser dans le parking des studios télé... Du moins, c'est ce qu'elle a prétendu, mais elle n'a jamais appelé les flics, donc il n'existe aucun rapport de police. La chaîne a fait un reportage là-dessus en février. Ça s'appelait *La Peur au ventre*. Il y avait même une bande originale et tout le reste. Vous pouvez le voir sur YouTube.

— Comment avez-vous trouvé tout ça ? »

Holly marqua une courte pause.

« J'ai cherché sur Google. »

Jordan grimaça. Évidemment. Ce qu'il pouvait être idiot, parfois. Il allait encore passer pour un vieux.

« Merci », dit-il à Holly, avant de raccrocher.

La vieille Mme Bass avait vu juste : Val était venue ici. C'était probablement elle, l'autre femme dans la voiture. Val et Addie avaient filé ensemble, et Val portait une arme. Avec un thème musical en prime. Et maintenant ?

Tout en glissant son téléphone dans sa poche, il se dirigea vers la porte de derrière. Il fallait qu'il entre dans la maison.

« Perquisition officielle, déclara-t-il tout haut. J'ai des motifs valables. » C'était ce qu'il comptait expliquer au procureur, si jamais un tribunal remettait en question la recevabilité des preuves qu'il pouvait trouver. Addie Downs ne répondait pas au téléphone, ni lorsqu'on frappait à sa porte. Sa voisine avait signalé sa disparition. Le message sur son réfrigérateur suggérait qu'elle pouvait être en danger, et Valerie Adler possédait une arme. C'était son devoir de s'assurer qu'Addie allait bien ; il avait prêté serment pour protéger ses concitoyens. Alors qu'il regardait à tout hasard sous le paillasson, il trouva une clé, et ouvrit la porte en levant les yeux au ciel. Combien de fois avait-il expliqué aux femmes qui assistaient à ses ateliers sur la protection des maisons que mettre une clé sous le paillasson revenait à laisser la porte grande ouverte ? Il commença par monter à l'étage en appelant Addie, passa rapidement d'une chambre à l'autre, ouvrit les portes et le rideau de douche, jeta un coup d'œil dans les placards, puis redescendit. Sur une table, dans l'entrée, un saladier en argile peinte faisait office de vide-poches. En farfouillant, il trouva une lime à ongles et un paquet à moitié vide de chewing-gums à la cannelle. Il entendait la chaudière ronronner au sous-sol, et sentait encore les vestiges d'un feu dans la cheminée.

Le salon se trouvait sur sa gauche, la salle à manger sur sa droite, et l'escalier en face de lui, avec la cuisine juste derrière. La maison d'Addie était toujours aussi douillette et chaleureuse. On se serait cru dans un de ces magazines de décoration intérieure que Patti lisait à l'époque où elle s'intéressait encore à autre chose qu'aux bébés. Patti collait des Post-it sur les pages des salles de bains et des cuisines refaites à neuf. Un jour, peut-être, lui disait Jordan.

Il s'assit sur le canapé et observa une nouvelle fois le salon : les peintures et les dessins sur les murs, la télé à écran plat, le panier pour les bûches près de la cheminée, la pile de livres d'art énormes au milieu de la table basse. Il s'appuya contre le dossier en soupirant. Voilà un endroit où l'on pouvait regarder le foot en buvant une bière, ou se détendre au coin du feu. Voilà un endroit…

Il secoua la tête. D'accord, Addie Downs avait un canapé confortable et de beaux tableaux sur ses murs. Mais cela ne voulait rien dire. Ressaisis-toi, s'ordonna-t-il en se dirigeant vers la salle à manger. Addie avait installé des plantes sur le rebord de la fenêtre, un chevalet en bois juste devant, et une table d'architecte à côté. Sur la table étaient posées une pile de papier crème, des palettes et de l'aquarelle, et trois boîtes à café remplies de pinceaux et de crayons de couleur parfaitement taillés. Un Mac à écran large occupait un coin de la table, avec, à côté, une aquarelle représentant un petit oiseau blanc planant au-dessus de l'océan, dans un ciel bleu pâle.

Jordan enfila une paire de gants en plastique fin et remua la souris de l'ordinateur. L'écran s'illumina et, alléluia, la chance lui sourit enfin : Addie avait laissé sa messagerie ouverte. Il fit défiler tous les messages qu'elle avait reçus depuis un mois, cherchant un mail de Matthew Sharp, de Dan Swansea ou de Valerie Adler, ou de n'importe qui d'autre en lien avec le lycée de Pleasant Ridge, promotion de 1992. Rien. Une éditrice des cartes postales Happy Hearts remerciait Addie d'avoir envoyé ce qu'elle appelait une épreuve avant les vacances (« On peut toujours compter sur vous ! »), et le centre Crossroads l'invitait à renouveler son soutien pour le travail qu'ils accomplissaient en faveur des personnes atteintes de lésions cérébrales ou handicapées mentales. En dehors de ça, rien. Pas de blagues vulgaires (Jordan en trouvait au moins une par jour dans sa boîte grâce à son frère Sam, qui communiquait avec lui essentiellement par ce biais, sans doute parce que, avec ses deux enfants et son mariage heureux, il ne savait plus quoi dire à Jordan). Pas de mails en grandes capitales affirmant que Barack Obama était musulman et que votre portable vous donnerait le cancer, si le fluor de votre dentifrice ne s'en était pas chargé avant (Jordan en recevait plusieurs fois par semaine de sa grand-mère à Miami, qui avait découvert Internet à quatre-vingt-douze ans et était devenue une inconditionnelle des théories du complot).

Il retourna dans la cuisine. Là, une théière en cuivre était posée sur la cuisinière, à côté d'un sucrier bleu et blanc, et des peintures de fleurs ornaient les murs – il reconnaissait des iris et du lilas, mais était bien incapable de nommer les autres. Dans l'évier, il vit la vaisselle qu'Addie et lui avaient utilisée ; l'une des assiettes était encore recouverte de miettes de donut. Sur la table, il trouva une tasse de thé à moitié pleine et complètement froide et, en face, un verre vide. Jordan prit celui-ci de sa main gantée pour le renifler. Vodka. Il fouilla méthodiquement dans les placards, examina les paquets de nouilles et de gâteaux, les assiettes, les verres et les tasses, dont la plupart étaient décorées à la main avec des fleurs ou des oiseaux. Le réfrigérateur et le congélateur étaient l'antithèse de ceux de Jordan : à la place des produits d'homme célibataire (plats surgelés, bière, lait entier et viande rouge), on y trouvait des aliments de femme seule, allégés en matières grasses ou aux céréales complètes, même s'il vit aussi du vrai fromage et du vrai beurre, et un pack de six canettes de bière dont deux manquaient à l'appel (Addie buvait-elle de la bière ? Avait-elle un petit ami ? Mme Bass s'était-elle trompée ?). Un trench de la marque Burberry, taille 36, était posé sur le dos d'une chaise. Jordan s'accroupit dans un craquement de genoux et se servit de son stylo pour soulever une des manches, toute raidie par une substance poisseuse d'un brun foncé dont l'aspect et l'odeur étaient caractéristiques du sang séché.

Il tapota la tache tout en essayant d'imaginer ce qui avait pu se passer : Addie était sans doute assise dans sa cuisine lorsque Val était arrivée avec sa Jaguar argentée. Elle avait dû lui demander quelque chose à boire avant de lui dire : « Devine qui a ramené sa fraise à la réunion », et Addie avait dû lui répondre : « Viens, on va se le faire. » Ou bien Val s'était pointée, toute tremblante et couverte de sang : Devine qui je viens de renverser, ou de descendre d'une balle dans la tête, ou de planter, ou d'écraser, et Addie avait dû poser sa tasse de thé, servir un verre de vodka à sa meilleure amie, et lui dire : « Tu vas avoir besoin d'aide pour te débarrasser du corps. » Ou encore : Addie n'arrivait pas à dormir, elle s'était préparé du thé, était passée à la vodka, s'était coupé la jambe en se rasant, avait essayé d'arrêter l'hémorragie avec le trench trop petit qu'elle avait acheté en solde dans l'espoir de pouvoir rentrer dedans un jour (chaque année, au mois de mars, Patti accrochait son bikini sur le réfrigérateur pour se donner du courage), puis elle avait pris la vieille voiture de papa et était partie sur un coup de tête visiter Disney World, ou Dollywood, ou Dieu sait quel autre foutu lieu auquel Jordan ne penserait jamais.

Il remonta l'escalier pour inspecter l'étage d'un peu plus près, maintenant qu'il savait qu'aucun cadavre n'était caché dans la maison. Il y avait trois pièces. La première devait être une chambre d'amis, avec une demi-douzaine de tout petits coussins disposés sur un lit qui ne semblait pas avoir servi depuis un moment, s'il avait servi un jour. La deuxième pièce avait été transformée en salle de sport, avec un tapis de course pliable, une de ces roues à abdos qu'on pouvait acheter à la télé, un tapis de yoga, des haltères rose vif, des élastiques de musculation et une pile de DVD : *Le Yoga pour les débutants, Perdre du poids avec le Pilates*, et *Mincir avec la corde à sauter.* Au bout du couloir se trouvait la troisième pièce, la chambre d'Addie.

Là, pour la première fois, apparaissait un semblant de désordre. Le lit immense était froissé, comme si quelqu'un venait de le quitter, et l'un des oreillers gisait par terre. Jordan le ramassa et fut surpris par son poids, par la densité de ses plumes. Il le reposa sur le lit. Des draps blancs, une couette brun clair, une tête de lit en métal peint à volutes (du cuivre ? du fer ? Son ex-femme aurait su le dire). De chaque côté, une petite table avec une lampe de chevet ; sur l'une, une grande pile de livres, sur l'autre un verre d'eau et un tube de crème pour les mains. Il ouvrit le tiroir de la table de nuit, du côté où le lit était défait, et tomba sur une boîte de préservatifs à moitié vide. Un sentiment de jalousie aussi absurde que violent s'empara aussitôt de lui.

Au pied du lit se trouvait un banc matelassé orné du même tissu soyeux que celui de la banquette du salon. Un pyjama en flanelle était posé dessus. Jordan attrapa le haut du vêtement et, sans réfléchir, le porta à son nez, inspirant l'odeur de parfum et de shampooing. Qu'est-ce qui lui prenait ? Il perdait la tête. Si l'un de ses collègues le voyait, debout dans la chambre d'une suspecte, en train de renifler ses vêtements en bandant à moitié… Jordan reposa l'objet incriminé et se détourna du lit pour continuer son inspection. Des étagères remplies de livres, contre un mur dont les fenêtres donnaient sur le jardin. Des tableaux, encore des tableaux, de chiens au regard sage et de chatons à l'expression malicieuse. Une salle de bains avec une baignoire à jets, assez grande pour deux. Du carrelage chauffant au sol. Des radiateurs porte-serviettes aux murs. Des serviettes épaisses et moelleuses, d'un blanc éclatant, et une immense douche avec plus d'une demi-douzaine de jets intégrés à la paroi de verre.

« On dirait un bordel, ici », dit-il tout haut. Mais ce n'était pas tout à fait ça. C'était tout simplement un endroit conçu pour le plaisir. Il se demanda qui Addie avait accueilli, qui avait profité des capotes dans le tiroir et des bières dans le réfrigérateur.

Jordan redescendit au rez-de-chaussée, éteignit les lumières et ferma la porte d'entrée. Après avoir replacé la clé sous le paillasson, il traversa la pelouse craquante et rejoignit sa voiture.

34

Je n'ai jamais vraiment su qui a commencé à faire des graffitis. Le troisième jour de ma deuxième année de lycée, presque deux ans après l'accident de Jon, j'ai découvert la petite phrase en allant aux toilettes, gravée à l'intérieur d'une des cabines. « Addie Downs pue. » Mon cœur s'est mis à cogner et j'ai eu envie de vomir, comme si des mains invisibles me serraient l'estomac. J'ai regardé autour de moi, ce qui était stupide – il n'y avait personne, évidemment. J'ai levé timidement un bras au-dessus de ma tête pour renifler mon aisselle. Rien, à part l'odeur du déodorant que j'avais mis le matin. J'ai avalé ma salive et je me suis penchée pour renifler mon entrejambe. Dans un premier temps, je n'ai rien senti d'autre que l'assouplissant avec lequel ma mère lavait nos vêtements mais, en inspirant plus fort, j'ai cru percevoir une vague odeur de chair humide.

Oh non. Retenant mon souffle, j'ai ouvert la porte pour vérifier que j'étais seule, avant de courir vers les lavabos et d'arracher quelques feuilles rêches de papier marron. Je les ai passées sous l'eau et aspergées de savon mousseux, puis je suis retournée dans les toilettes pour me frotter. J'ai recommencé l'opération, sans savon. Pour finir, j'ai sorti un stylo de mon sac à dos pour rayer minutieusement chacune des lettres.

Ça n'a pas suffi. Le lendemain, en salle d'étude, j'ai vu les mêmes mots écrits sur une table, à l'encre noire cette fois-ci. « Addie Downs pue. » Et, au-dessous, quelqu'un avait ajouté en bleu : « Oui, mais elle a de gros nichons. » J'ai ouvert mon livre de maths devant moi, je me suis léché l'index et me suis mise à frotter la table. Je n'ai réussi qu'à étaler l'encre, sans l'effacer. J'ai frotté encore et, en relevant la tête, j'ai vu Mme Norita qui me regardait, les sourcils froncés.

« Mademoiselle Downs ? Puis-je savoir ce que vous êtes en train de faire ? Vous ne semblez pas très concentrée sur votre devoir de maths. »

À côté de moi, Kevin Oliphant a ricané.

« Laissez-moi voir. » Je savais que je n'y couperais pas. J'ai poussé mon livre de maths sur le côté. Elle a lu les mots, puis m'a regardée. « Nous demanderons aux femmes de ménage de s'occuper de ça », voilà tout ce qu'elle a dit. « D'accord », ai-je murmuré, avant de me ratatiner sur ma chaise, en sentant mon ventre qui forçait sur l'élastique de ma jupe et ma poitrine qui tirait sur le tissu de mon haut. J'aurais voulu rentrer sous terre.

Je ne comprenais pas ce que j'avais dit, ce que j'avais fait pour devenir la cible d'une telle méchanceté. J'allais en classe la tête baissée, en rasant les murs dans le couloir, l'œil rivé sur la porte des toilettes où je pouvais me réfugier quand j'entendais les insultes chuchotées derrière moi. « Salut, la grosse ! Hé, tu pues ! Gros cul. Mammouth. Vache laitière. Salut, Hindenburg » (ça, c'était après avoir étudié la catastrophe du dirigeable *Hindenburg* en cours d'histoire).

« Tu devrais sourire plus ! » me conseillait Valerie dans le car qui nous ramenait chez nous. Et elle me montrait ses dents étincelantes. Cet été-là, son rêve s'était enfin réalisé : elle avait passé six semaines en Californie avec son père. Moi, j'avais compté les jours jusqu'à son retour, et j'étais allée la chercher à l'aéroport avec Mme Adler. Mais, alors que j'attendais près de la porte, j'avais senti mon cœur se serrer en voyant Val descendre la passerelle : plus grande et toute bronzée, elle arborait des seins tout neufs sous un tee-shirt Izod que je ne lui avais jamais vu, et ses cheveux dorés tombaient en cascade dans son dos. À côté de moi, Mme Adler avait poussé un petit cri, étrangement fière et triste à la fois, tandis que Val retirait ses lunettes de soleil et souriait de toutes ses bagues. Dans la voiture, Val n'avait pas cessé de parler, surexcitée, du séjour formidable qu'elle venait de passer. Elle m'avait montré des photos d'elle devant les lettres HOLLYWOOD, raconté qu'elle était allée voir son père « sur le plateau » et qu'elle avait déjeuné à la cantine avec la doublure de Tom Cruise. Elle était revenue avec une valise remplie de vêtements neufs, encore plus confiante qu'elle ne l'était déjà, et pleine de bons conseils sur la façon dont je devais me comporter.

« Dis bonjour aux gens, m'expliquait-elle tandis que le car peinait dans la montée, sur le chemin du retour. Essaie d'être agréable !

— Ils me détestent », répondais-je.

Dire bonjour et être agréable ne marcherait jamais pour moi comme cela avait marché pour Val. Cet automne-là, elle avait réussi à intégrer l'équipe des pom-pom girls, dans laquelle son enthousiasme et son volume sonore compensaient son manque de rythme et de grâce. Ce n'était pas la fille la plus belle, ni celle qui avait le plus d'aisance, et elle chantait horriblement faux chaque fois que l'équipe entonnait un air, mais c'était pourtant elle qu'on regardait, elle qu'on suivait des yeux quand elle faisait la roue le long de la ligne de touche ou sautait en l'air à chaque essai marqué. Elle avait toute une bande de nouvelles copines, toutes des pom-pom girls, toutes des bécasses à queue-de-cheval.

De mon côté, je n'avais que Val. Les autres semblaient me détester, sans que je sache pourquoi. Je n'étais même pas la plus grosse de la classe. Trois filles l'étaient plus que moi (il y en avait même eu quatre, avant qu'Andi Moskowitz soit envoyée dans un camp pour obèses dans les monts Berkshire). Certes, j'étais grosse et quelconque – j'avais passé assez de temps à m'étudier dans la glace de ma chambre pour savoir que, même avec du maquillage et une coiffure convenable, aucune fille de l'équipe de pom-pom girls ne glisserait dans mon casier une invitation pour les épreuves de sélection, comme elles l'avaient fait pour Val, quand bien même elles auraient besoin d'une base large et stable pour leurs pyramides –, mais je n'étais pas non plus excessivement obèse ni ridiculement laide. Alors pourquoi s'en prenaient-ils à moi ?

Parfois, je me demandais si ce n'était pas à cause de Jon. Peut-être me détestaient-ils parce qu'ils ne pouvaient pas le détester, lui. Mon frère, avec son regard vide et sa bouche baveuse, était la preuve vivante qu'ils pouvaient tout perdre. Une seule mauvaise décision, un mauvais virage, les roues de la voiture qui quittaient la route, et ils finissaient comme lui. Impossible de le détester : Jon était une victime, un survivant. Mais ils pouvaient me détester, moi, par simple association.

Je restais le plus près possible de Val et de ses nouvelles copines, traînant dans leur sillage parfumé, car personne n'était méchant avec moi lorsqu'elle se trouvait dans les parages. Je m'étais mise à emporter dans mon sac à dos du savon enfermé dans une boîte en plastique, un gant de toilette et une petite serviette, ainsi qu'une culotte propre et un jogging de rechange. Le matin, je me lavais pendant dix, quinze, vingt minutes, restant sous l'eau brûlante jusqu'à ce que ma peau devienne rouge vif et que ma mère tambourine à la porte en me criant de sortir. Le midi, je m'éclipsais aux toilettes pour changer de culotte, au cas où... Et quand j'avais mes règles, je changeais systématiquement de serviette entre les cours, et aussi de sous-vêtements. Je vidais une bouteille par semaine de ce que le drugstore appelait par euphémisme un spray « hygiène intime ». Val et moi n'avions que les cours de sciences et d'anglais en commun, et trois jours par semaine, nous n'avions pas la même pause déjeuner. Je mangeais alors seule à une table dans un coin de la cafétéria. Parfois, Merry Armbruster venait s'asseoir près de moi quelques minutes. Elle se mettait à prier, la tête baissée, bougeant rapidement les lèvres tandis que j'avalais mes bâtonnets de carotte et mes gâteaux de riz. Merry faisait partie d'un groupe religieux bizarre. Elle ne se coupait pas les cheveux, ne portait pas de pantalon et ne parlait pas aux garçons. Elle était envoyée chez le proviseur presque aussi souvent que Dan Swansea, à cause de sa propension à siffler des imprécations du genre : « Tu mourras en enfer, sodomite » aux filles qui roulaient des patins à leurs copains dans les couloirs. Elle me parlait, mais je ne pense pas qu'elle m'aimait beaucoup. Merry devait me voir comme une cause perdue, la chose qui se rapprochait le plus, au lycée de Pleasant Ridge, d'un lépreux à qui elle pouvait laver les pieds.

Après le lycée, Val s'entraînait avec les pom-pom girls. Je faisais les trois kilomètres à pied pour rentrer chez moi (j'avais cessé de prendre le car toute seule le jour où le chauffeur avait été obligé de faire marche arrière dans une rue barrée ; en entendant le crissement des roues sur l'asphalte, un de mes sympathiques camarades avait lancé : « Hé, c'est le bruit que fait Addie Downs quand elle monte sur les toilettes ! »). Quand le car jaune et noir me dépassait dans la montée il y avait toujours quelqu'un pour ouvrir une fenêtre et me hurler : « Encore un effort, gros sac ! » Je gardais la tête baissée et me mordais la lèvre, tandis que mes cuisses frottaient l'une contre l'autre et que je commençais à transpirer.

Une fois à la maison, je reprenais une douche avant d'aller garder les deux derniers enfants de Mme Shea, des jumeaux de trois ans. Je restais jusqu'à dix-neuf heures, parfois plus tard. J'emmenais les garçons au parc en les tirant dans leur petit chariot rouge Radio Flyer, et pour le dîner on jouait au restaurant : je prenais leur commande sur un petit bloc-notes, puis je leur apportais leurs assiettes de macaronis au fromage, de hot-dogs, de riz ou de soupe au poulet et vermicelle. Je leur donnais le bain, leur lisais une histoire, supervisais le brossage des dents et le choix du pyjama, et les laissais sur leurs lits en attendant que leur mère revienne pour les border.

Les Shea habitaient au bout de la rue. La plupart du temps, je rentrais directement à la maison, mais deux ou trois fois par semaine je traversais la rue pour me rendre à la supérette au coin de Main Street et de Maple Street, ou au drugstore un peu plus loin, et j'errais dans les rayons en murmurant : « Du lait », « Du pain » ou « Du beurre » pour faire comme si j'avais une raison valable d'être là. Pendant ce temps, je remplissais mon panier avec des paquets de gâteaux et de chips, des tablettes de chocolat Cadbury format familial, enveloppées dans du papier bleu et blanc et une feuille d'aluminium dorée, des boîtes de Sno-Caps, des puddings au caramel tellement bourrés de colorants, d'arômes et de conservateurs artificiels qu'on n'avait même pas besoin de les mettre au réfrigérateur, de petits gâteaux recouverts d'un glaçage au chocolat, des donuts à la framboise et des tartes au citron. Je posais mes articles sur le comptoir sans regarder la caissière (« On prépare une fête ? » m'avait demandé une fois l'une d'elles, et j'avais acquiescé en rougissant), je fourrais tout ça dans mon sac à dos et me dépêchais de sortir.

À la maison, ma mère avait préparé le dîner : escalopes de poulet grillées, patates douces saupoudrées de cannelle et de morceaux de beurre, laitue arrosée de vinaigrette allégée. On s'asseyait tous les quatre à table, on mangeait et on buvait en se racontant notre journée. Jon faisait des mots mêlés ou lisait un magazine, la joue appuyée sur la main, la bouche ouverte.

Après le repas, je faisais la vaisselle, lavais la table et balayais. Mon père se retirait au sous-sol. Jon se plantait devant la télé. Il adorait les sitcoms avec des rires enregistrés, les émissions où on lui indiquait ce qui était drôle. Je l'entendais éclater de rire une seconde après le public. Ma mère enfilait un jogging et on partait faire notre petite balade du soir, dix tours de pâté de maisons. Je prenais une autre douche, la troisième de la journée, et je m'enfermais dans ma chambre après avoir dit bonne nuit à mes parents et à mon frère.

Tous les soirs, je me promettais de ne pas le faire, de finir mes devoirs et d'aller me coucher comme tout le monde. Parfois, je résistais jusqu'à vingt heures trente, voire même vingt et une heures. Je me faisais un bain de bouche avec un produit tellement astringent que les larmes me montaient aux yeux. Je me brossais les dents jusqu'à me faire saigner les gencives. Je mâchais des chewing-gums sans sucre et j'avalais du thé à la menthe. Je dessinais comme une forcenée, capturant une scène de la journée au fusain ou aux crayons de couleur : les jumeaux dans le bac à sable, leurs visages ronds qui se plissaient quand ils riaient ; le soleil levant derrière le cerisier du jardin ; les mains de ma mère sur les épaules de Jon. Je repensais à toutes les railleries que j'avais subies dans la journée. Je faisais le point sur ce que j'avais mangé, et je me félicitais d'avoir aussi bien tenu, de n'avoir même pas goûté aux pâtes des enfants ni piqué de gâteaux dans leur paquet. Mais cela ne servait à rien. Je finissais toujours par me dire : Juste une bouchée. Juste une bouchée de quelque chose de sucré. Et alors, presque malgré moi, je plongeais la main dans l'un des sacs en plastique, ouvrant les emballages qui crissaient sous mes doigts. J'éteignais toutes les lumières, sauf la petite à côté de mon lit, je m'allongeais sur le côté, lovée autour de mon bloc à dessin ou d'un des livres d'art bien lourds que j'empruntais à la bibliothèque, et je regardais les peintures et les photos de musées en Italie et à Paris, lieux où je n'avais jamais mis les pieds et que je ne visiterais sans doute jamais. Et je mangeais, j'enfournais les bonbons dans ma bouche, je mâchais et j'avalais, encore et encore, sentant la fraîcheur de l'oreiller contre ma joue, le chocolat qui m'emplissait la bouche et m'enrobait la langue, et le caramel sirupeux qui fondait au fond de ma gorge.

Le samedi suivant la Saint-Valentin, les boîtes de bonbons en forme de cœur étaient vendues avec une réduction de soixante-quinze pour cent. J'en achetais une demi-douzaine et je les cachais dans mon armoire. Le soir, je commençais par grignoter des gâteaux, puis je passais au salé avec du maïs soufflé au fromage ou des chips, et je terminais ma soirée avec des nougats et des caramels, des gâteaux à la crème et des chocolats à la cerise. Je feuilletais mon livre en puisant dans les boîtes ornées de l'inscription « À ma chérie » en lettres dorées, et je m'endormais sans me laver les dents, la bouche remplie d'un merveilleux goût sucré. Je rêvais d'amour, je rêvais qu'on m'arrachait à ma maison, à ma ville, et même à mon corps, et qu'on me déposait ailleurs, dans un endroit merveilleux où j'étais belle, mince et souriante, en maillot de bain deux pièces ou en jupe de pom-pom girl. Parfois, je pensais à Dan Swansea, je le revoyais à la piscine, l'été précédent, des perles d'eau brillant sur son dos lisse et bronzé. « Salut, beauté », me lançait-il en me croisant dans le couloir. Dans mes rêves, il me prenait les mains et m'entraînait vers le petit hall secret, à côté du bureau du prof de gym, pour me voler un baiser avant le cours. Rien de tout cela n'arriverait jamais, je le savais ; mais mes rêves, que j'enrichissais un peu plus chaque nuit, n'en étaient pas moins doux et sucrés comme des bonbons.

« Je ne comprends pas », avait dit ma mère à mon pédiatre.

Celui-ci avait secoué la tête, les sourcils froncés, tandis que je descendais de la balance. Puis il s'était penché sur son bloc d'ordonnances, son crâne chauve tout luisant, pour écrire « Weight Watchers » et « exercice », avant d'arracher la page et de me la tendre solennellement. Ma mère ajoutait un tour de pâté de maisons à notre promenade du soir, ou retirait une demi-patate douce de mon dîner, et je me jurais que j'allais arrêter les chips, les gâteaux et les bonbons « À ma chérie ». Je me réveillais pleine de bonnes résolutions, en pensant que c'était ce jour-là que les choses changeraient : je suivrais mon régime à la lettre, je sourirais, je serais agréable, je ferais tout ce que Val me dirait de faire, parce que, à l'évidence, elle avait compris le secret pour être aimée de tous.

« Arrête de te prendre la tête », m'a-t-elle conseillé un matin de printemps.

Elle portait un débardeur rose décolleté et une jupe kaki – depuis qu'elle était pom-pom girl, elle ne mettait presque que des jupes. Elle en avait acheté certaines pendant son séjour en Californie, et j'en reconnaissais d'autres qui avaient appartenu à sa mère, celles en coton et dentelle qui balayaient le sol comme des traînes de mariée. Val n'avait plus son appareil dentaire, ses dents étaient blanches, droites et brillantes, et sa silhouette s'était un peu étoffée : elle n'avait pas beaucoup de poitrine, mais ses petits seins s'harmonisaient avec ses hanches étroites et ses longues jambes. On n'aurait jamais cru qu'elle avait naguère été un peu gauche et dégingandée, qu'elle s'habillait bizarrement, et qu'elle et moi allions bien ensemble. L'équilibre s'était inversé. Au lycée, mes qualités (intelligente, soignée, polie, douée d'un sens artistique) comptaient beaucoup moins que celles de Val (blonde et pom-pom girl).

« Tu sens bon, a-t-elle dit.

— Merci. »

J'ai tiré sur mon pull. Il faisait trop chaud pour en porter un, mais c'était un Benetton, comme ceux des filles plus minces, en beaucoup plus grand. J'avais aussi les mêmes jeans de marque, obtenus sur commandes spéciales chez Marshall Field's, qui n'avait pas ma taille en stock. C'est ma mère qui me les avait achetés, et je n'avais pas le cœur de lui dire que ça ne changerait rien que je porte les mêmes vêtements que les autres filles : c'était moi qui n'allais pas.

« Tu es trop complexée, m'a sermonnée Val en s'abritant les yeux du soleil pour scruter la rue. C'est comme si tu anticipais toutes les mauvaises choses qu'on pourrait penser de toi, avant même qu'on les pense. Si les gens sentent qu'ils te font souffrir, ils vont continuer à le faire. »

J'ai baissé la tête. Elle avait raison.

« Tu es très bien », m'a-t-elle assuré alors qu'une Civic blanche déboulait au coin de la rue et s'arrêtait dans un crissement de freins devant nous.

Mindy Gibbons, une des copines pom-pom girls de Val, était au volant.

« Salut, Val ! » s'est-elle écriée d'une voix chantante.

Elle a marqué une pause.

« Bonjour, Addie. »

Une autre pause.

« Salut, Jon. »

Je lui ai fait un signe de la main. À côté de moi, Jon a relevé la tête de ses mots mêlés, m'a regardée, puis a fait signe à son tour. Val a ramassé son sac à dos.

« Tu veux venir avec nous ? »

J'avais la gorge sèche. En plus d'être pom-pom girl, Mindy était en dernière année de lycée. J'étais certaine qu'elle ne voulait pas de moi dans sa voiture.

« Non, merci, ça va aller.

— Quoi ? a fait Val avec impatience. Je n'ai pas entendu.

— Allez-y sans moi.

— Tu montes, Val ? a crié Mindy par-dessus les beuglements de Mariah Carey. On va être en retard. »

Val m'a lancé un regard indéchiffrable avant de s'installer à côté de Mindy et de claquer la portière. Je les ai regardées partir, furieuse, médusée et triste. Quand avaient-elles décidé de se retrouver ? Depuis quand étaient-elles amies ?

J'ai pris mon sac à dos en voyant le car scolaire arriver au coin de la rue, et, me préparant aux regards et aux messes basses, j'ai poussé Jon vers le bus, avant de monter derrière lui.

35

Sasha Devine, une belle femme aux yeux noirs de cinq ans l'aînée de Jordan, ne sembla pas ravie de le trouver sur son perron, le samedi soir.

« J'imagine qu'il ne s'agit pas d'une visite de courtoisie », dit-elle en s'appuyant contre la porte.

La lumière bleue d'un téléviseur tremblotait derrière elle, faisant briller sa jolie petite silhouette comme un corps radioactif.

Jordan ne répondit pas. Il avait fait une grosse erreur en couchant avec celle qui était techniquement sa supérieure. Et une erreur encore plus grosse en ne la rappelant pas ensuite.

« Je peux entrer ? » demanda-t-il.

Sasha le regarda comme s'il essayait de lui vendre quelque chose dont elle ne voulait pas.

« Et si tu me disais pourquoi tu es venu ?

— D'accord. »

Il aurait dû l'appeler. Il avait *voulu* l'appeler. Il avait vraiment eu l'intention de l'appeler mais, le soir suivant, l'idée de décrocher le téléphone, de composer le numéro et de lui parler lui avait semblé insurmontable. Je l'appellerai demain, s'était-il dit, mais le dimanche il avait été… très occupé. Il n'avait pas lu le dernier numéro de *Sports Illustrated*, et lorsqu'il avait voulu faire couler de l'eau pour se préparer du café, il s'était rendu compte que le robinet fuyait. Il avait décidé de le réparer, mais ses clés à pipe étaient rangées sous l'évier avec les produits ménagers, et le placard était équipé d'un de ces systèmes de sécurité enfant qu'il ne savait pas ouvrir. Alors il avait fait un saut au magasin de bricolage pour en racheter.

Le magasin se trouvait à côté du cinéma, qui passait un film qu'il voulait voir depuis longtemps. Lorsqu'il était rentré chez lui, à sept heures du soir, il s'était dit que Sasha devait être en train de faire dîner ses enfants. Elle avait deux filles de huit et dix ans, et un mari qui était parti pour des raisons qu'elle n'avait pas précisées. De retour sur sa chaise pliante au tissu camouflage, Jordan avait bu une bière en regardant le *Journal du sport* enregistré sur son TiVo, et une autre bière devant les informations. Une troisième, une quatrième et une cinquième avaient suivi, puis la Dame de la Nuit avait fait son entrée et Jordan s'était laissé prendre par l'épisode. Plus tard, alors qu'il reboutonnait son pantalon et jetait son Kleenex, il avait été trop gêné pour parler à qui que ce soit. Le lundi, il ne travaillait pas. Le mardi, il avait pensé qu'il la verrait dans la semaine et il l'avait vue, mais ç'avait été bizarre, et la semaine d'après, alors qu'il s'était enfin décidé à l'inviter à dîner, elle lui avait répondu d'un ton hargneux : « Ne te fous pas de ma gueule. » Fin de leur idylle. Il ne s'était jamais excusé. Il ne lui avait jamais dit la vérité non plus : après avoir fait l'amour avec elle (et cette partie-là s'était bien déroulée, tout compte fait : sans son tailleur, ses collants et ses talons, avec ses épais cheveux libérés de leurs épingles, Sasha était d'une beauté désuète), il était allé dans sa salle de bains, où il avait vu, parmi les produits de beauté, un tube de dentifrice Dora l'Exploratrice au format adapté aux petites mains. Sincèrement, que pouvait-il dire ? Je ne peux pas te revoir parce que j'ai peur de ton dentifrice ? Je ne peux pas te revoir parce que tu as des enfants et moi pas, et que je te déteste un peu à cause de ça ? Je ne peux pas te revoir parce que, avant que tout s'écroule, ma femme me chantait « I Loves You Porgy » quand elle avait bu du vin blanc, et elle ne le fera plus, et ça me fait tellement mal que je ne peux même pas y penser ?

Il baissa les yeux vers Sasha, songeant qu'à son âge il aurait dû être casé : avec une femme, une famille, et une maison dans laquelle ils auraient vécu ensemble. Au lieu de cela, il n'avait rien. Rien du tout.

« Dan Swansea », commença-t-il.

Son souffle formait des nuages blancs à chaque mot.

« Nous pensons que la ceinture et le sang appartiennent à un certain Dan Swansea. »

Sasha poussa la porte d'un coup de hanche en soupirant.

« Allez, entre. »

Elle avait une pièce de travail au rez-de-chaussée, derrière la cuisine, avec un minuscule bureau ancien et deux fauteuils rembourrés. C'est là qu'elle le conduisit, dégageant cinq ou six ours et lapins en peluche de l'un des fauteuils avant de s'asseoir dans l'autre.

Jordan s'installa et présenta ses arguments :

« Il y a quinze ans, alors que Dan Swansea était en dernière année de lycée à Pleasant Ridge, il a été accusé d'avoir violé une de ses camarades de classe : Valerie Adler. Lui et quelques-uns de ses copains ont eu des problèmes après avoir harcelé la fille qui l'avait accusé, qui n'était autre que la meilleure amie de Valerie, Adelaide Downs. Valerie a nié avoir été violée.

— Continue. »

Sasha sortit un stylo et une feuille de papier.

« Trois des garçons impliqués dans cette affaire étaient présents à la réunion d'hier soir. Swansea a disparu. Il ne répond pas au téléphone, et personne n'a eu de ses nouvelles depuis la réunion.

— Que s'est-il passé, alors ?

— On s'intéresse à la fille qui l'a accusé, Adelaide Downs. »

Sasha haussa les sourcils.

« Vous ne vous intéressez pas à la victime ? À celle qu'il a peut-être violée ?

— Nous pensons que Mlle Adler et Mlle Downs sont ensemble, expliqua Jordan. Et qu'elles sont toutes les deux responsables de ce qui a pu arriver à Dan Swansea. »

Les roulettes du fauteuil de Sasha crissèrent sur le sol.

« Elles auraient donc attendu quinze ans avant de lui tomber dessus sur un parking, de lui enlever sa ceinture et de lui faire quoi, exactement ?

— C'est ce qu'on essaie de savoir, répondit Jordan avec raideur.

— Vous les avez interrogées ?

— Je suis allé chez Mlle Downs, ce matin, dit-il, sans préciser qu'il l'avait interrogée sur son frère. Mais elle est partie. Sa voisine a signalé sa disparition. Sa maison est fermée à clé. La voiture de Valerie Adler est dans son garage, et Mlle Adler détient un permis de port d'arme dissimulée. Je voudrais obtenir un mandat de perquisition pour fouiller leurs maisons. »

Il se garda bien de dire qu'il avait déjà visité celle d'Addie, qu'il y avait trouvé un manteau couvert de sang, et que ce sang devait correspondre à celui qu'ils avaient découvert sur le parking.

Mais, avant même qu'il ait fini de prononcer le mot « perquisition », Sasha secouait la tête.

« Pas question. Aucune preuve matérielle ne les associe au crime, n'est-ce pas ?

— Aucune. »

Ils se regardèrent un moment, Sasha les yeux plissés, Jordan les mains sur les cuisses. Il pourrait sans doute la convaincre d'accepter sa requête, s'il arrivait à l'attirer de nouveau dans son lit, mais étant donné son attitude passée, il y avait peu de chances que cela se produise.

« Je ne peux pas t'accorder un mandat, si tu te fondes uniquement sur des présomptions », finit-elle par dire.

Jordan acquiesça et se leva. Il s'était attendu à cette réponse, mais cela valait quand même la peine de tenter le coup. L'expression de Sasha s'adoucit.

« Tu as une sale mine. Rentre chez toi. Dors un peu. »

De retour dans sa voiture, Jordan appela ses collègues et les renvoya chez eux, en demandant à Holly et à Gary de se présenter au poste à sept heures pétantes le lendemain matin. (« Je vous apporterai le café », promit Holly, et Jordan n'eut pas le cœur de refuser). À la maison, une nouvelle émission de *Au lit, les petits !* l'attendait. Il prit une douche, jeta ses vêtements dans le panier de linge sale et enfila un bas de pyjama et un tee-shirt. Il s'ouvrit une bière, glissa une pizza dans le mini-four (il dut la plier en deux pour qu'elle rentre), et s'installa sur sa chaise de camping. Mais il ne parvint pas à se détendre. Il ne cessait de penser à Adelaide Downs, que personne n'avait crue, et à Valerie Adler, la meilleure amie qui l'avait trahie avant de revenir vers elle. Ah, les femmes, songea-t-il. Lorsque la Dame de la Nuit arriva dans son pull en V qui révélait un décolleté crémeux, Jordan dormait déjà.

36

Le lendemain matin, Jordan retrouva Holly et Gary, qui lui expliquèrent les subtilités de Wikipedia et lui décrivirent dans les moindres détails le concept de Twitter. Quand il fut au courant de tout ce qu'Internet pouvait lui apprendre sur Valerie Adler, depuis ses frasques jusqu'à sa page sur Facebook, il piqua à Holly une grosse poignée de petits gâteaux de Noël en forme de cloches, d'étoiles et de sucres d'orge, et partit pour Chicago.

Personne ne répondit lorsqu'il sonna à l'interphone du gratte-ciel où habitait Valerie Adler, dans Lakeshore Drive. Le portier, resplendissant dans son uniforme de laine rouge à galons dorés, semblait avoir de l'énergie à revendre. Il s'appelait Carl, et n'avait pas vu Mlle Adler depuis Thanksgiving.

« Sa mère est venue en ville, confia-t-il, avant de prendre un air de conspirateur. Vous connaissez le terme “cougar” ? »

Jordan acquiesça. L'homme sourit de toutes ses dents.

« Eh bien, je l'aurais bien farcie, cette dinde-là !

— Donc, vous n'avez pas vu Valerie Adler ?

— Je l'aurais bien farcie, avec des petites patates confites en accompagnement !

— Je crois que j'ai compris l'idée. Est-ce que vous pouvez me dire… ?

— Je l'aurais bien farcie, continua l'homme en se bidonnant. Et puis, trois heures plus tard, après la fin du match, je serais retourné dans la cuisine pour un petit sandwich à la sauce cranberry !

— Bon…

— C'était drôle, non ? »

Le portier lissa les galons sur ses épaules.

« Je me produis sur la scène de la Maison du rire, la semaine prochaine. Bref. La maman chaudasse est repartie jeudi soir, et je n'ai pas revu Mlle Valerie depuis.

— Vous avez une clé ?

— Désolé, mais Mlle Adler me tuerait si je vous donnais la clé. Et je pèse mes mots. Alors, à moins que vous ayez un mandat… Écoutez, je vous aurais bien aidé, mais les sketchs ne me rapportent pas encore, et j'ai des gamins, vous comprenez ? »

Bien sûr, songea Jordan en le remerciant. Tout le monde en a, non ?

La place de parking de Valerie, sous l'immeuble, était vide, et l'on tombait directement sur le répondeur de son portable. Il ne lui restait plus qu'à tenter le travail.

Jordan se gara devant les studios Fox dans North Michigan Avenue à un peu plus de huit heures et demie du matin. Dix minutes plus tard, l'homme qu'il attendait s'approcha de l'immeuble. Le directeur de la chaîne, Charles Carstairs, un type grand et élancé, portait une écharpe en tissu écossais et une casquette de tweed. Il tenait un petit cartable en cuir au bout d'une main et un de ces tout nouveaux smartphones dans l'autre. Sous son pardessus, son costume bleu marine devait coûter cinq fois plus cher que le plus beau vêtement de Jordan.

« Monsieur Carstairs ? »

Jordan sortit de sa voiture et traversa le trottoir en courant, sa plaque à la main.

« Jordan Novick, police de Pleasant Ridge. »

Carstairs regarda l'écran de son téléphone en fronçant les sourcils, avant de lever les yeux vers Jordan.

« Que puis-je pour vous, monsieur ? Quelle que soit la raison, il faudra faire vite. On a le direct à neuf heures.

— Ça ne devrait pas prendre trop de temps », promit Jordan.

Carstairs se remit à tripoter son téléphone. Jordan lui laissa une minute, puis il expliqua, assez fort pour que tout le monde l'entende :

« Monsieur Carstairs, je dois parler à Valerie Adler, votre employée, au sujet d'une enquête en cours. J'ai besoin de votre coopération.

— Très bien. »

Carstairs rangea son téléphone.

« Suivez-moi. »

Dans son bureau au trente-septième étage, Carstairs se laissa tomber dans son fauteuil, jambes écartées, bras croisés derrière la tête. Sa table de travail était recouverte de photos de famille. Jordan vit un magnifique setter irlandais, deux petits garçons aux traits aussi anguleux que ceux de leur père, et une femme dont les cheveux auburn étaient beaucoup moins brillants et l'expression nettement moins intelligente que ceux du chien. Il se demanda qui des deux était le mieux dressé. Sur le mur à droite du bureau, six écrans plats diffusaient les informations locales et nationales ; sur celui de gauche, trois horloges indiquaient l'heure à Chicago, à New York et à Los Angeles. À travers la fenêtre qui donnait sur la salle de rédaction presque déserte, Jordan apercevait quelques personnes en train de taper sur leur ordinateur. Derrière l'un des bureaux, un homme enveloppé dans une cape de coiffeur se faisait couper les cheveux.

« Alors, de quoi s'agit-il ? demanda Charles Carstairs en avançant son fauteuil pour planter ses coudes sur le bureau. Que voulez-vous à Valerie ?

— Pour l'instant, nous voulons juste la trouver. Elle n'est pas chez elle, et elle ne répond pas au téléphone. »

Carstairs se tourna vers son ordinateur, tapota sur le clavier et se pencha vers l'écran.

« Elle a travaillé pour Thanksgiving, et elle est en congé jusqu'à mardi. Elle avait une réunion des anciens élèves du lycée vendredi soir, et elle a appelé pour dire qu'elle était dans le coton.

— Pardon ?

— En fait, elle n'a pas vraiment appelé. Elle avait demandé ces congés depuis plusieurs semaines, en expliquant qu'elle boirait certainement et qu'elle n'avait pas envie de passer à l'antenne avec le teint brouillé.

— Le teint brouillé, répéta Jordan.

— La vanité, fit Carstairs avec un petit sourire. Ça va de pair avec le talent du direct. J'aurais bien voulu vous aider, mais je ne peux vraiment pas vous dire où elle est… et, encore une fois, nous avons le direct à neuf heures. »

Je crois que tu pourrais me le dire, songea Jordan. Tu pourrais, mais tu ne veux pas. Il se leva et regarda les photos de famille. L'un des garçons avait perdu ses dents de devant.

« Valerie a-t-elle déjà évoqué des lieux qu'elle aimait bien ? Des vacances particulières ? Des amis ou de la famille qu'elle aurait dans d'autres villes ? »

Carstairs remua sur son siège.

« Non, je n'en ai pas souvenir.

— Bien. »

Jordan prit une photo sur laquelle Charles Carstairs, vêtu d'une chemise hawaïenne aux couleurs criardes, posait devant la statue d'un dauphin aussi gros qu'un bus.

« C'est où, ça ? En Floride ?

— Pourquoi cette question ?

— Juste par curiosité. »

Jordan reposa la photo.

« C'est vous qui avez recruté Valerie ?

— Écoutez, il faut vraiment que j'y aille, répondit Carstairs en reculant son fauteuil.

— Elle est comment ? »

L'autre hésita, la main sur la poignée de la porte.

« Que voulez-vous dire ?

— Elle est comment ? répéta Jordan. Nous essayons de la trouver. Nous devons nous assurer qu'elle est en sécurité. Plus nous en saurons sur elle, mieux ce sera. »

La question de la sécurité de Valerie sembla toucher une corde sensible. Carstairs revint s'asseoir à son bureau.

« Bon. Elle court, répondit-il. Ou du moins, elle s'habille comme si elle courait. Elle aime les sushis. Et les beaux vêtements. Son budget est d'ailleurs assez... »

Son visage s'adoucit, comme s'il repensait à quelque chose... Quelque chose de personnel, de tendre, Jordan était prêt à le parier. Il reconnaissait cette expression. Il était certain d'avoir eu la même lorsqu'il parlait de Patti – lorsqu'il racontait comment il l'avait demandée en mariage, par exemple, en cachant la bague dans une boîte de chocolats. Sauf que Patti était au régime, à ce moment-là. Elle l'avait gentiment remercié, et avait posé la boîte près de la porte pour penser à l'apporter à l'école, le lendemain matin ; il avait été obligé de lui dire qu'elle ferait peut-être mieux de regarder les chocolats d'un peu plus près avant de les laisser dans la salle des profs avec un mot SERVEZ-VOUS.

Il s'arracha à ses souvenirs.

« Avez-vous déjà vu Mlle Adler se mettre en colère ?
— Elle s'énerve parfois un peu, comme tout le monde.
— Et que fait-elle, lorsqu'elle s'énerve ? insista Jordan. Elle lance des choses ? Elle jure ? Elle boude ?
— Elle… complote, je crois. »
Cette réponse surprit Jordan, qui imaginait plutôt une diva lâchant des grossièretés, engueulant tout le monde et jetant des téléphones portables et des cintres au visage d'une assistante.
« Oui, elle élève aussi la voix et elle jure, mais il faut savoir qu'il suffit de la contrarier une fois pour qu'elle ne l'oublie jamais. »
Elle n'oublie jamais, nota Jordan.
« A-t-elle déjà eu des problèmes ? »
Carstairs soupira en regardant dehors avec envie. À travers les doubles portes du studio, Jordan voyait des hommes pousser des caméras sur des chariots en sautillant par-dessus les câbles qui traînaient derrière. La table du présentateur, déserte, semblait plus petite et, bizarrement, moins solide qu'à la télé.
« Eh bien, il y a eu cette histoire de chien, au parc.
— Quelle histoire ?
— C'était il y a quelques années. Selon Val, elle promenait son chien quand une dame est arrivée avec son berger allemand et l'a détaché. Il a attaqué le chien de Val, une espèce de microbe qui aboie tout le temps. Val et la dame se sont disputées tout en essayant d'écarter le berger allemand du petit chien. Et puis Val a… »
Jordan continua à regarder Charles Carstairs, tout en se rappelant le gros titre dans la *Tribune :* ELLE CHERCHE LA M*RDE… ET ELLE LA TROUVE ! La propriétaire du berger allemand, une dame de soixante-dix-huit ans, était une fidèle téléspectatrice de Fox Chicago, et elle n'avait pas vraiment apprécié que la star de la météo lui balance

au visage un sac plastique rempli de crottes de chien. Elle avait porté plainte pour agression. Les journaux et les blogs s'étaient délectés de l'affaire pendant des semaines ; Val était partie quinze jours en vacances – programmées depuis longtemps, selon la chaîne –, puis les choses s'étaient tassées, avec comme seule conséquence durable l'interdiction pour Val de parler de chiens à l'antenne.

« Et il y a eu l'histoire des cacahouètes », continua Carstairs.

Jordan s'en souvenait aussi : en pleine semaine de mesure d'audience, à la fin d'un reportage sur les cantines scolaires de Chicago qui avaient décidé de supprimer les arachides de leurs menus pour s'adapter au nombre croissant d'enfants allergiques, Valerie, pensant sans doute que son micro était coupé, avait qualifié les gamins concernés d'« erreurs de la nature ». Elle avait présenté ses excuses dès le lendemain, au début des informations de dix-sept heures (« J'ai fait preuve d'une désinvolture déplacée à propos d'un sujet dont j'avais sous-estimé la gravité, en particulier pour les familles confrontées aux problèmes d'allergie ou de sensibilité aux arachides »), mais cela n'avait pas empêché les activistes des associations d'allergiques, indignés, de la bombarder de cacahouètes en polystyrène lorsqu'elle s'était pointée au match de base-ball, ce week-end-là… Un geste qui, évidemment, avait scandalisé les écolos intégristes, qui avaient passé les deux semaines suivantes à brandir des pancartes en papier recyclé devant les locaux de la chaîne.

« Vous l'aimez bien ? »

Carstairs sembla hésiter, puis finit par acquiescer.

« Nous avons de bonnes relations de travail. »

Jordan le regarda innocemment. Comme Carstairs ne cillait pas, il sortit un petit gâteau de Noël de sa poche et entreprit de le manger.

« Quoi, vous insinuez quelque chose ? demanda le chef de rédaction.

— Absolument pas. »

Jordan s'essuya la bouche et reporta son attention sur les photos du mari, de la femme, des enfants et du setter irlandais.

« Joli chien, observa-t-il. Valerie vous a-t-elle déjà parlé de Dan Swansea ? »

Carstairs secoua la tête.

« Et d'Adelaide Downs ? »

Autre mouvement de tête.

« Mais vous saviez que Val allait à cette réunion, vendredi soir.

— Oui, ça, je le savais. »

Charles Carstairs eut un sourire sans joie.

« Elle a fait la diète Master Cleanse : poivre de Cayenne et sirop d'érable pendant une semaine. Super. »

Il regarda Jordan, les yeux plissés.

« Pourquoi me posez-vous toutes ces questions ? Que s'est-il passé ?

— Pour l'instant, nous essayons juste de trouver Mlle Adler. »

Jordan vit la main droite de Carstairs se rapprocher imperceptiblement de la poche où il avait rangé son téléphone.

« Valerie doit revenir mardi après-midi. Je peux lui dire de vous appeler à son retour. Mais avant cela… »

Il ouvrit la porte.

« J'ai une émission », marmonna-t-il, avant de quitter la pièce, de traverser la salle de rédaction et de pousser les portes battantes.

Un petit panneau ON AIR s'alluma bientôt au-dessus de la porte. Jordan le regarda, émerveillé. C'était comme à la télé.

Il quitta le bureau de Carstairs et fit le tour de la salle de rédaction, où il n'eut aucun mal à repérer le bureau de Valerie Adler : les cloisons étaient recouvertes de photos d'elle. Par la fenêtre, on voyait un petit bout du lac.

Jordan s'assit dans le fauteuil de Valerie, inspira une grosse bouffée de ce qui devait être son parfum, et tapota le pavé tactile de son ordinateur. L'écran s'alluma. La boîte de messagerie était fermée et protégée par un mot de passe. Jordan n'essaya même pas d'y entrer, préférant inspecter le bureau. Il y avait un verre bleu rempli de stylos et un calendrier couvert d'annotations comme « Coiffeur », « Soin Visage », « Entraînement » ou « Réunion de rédaction ». À côté de l'ordinateur se trouvaient un miroir entouré d'ampoules miniatures et un boîtier en forme de roue contenant d'autres photos protégées par un film plastique. Jordan fit tourner lentement la roue. On voyait des clichés de Val serrant la main du maire ou dansant avec le gouverneur, au cours de ce qui ressemblait à un dîner chic de bienfaisance (le gouverneur était en smoking, Val portait une robe dos nu). Enfin, il tomba sur une photo de Valerie en short et haut de bikini, posant devant la même sculpture de dauphin que celle qu'il avait vue dans le bureau de son chef. Derrière, elle avait écrit : *Key West, Saint-Valentin, 2007.*

Parfois, songea Jordan en glissant la photo dans sa poche, le métier de policier ne demandait pas beaucoup d'efforts.

37

Quand je suis entrée en dernière année de lycée, j'avais passé des heures à rêver de Dan Swansea sans lui avoir jamais adressé la parole. Dans la vraie vie, Dan faisait partie de cette masse informe de types qui m'ignoraient. Il lui était peut-être arrivé d'écrire « Addie Downs pue » sur une table ou sur un mur, mais il n'avait jamais été méchant devant moi. Il vivait sur une autre planète, celle qui était réservée aux sportifs et aux jolies filles comme Valerie, et même si, dans ma tête, nous avions de longues et brillantes conversations fréquemment interrompues par des baisers torrides, je ne crois pas que nous ayons jamais échangé ne serait-ce qu'un bonjour.

Un vendredi après-midi, en octobre, Val s'est approchée de moi avant que le cours de chimie commence. Comme c'était veille de match, elle portait son uniforme de pom-pom girl : une jupe courte plissée marron et crème, et un pull sans manches assorti. Ses jambes n'avaient pas encore perdu leur bronzage d'été, qui contrastait avec ses chaussettes et ses baskets blanches.

« Salut, Addie. Tu veux sortir, ce soir ? »

Je l'ai dévisagée depuis ma place contre le mur, où je me faisais aussi petite que possible dans mon caleçon long et mon gilet en laine ample. Je ne voulais pas dire oui trop vite, et je me demandais ce qui avait motivé cette proposition. Val et moi mangions encore ensemble le midi, de temps en temps ; ou plutôt, je mangeais en silence à côté d'elle à la table des pom-pom girls, pendant qu'elle papotait en riant et en sirotant son Coca Light. Le matin, nous attendions encore ensemble nos moyens de transport respectifs (Val m'assurait que ses amies étaient d'accord pour que je monte dans leur voiture mais je prenais toujours le car) ; mais elle avait une autre vie, à présent ; une vie dans laquelle elle se faisait ramener en voiture très tard le samedi soir, avec la musique à plein tube et les rires qui s'échappaient des fenêtres. Je le savais, car il m'arrivait de la regarder depuis ma chambre. Avant que j'aie eu le temps de lui demander pourquoi elle voulait passer la soirée du vendredi avec moi, Valerie s'est penchée vers moi, assez près pour que je sente l'odeur de son shampooing et de son haleine mentholée.

« Écoute, a-t-elle murmuré. Il y a une fête chez Pete Preston, ce soir. Je suis privée de sorties, mais je sais que ma mère me laissera aller chez toi. On dira à tes parents qu'on va au cinéma, et comme ça, on pourra aller toutes les deux à la fête ! »

J'ai senti mon cœur se serrer quand j'ai compris qu'elle se servait de moi. Et j'ai eu encore plus mal en me rendant compte que je ne refuserais pas, que j'étais prête à accepter n'importe quoi pour passer un peu de temps avec ma meilleure amie.

« Ça va être génial ! s'est-elle exclamée avec son dynamisme de pom-pom girl.

— D'accord », ai-je murmuré, tandis que M. Newsome claquait la porte, posait son cartable sur son bureau et criait : « Garde à vous ! » C'était sa façon de commencer les cours.

Val est retournée à sa place. J'ai ouvert mon sac à dos en soupirant. Dans mes moments les plus sombres – en plein milieu de la nuit, le plus souvent, lorsque je me réveillais avec la nausée, écœurée par tout ce que j'avais mangé –, je songeais que Val n'était gentille avec moi que parce qu'elle aimait passer pour une chic fille. « Tu es tellement loyale », lui disaient les autres pom-pom girls, et Val leur répondait : « Je connais Addie depuis longtemps. Je ne peux pas la laisser tomber comme ça, la pauvre. »

Ce soir-là, en revenant du baby-sitting, j'ai trouvé Val assise sur notre perron avec une trousse de maquillage en nylon sur les genoux au lieu d'un livre du *Club des cinq*, et un pot à confiture rempli de vodka dans la poche, là où, naguère, elle rangeait sa balle rouge rebondissante. Elle m'a maquillée et a choisi ma tenue : collants noirs ; jupe noire froissée qui s'arrêtait au-dessus du genou, body noir à col en U et veste en jean pardessus.

« Tu as une super poitrine, m'a-t-elle dit, en accrochant une de ses broches en diamant fantaisie sur le revers de ma veste.

— J'ai de gros seins, en tout cas, ai-je répondu en rougissant.

— Justement, c'est bien ! »

Nous avons dit au revoir à mes parents, et j'ai suivi Val dans la douce nuit d'automne qui sentait la fumée. Mais, une fois dans la rue de Pete Preston, je me suis arrêtée, la bouche sèche et les mains moites.

« Allez ! »

Val m'a prise par le bras et a essayé de m'entraîner de l'autre côté de la rue, mais j'étais plus forte qu'elle, et je ne pouvais pas bouger. Les jeunes entraient à flots chez les Preston. Toutes les lumières étaient allumées. J'entendais une chanson de Will Smith beuglée à travers les fenêtres. Val s'est mise à remuer les épaules en rythme, les yeux brillants.

« Je ne crois pas que ce soit une bonne idée.

— Mais si ! Ça va être super ! »

J'ai secoué la tête. Pete était le capitaine de l'équipe de football. Ses parents, en voyage à Londres pour le week-end, avaient décidé que leur fils était assez grand pour rester à la maison tout seul, avec les clés de la voiture et quarante dollars pour les repas et les imprévus. Pete, ravi, avait invité tous ses amis à faire la fête ; à présent, il semblait que la moitié du lycée était là.

« Je ne connais personne, ai-je protesté tandis qu'une bande de filles en Converse et cheveux gonflés passaient la porte en sautillant.

— Mais si. »

Val a pointé du doigt un groupe de garçons vêtus de vestes aux couleurs du lycée, qui riaient devant la maison.

« Tu vois ? »

J'ai regardé Dan Swansea qui tapait dans la main de l'un de ses coéquipiers avant d'entrer chez Pete.

« Tout va bien se passer, tu vas voir. »

À contrecœur, je l'ai laissée m'entraîner dans la maison, jusque dans la chaleur et le bruit de la cuisine bondée. Un tonnelet de bière en métal tout bosselé était installé sur la table, à côté d'une pile de verres en plastique bleu. Au bar, quatre garçons tout rouges sifflaient et riaient en tentant de faire tomber des pièces dans leurs verres d'une chiquenaude. Quelques filles papotaient derrière eux et applaudissaient chaque fois qu'une pièce atteignait son but. Nous sommes montées à l'étage pour poser nos manteaux sur un lit, avant de redescendre dans la cuisine, où je me suis glissée dans un coin.

« Tiens. »

Val m'a tendu un verre de bière. Elle portait une jupe courte rose, des collants blancs, et un tee-shirt de rugby rayé. Elle s'était fait une natte africaine et avait mis des boucles d'oreilles en or. Elle était tellement belle. J'ai eu un pincement au cœur, à la fois fière et mélancolique.

J'ai bu une gorgée en grimaçant. Je n'avais jamais goûté à la bière, et j'ai trouvé cela dégueulasse, insipide et amer.

« Allez, va dire bonjour à Dan », m'a encouragée Val.

J'ai secoué la tête. Je n'avais pas l'intention de dire bonjour à qui que ce soit. Ni de parler à quiconque, ni même de regarder les autres. Je me contenterais de rester dans mon coin, près de l'étagère sur laquelle Mme Preston avait rassemblé toute sa collection de figurines Hummel, en buvant ma bière et en attendant. Jamais je ne ferais le premier pas. Dans mes rêves, c'était Dan qui me remarquait d'abord. Cela pouvait encore arriver. Peut-être me verrait-il, debout dans mon coin. Peut-être ne se sentirait-il pas bien, ou se battrait-il, et moi, je m'occuperais de lui. Je poserais de la glace sur son nez, par exemple, et il me regarderait d'un air affaibli (affaibli, c'était bien, avais-je décidé ; pris de vertiges, encore mieux, et tombant dans les pommes puis se réveillant avec la tête sur mes genoux, le top). Il me regarderait en clignant des yeux, et bredouillerait : « Tu es belle. »

« Je reste là. Vas-y, toi.

— Bon. »

Elle s'est servi une autre bière avant de s'éloigner d'un pas assuré. J'ai posé mon verre à côté d'une bergère en porcelaine et fourré mes mains dans mes poches. Le temps a passé. Les garçons qui jouaient au jeu de la pièce sont devenus de plus en plus bruyants. Tandis que je les observais, l'un d'eux a attiré une des filles sur ses genoux.

« Ryan ! Ça va pas ? » s'est-elle écriée, avant qu'il la fasse taire d'un baiser. J'ai repris ma bière et je l'ai bue lentement, pour m'occuper les mains. Quand mon verre a été vide, j'ai passé vingt minutes à parcourir les deux mètres qui me séparaient du tonnelet, et je me suis resservie. « Ryan, ça va pas ! » ai-je murmuré dans ma barbe, avant de retourner dans mon coin. Puis, comme je n'avais plus rien à boire, je suis partie à la recherche de Valerie.

Elle n'était pas dans la salle à manger, où des garçons jouaient à un jeu consistant à chanter dans une langue qui ressemblait au français, tout en portant leurs verres ou leurs bouteilles à leurs bouches de plus en plus vite. Val ne se trouvait pas non plus dans la salle vidéo, pleine de fumée de cigarette. Il n'y avait personne dans le salon. Pete surveillait l'entrée avec une crosse de hockey.

« N'y pense même pas », a-t-il grogné quand j'ai essayé de regarder par-dessus son épaule. J'ai murmuré un « Pardon » et je me suis éloignée bien vite, avant qu'il demande ce que la grosse Addie faisait à sa fête.

J'ai traversé la buanderie et la cuisine, et je suis passée devant les toilettes, où quelqu'un était en train de vomir. Dans la salle vidéo, j'ai pris le plus gros livre que je pouvais trouver sur l'étagère – un recueil de nouvelles de Ray Bradbury –, je suis allée dans la véranda (une copie de la nôtre), et j'ai regardé l'heure sur la Swatch que j'avais achetée avec l'argent du baby-sitting. Vingt-deux heures quinze. Je donnais à Val jusqu'à vingt-trois heures, après quoi je rentrerais chez moi, avec ou sans elle.

À vingt-trois heures, furieuse, j'ai cherché Val partout dans la maison. Elle n'était nulle part. Alors que je sortais en laissant la porte claquer bruyamment derrière moi, j'ai entendu un rire familier et aperçu des cheveux blonds.

Dans le jardin, quatre garçons formaient un demi-cercle autour d'un arbre, les mains enfoncées dans les poches de leurs vestes quand ils ne tenaient pas une bouteille de bière. Valerie était assise par terre, adossée à l'arbre, en train de glousser. Un verre de bière s'était renversé à côté d'elle, et elle avait une cigarette allumée entre les doigts.

Je me suis frayé un passage entre les garçons jusqu'à mon amie.

« Val ? Qu'est-ce qui se passe ?

— On joue au jeu de la bouteille, a expliqué l'un des garçons.

— Laissez-la jouer, elle aussi », a demandé Val.

Sa voix avait quelque chose de drôle. On aurait dit le son d'une cassette sur un walkman qui n'a presque plus de piles.

L'un des garçons m'a regardée de haut en bas, avant de secouer la tête.

« On n'a pas besoin d'elle. »

J'ai avalé ma salive. Valerie essayait de se redresser. Elle avait roulé son tee-shirt vers le haut, exposant le bas de son ventre pâle. Dan Swansea s'est penché vers elle, et j'ai senti mon cœur se serrer. Est-ce qu'elle sortait avec lui ? Val s'est mise à rire, tandis que Dan s'approchait encore plus près en lui chuchotant quelque chose à l'oreille. J'ai cru que j'allais vomir. Val savait ce que je ressentais pour Dan ; c'était la seule à le savoir.

Sous mes yeux ébahis, elle a retiré son soutien-gorge rose à dentelles et l'a fourré dans sa poche.

« Oups », a-t-elle fait, avant de roter contre le dos de sa main.

« Val, je veux rentrer.

— Oh ! Je m'amuse bien. Pas toi ? »

Je l'ai dévisagée. Elle était complètement soûle.

« Pas vraiment, non.

— Écoute, tu n'as qu'à m'attendre à l'intérieur. Je viendrai te chercher quand on aura fini.

— D'accord. »

Mes joues me brûlaient, les mots « On n'a pas besoin d'elle » résonnaient encore dans ma tête. Bien sûr, qu'ils n'avaient pas besoin de moi. Je ne correspondais pas à ce que voulaient les garçons. Val, si.

« Juste un petit quart d'heure ! » a-t-elle crié.

Je n'ai pas répondu. Je suis montée chercher nos manteaux, puis je me suis assise sur le perron, le livre serré dans mes mains, et j'ai lu et relu la même page jusqu'à ce que les mots ne veuillent plus rien dire. Vingt-sept minutes plus tard, selon les aiguilles luminescentes de ma Swatch, j'ai senti la main de mon amie sur mon épaule.

« On y va. »

Je me suis levée et j'ai enfilé mon manteau. J'étais bien décidée à lui demander, dès que nous serions sorties de la maison, pourquoi elle avait pris la peine de m'emmener avec elle. J'étais bien décidée à lui dire que c'était la dernière fois qu'elle se servait de moi. J'étais bien décidée à... En me tournant vers Val, j'ai vu tout à coup son visage à la lumière de la lune. Ses cheveux étaient à moitié détachés. Elle avait les yeux rouges et bouffis, et des aiguilles de pin accrochées dans sa natte.

« Ça va ?

— Ça va », a-t-elle répondu d'une voix brisée.

Elle s'y est reprise à deux fois pour enfiler son manteau et remonter la fermeture Éclair, puis elle a enfoncé son bonnet en laine sur sa tête.

« Allons-y.

— Tu étais où ? »

Elle est restée tellement longtemps sans rien dire que je n'attendais même plus de réponse.

« Dans les bois. »

Nous avons parcouru plusieurs mètres avant que j'ose poser une autre question.

« Il s'est passé quelque chose ? »

Elle a eu un rire bref, s'est essuyé le nez avec le dos de la main. Je l'ai suivie dans le jardin des Bianco, puis nous avons grimpé le petit mur de pierre dans le champ qui s'étendait derrière Main Street. Nous approchions de chez nous.

« Est-ce que... ? »

Il fallait y aller prudemment, sinon elle risquait d'oublier contre qui elle était en colère, et elle s'en prendrait à moi.

« Est-ce que ça va ?

— Oui, je t'ai dit. »

Je ne savais pas trop quoi lui demander d'autre. J'ai repensé au cours d'éducation sexuelle, au livre *Qu'est-ce qui m'arrive ?* que ma mère m'avait offert.

« Dan et toi, vous avez... Hum. Est-ce qu'il a mis quelque chose ? Un préservatif ?

— Je lui ai dit non », a-t-elle murmuré d'une voix faible, chevrotante. J'ai vu qu'elle pleurait.

« Il m'a dit d'arrêter de jouer les allumeuses. Que je lui avais montré mes... »

Elle s'est essuyé les yeux, avant d'agiter la main devant sa poitrine.

« On jouait à Quatre Minutes au paradis. On s'embrassait juste, mais après il... il...

— C'était ta première fois ?

— Tu plaisantes ? Tu croyais que j'étais vierge ? »

Elle avait prononcé le mot comme s'il lui salissait la bouche.

« Eh bien... Non, bien sûr. »

Elle s'est encore tamponné les yeux en retenant un sanglot, et je me suis demandé s'il lui était venu à l'esprit que moi, j'étais encore vierge.

Soudain, j'ai eu l'impression que c'était elle l'enfant blessée et moi l'adulte responsable qui devait prendre les choses en main.

« Il faut qu'on le dise à quelqu'un », ai-je déclaré.
Elle a relevé brusquement la tête.
« Non ! Surtout pas !
— Si, Val, il le faut. Il t'a violée.
— Ce n'est pas ça.
— Si tu lui as dit non et s'il a continué, c'est exactement ça !
— Ce n'est pas ça, a-t-elle répété dans un murmure.
— Tu as bu beaucoup ? Tu as pris autre chose ?
— Non, seulement de la bière. Pas tant que ça. Quelques verres. Écoute, Addie, ça ira. Je vais bien. Ce qui s'est passé… ce n'est pas très important, et si on le dit à quelqu'un, tout le monde le saura.
— Mais il t'a violée, ai-je insisté.
— C'est ma faute. Je n'aurais pas dû partir avec lui. Je n'aurais pas dû jouer… Addie, je t'en prie. »
Elle m'a pris la main.
« Ne le dis à personne. Ça ira. Ce n'est pas grave. Vraiment.
— Il ne peut pas s'en tirer comme ça. »
À ce moment-là, j'ai senti la cape de la maturité tomber sur mes épaules et me donner un courage que je n'avais jamais eu.
« Je vais le dire à mes parents. Ils sauront…
— Non ! Ne dis rien ! S'il te plaît. »
Nous avons traversé le jardin de Mme Bass. Val courait presque, j'avais du mal à la suivre. Quand nous avons atteint Crescent Drive, Val est restée en bas de l'allée tandis que je montais jusqu'à la porte et que j'entrais dans mon salon chaleureux et éclairé. Ma mère était sur la véranda, avec son cahier et son thé. Mon père devait être au sous-sol – j'entendais quelque chose bourdonner, une perceuse ou une ponceuse. Jon faisait un puzzle dans la cuisine. J'ai attendu en inspirant les odeurs de chez moi que ma mère revienne au salon.

« Addie ? Ça va ? »

À travers la fenêtre, j'ai vu Valerie debout en bas de l'allée.

« Il est arrivé quelque chose à Valerie. » Je fais ça pour elle, ai-je songé alors que ma mère me regardait, attendant la suite. Je sais mieux qu'elle ce qu'il faut faire. Je sais ce dont elle a besoin.

38

Nous avons passé la nuit du samedi aux Quatre Saisons à Saint Louis. Le dimanche, nous nous sommes arrêtées au Ritz Carlton à Atlanta, dans le quartier de Buckhead. J'ai découvert que, pendant les années où l'on s'était perdues de vue, mon amie avait pris goût aux hôtels cinq étoiles.

« Laisse-moi parler », m'a-t-elle conseillé à Atlanta, après avoir remis le break aux voituriers, qui ont eu la politesse de ne pas grimacer en voyant la chose.

Je suis restée en retrait, m'attendant à une répétition du numéro de la veille ; je me demandais ce que le réceptionniste allait penser d'elle, avec son foulard à franges sur la tête, ses yeux cachés derrière d'énormes lunettes, et sa demi-douzaine de sacs de chez Saks et Neiman Marcus à la main. Il la prendrait certainement pour une femme riche qui venait de se faire faire un lifting. Et moi, je devais facilement passer pour son infirmière.

J'ai saisi quelques mots au vol tandis que Val parlait au réceptionniste, penchée vers lui, une main sur son avant-bras : « personnalité », « discrétion » et « payer en liquide », entre autres. Quelques instants plus tard, en échange d'une épaisse liasse de billets, on lui remettait la clé d'une chambre.

« En espérant que vous serez satisfaite, lui a dit le réceptionniste.

— Je suis facile à satisfaire », a répondu Val avec un grand sourire.

J'ai levé les yeux au ciel comme elle s'approchait de moi.

« J'ai réussi à obtenir une chambre sans carte bleue. J'ai signé sous le nom de Wendy Darling. »

Ses talons claquaient sur le sol de marbre.

« Waouh. De mieux en mieux. »

À Saint Louis, elle avait signé Fée Clochette.

Elle m'a fait un clin d'œil, avant de se diriger vers l'ascenseur avec ses sacs et d'appuyer sur le bouton du sixième étage. En croisant le chariot de la femme de chambre dans le couloir, elle a piqué une poignée de chocolats et deux bouteilles d'après-shampooing. Puis, une fois dans la chambre, elle s'est débarrassée de ses sacs et de ses chaussures, et s'est écroulée sur l'un des lits deux places.

Le samedi, nous avions roulé sans nous arrêter jusqu'à Saint Louis et passé l'après-midi dans un centre commercial luxueux : le Plaza Frontenac. Val, qui s'était élue gardienne de notre argent, avait acheté quelques produits « indispensables », dont une tunique Tory Burch brodée de perles, un soutien-gorge La Perla, un jean à deux cents dollars et une crème contour des yeux Chanel dont, avait-elle prétendu, elle ne pouvait se passer ne serait-ce qu'un soir. Pendant ce temps, j'avais dépensé trente dollars pour du déodorant, du fil dentaire et deux chemises de nuit en soldes chez Gap.

Nous avions dîné dans un restaurant du centre commercial, immense et bruyant, rempli de types en costume aux voix tonitruantes dont les notes de frais couvraient sans doute largement les quarante dollars que coûtait le moindre morceau de viande. J'avais pris une salade et du poisson grillé, comme d'habitude, pour compenser les donuts du matin. Le loup de mer s'est révélé délicieux, croustillant en surface et parfumé au gingembre et au lemon-grass à l'intérieur. Val avait commandé un steak d'un kilo, cuisson bleue, avec pommes de terre au four et épinards à la crème. Armée de sa fourchette et de son couteau, elle a tout dévoré, morceau par morceau. Je l'ai observée, impressionnée, tandis qu'elle me faisait l'historique de sa carrière : la petite chaîne de télévision dans la banlieue de L.A. où elle avait travaillé tout de suite après la fac, d'abord comme stagiaire, puis comme coursière, secrétaire et, enfin, présentatrice remplaçante du week-end ; la chaîne de taille moyenne à Lexington, dans le Kentucky, où elle s'était tapé la météo et son collègue présentateur. Après cela, elle avait fait des étapes à Dallas et à Boston avant de revenir à Chicago.

« Comment arrives-tu à manger tout ça ? » ai-je fini par lui demander.

Elle avait repoussé son assiette vide et, incapable de choisir entre le cheese-cake et la crème brûlée, avait commandé les deux.

« Oh, ben, ça ne m'arrive pas souvent.

— Ça ne t'arrive pas souvent de manger comme ça ?

— Non, de manger tout court, expliqua-t-elle. J'avale des boissons protéinées, et parfois de la soupe. Ah, et des sushis, aussi.

— C'est tout ?

— Des flocons d'avoine. »

Elle a soupiré.

« Avec du lait d'amande et des myrtilles. Et du saumon.

— Sur les flocons d'avoine ?

— Non, non, pour le déjeuner. Je me fais livrer mes repas.

— Parce que tu appelles ça des repas ?

— C'est la vie que j'ai choisie », a-t-elle répondu.

Son visage s'est éclairé quand elle a vu le serveur approcher avec les desserts.

« Tiens, à propos. Pourquoi la météo ? Je ne me rappelle pas que le temps t'intéressait particulièrement.

— Les infos, a-t-elle répliqué en enfournant du cheese-cake dans sa bouche. Tout le monde se fiche de la météo. C'est seulement un moyen d'arriver à mes fins. Ce qui m'intéresse, moi, c'est la place du présentateur. »

Je lui ai piqué une cuillerée de crème brûlée.

« Tu veux la place d'Austen Severson ?

— Il est vieux, a-t-elle répondu, sans cesser de manger. Il est vieux, et il est sur mon chemin. »

J'ai fait la moue. Austen Severson était une véritable institution à Chicago, un papy soigné aux cheveux argentés, avec des yeux bleus brillants et une attitude rassurante, qui présentait le journal depuis les années 1970.

« Il part à la retraite ? »

Elle a souri gentiment, en se tapotant les lèvres avec sa serviette.

« Bientôt. Mais il ne le sait pas encore. »

De retour dans la chambre d'hôtel, j'ai sorti les chemises de nuit de leur sac, j'en ai tendu une à Valerie, puis je suis allée dans la salle de bains pour me laver le visage, me brosser les dents et me changer. Quand je suis ressortie, Val était toujours allongée sur le lit, pieds nus, dans son nouveau jean et son tee-shirt dos nu en soie, en train d'admirer le plafond.

« Ça va ? »

Elle a acquiescé brièvement.

« Tu veux ta crème contour des yeux ? »

Elle a haussé les épaules.

« Un petit chocolat ? »

Je lui en ai lancé un, qu'elle a repoussé de la main.

« Il nous faudrait de l'herbe, a-t-elle dit sans quitter le plafond des yeux. Je vais voir avec les voituriers s'ils en ont. »

Je me suis assise en tailleur sur mon lit, m'enfonçant dans la couette moelleuse.

« Je crois qu'on ferait mieux d'éviter d'enfreindre encore la loi.

— Je t'ai déjà parlé du speech de ma mère sur la drogue ? »

J'ai fait signe que non.

« Un soir, Naomi m'a fait asseoir – on devait être en cinquième. Elle m'a regardée très sérieusement, et elle m'a dit : “Valerie, ne touche pas à la drogue. Ce n'est plus ce que c'était. À mon époque, au moins on savait ce qu'on achetait. Maintenant, leur shit, ils le coupent.”

— Elle t'a vraiment dit ça ?

— Cette bonne vieille Naomi. »

Val a déballé son chocolat et l'a fourré dans sa bouche.

« Une vraie maman poule.

— Qu'est-ce qu'elle est devenue ?

— Elle s'est remariée avec un mec plus jeune qu'elle, sans intérêt. Elle habite toujours Cleveland. »

Elle a secoué la tête, l'air dégoûté – par Naomi, par son nouveau beau-père ou par Cleveland, je ne pouvais le dire –, avant de rouler sur le côté.

« C'est marrant, on dirait une soirée pyjama. Hé, tu veux dévaliser le minibar ? »

Après tout, pourquoi pas ? J'avais rêvé de partir avec Vijay – il voyageait souvent pour participer à des conférences ou à des séminaires organisés par les compagnies pharmaceutiques, qui se tenaient généralement dans des hôtels au bord de la mer. Nous aurions pu aller dîner tous les deux, dans une ville où personne ne nous connaissait. Nous aurions pu nous tenir la main à table, et passer une nuit complète ensemble dans une chambre somptueuse.

« J'avais un petit ami », ai-je confié à Val, qui était accroupie devant le minibar.

Elle a relevé la tête et a agité une poignée de petites bouteilles devant moi.

« C'est vrai ? a-t-elle dit d'un air joyeux. Ah ! Je savais bien que ces sous-vêtements n'étaient pas là pour rien. C'est super !

— Il était marié, ai-je précisé.

— Oh. »

Val a réfléchi un instant.

« Et alors, ça t'a plu ?

— Oui. Au début. J'aimais bien être avec quelqu'un. Tu sais, regarder la télé avec lui, tout simplement, en lui tenant la main…

— C'est mignon. »

Elle m'a servi un verre.

« Ça me faisait de la peine pour sa femme, ai-je avoué, avant de tout boire d'un trait.

— Oui, c'est toujours le problème, dans ces cas-là. »

Elle a vidé une autre petite bouteille de vodka dans un verre rempli de glaçons, puis s'est assise sur son lit pour le boire.

« Hé, Val. »

La tête me tournait. Vin au dîner, vodka après, voilà bien longtemps que je n'avais pas autant bu. J'ai posé mon verre avec précaution.

« Qu'est-ce qui s'est passé, l'été où tu es partie pour la Californie ?

— Ah, oui. »

Elle a sorti un petit miroir de son sac à main, a farfouillé pour trouver du coton et une bouteille de crème pour le visage, et s'est mise à se démaquiller.

« Ce printemps-là, cette vieille Naomi avait un nouveau copain. Il traînait à la maison chaque fois que je rentrais du lycée, et Naomi s'est dit qu'il valait peut-être mieux que je parte quelque temps.

— Il t'a fait quelque chose ?

— Pas vraiment. »

Ses yeux restaient fixés sur le petit miroir qu'elle tenait devant elle.

« Il m'achetait des robes. Il voulait que je les porte. "Essaie celle-ci, enfile celle-là ; essaie la blanche, essaie la rose. Viens t'asseoir à côté de moi, ma belle." Tu sais, ce genre de conneries.

— Oh, Val. »

J'ai pensé que je devais peut-être essayer de lui toucher la main, ou le bras, mais elle était trop loin.

« Bref. »

Elle a refermé son miroir d'un coup sec et rangé son matériel dans son sac.

« Naomi a préféré que je dégage. Alors elle a réservé un vol, m'a mise dans l'avion, et seulement après elle a prévenu mon père que j'arrivais. »

J'avais la gorge serrée.

« Ton père a été content de te voir ?

— Ravi, a-t-elle répondu, amère. Quel cascadeur de quarante ans, dans la dèche et rabaissé au rang de responsable de la cantine sur le plateau ne voudrait pas d'une ado de seize ans chez lui pour l'été ? Il avait une petite copine, par contre. Shannon. Elle était sympa. Tu te souviens dans quel état étaient mes dents ?

— Elles étaient un peu de travers, ai-je répondu (c'était un euphémisme).

— Oui, enfin, c'était pire que ça. Je n'étais pas allée chez le dentiste depuis qu'on avait quitté la Californie.

— Naomi ne t'y emmenait jamais ? »

J'étais choquée.

Val a haussé les épaules.

« Shannon s'est occupée de moi. On m'a soigné mes caries et posé un appareil. Je suis allée chez le coiffeur, j'ai eu de nouveaux vêtements. Shannon ne plaisantait pas sur l'organisation. Elle avait deux enfants, deux petites filles. J'aurais voulu rester avec eux.

— Pourquoi ça ne s'est pas fait ?

— Il n'y avait pas de place pour moi. Ils vivaient dans un appartement avec seulement deux chambres, et les filles de Shannon avaient six et huit ans. Tout l'été, j'ai essayé de me rendre… indispensable. »

Elle avait insisté sur le mot.

« Je me levais tôt, je faisais la vaisselle, je vidais le lave-vaisselle, je balayais, j'habillais et je coiffais les filles, je leur préparais leur goûter… Je faisais tout. »

Elle a ramené ses cheveux derrière ses oreilles.

« Mais, en fait, je n'étais pas du tout indispensable. Ils m'ont mise dans le premier avion, la semaine où les filles sont rentrées à l'école. Naomi m'a amenée chez l'orthodontiste une ou deux fois. Et puis elle a commencé à sortir avec l'orthodontiste. Et puis ils ont rompu, et un soir où elle était bourrée, elle m'a dit qu'elle allait enlever mes bagues elle-même. Elle avait des tenailles, et tout. »

J'ai frissonné, tout en me demandant pourquoi je n'avais jamais rien su de tout cela, pourquoi je n'avais jamais rien deviné. Val a tendu la main entre nos lits pour me tapoter le bras.

« T'inquiète, c'est de l'histoire ancienne. Parlons un peu de toi ! Je suis sûre que tes parents seraient fiers de toi. Responsable, mince, tout ça.

— Oh… »

Je savais que c'était d'une superficialité révoltante, mais ça me faisait mal de penser qu'aucun de mes parents n'avait vécu assez longtemps pour me voir mince. Ou en train de mincir. Ni l'un ni l'autre ne saurait jamais rien de ma carrière, ni ne verrait comme la maison était belle ; ni l'un ni l'autre ne regarderait jamais ni mes cartes ni les mugs que j'avais peints, et ne penserait : Elle s'en est bien sortie.

« On devrait dormir », ai-je suggéré, avant de me mettre sur le dos et de fermer les yeux. En les rouvrant un peu plus tard, j'ai vu que Val était toujours assise sur son lit. Elle avait les genoux repliés contre sa poitrine, le menton posé dessus, le regard rivé sur la tapisserie rayée d'or.

« Qu'est-ce qui ne va pas ?

— Dan. »

Ah oui, ça.

« Écoute, il va peut-être refaire surface. Tu dis que tu ne l'as pas tapé trop fort, c'est ça ? Tu l'as peut-être juste assommé.

— Je ne parle pas de ce que je lui ai fait, a-t-elle dit avec impatience. Je parle de ce qu'il m'a fait, lui. »

Elle a tiré brusquement la couette sur elle et éteint la lumière, plongeant la chambre dans le noir.

« Est-ce que tu l'as dit à quelqu'un ? À ta mère ? »

Elle a eu un rire amer.

« Naomi ? Elle aurait sûrement été furieuse que Dan ne m'ait pas payé le dîner après. »

Elle a reniflé.

« Elle est sortie avec son père pendant un temps.

— Ta mère est sortie avec le père de Dan ? »

Encore une chose que je ne savais pas. J'ai repensé à ce que ma mère m'avait dit – que ça n'avait pas été facile pour Val – et je me suis demandé si elle en avait su plus que moi ; si elle avait été plus lucide concernant Naomi Adler, si elle avait vu au-delà de la beauté, du glamour et des virées improvisées.

Valerie parlait d'une voix faible.

« Les Swansea se sont séparés quelque temps pendant la première année de lycée. Il était concessionnaire automobile. Naomi m'a montré leur maison, une fois, un truc immense, avec un garage pour trois voitures. Je crois qu'elle avait des vues sur lui depuis longtemps.

— Oh, Val. »

La chambre est restée silencieuse un long moment ; j'ai cru que Val s'était endormie, jusqu'à ce qu'elle dise :

« J'en ai parlé à mon père, par contre. Je l'ai appelé. Je l'ai réveillé en pleine nuit. Je pensais que… »

Elle a poussé un petit soupir.

« Franchement, je ne sais pas ce que j'espérais. Qu'il sauterait dans le premier avion pour foutre une raclée à Dan Swansea, peut-être. Qu'il lui dirait : "Ça, c'est pour avoir fait du mal à ma petite fille."

— Si je comprends bien, ça ne s'est pas passé comme ça ? ai-je demandé, même si je connaissais déjà la réponse.

— Il m'a dit qu'il m'appellerait dans la matinée, quand je serais un peu calmée. J'ai attendu à côté du téléphone toute la journée. Il n'a jamais appelé. Pendant longtemps, j'ai fait en sorte de ne pas y penser. Ce n'était rien. Voilà ce que je me disais. Ce n'était rien. Mais c'était faux… »

Sa voix s'est brisée. Je crois qu'elle pleurait, et je ne savais pas quoi faire. Devais-je la prendre dans mes bras ? Lui dire quelque chose pour la consoler ? Ça faisait tellement longtemps qu'on ne m'avait pas confié de secret, tellement longtemps que personne à part Jon n'avait eu besoin de moi.

Avant que j'aie pu décider quoi que ce soit, Val s'est levée et s'est dirigée vers la salle de bains. Il y a eu un bref éclat de lumière tandis que la porte s'ouvrait et se refermait. Pauvre Val. Si j'avais été à sa place, si j'avais raconté cela à mon père, j'étais certaine qu'il aurait fait exactement ce que Val attendait du sien : il se serait débrouillé pour que le garçon soit puni.

Quelques minutes plus tard, Val est sortie de la salle de bains et a allumé la lumière. Elle s'était rafraîchi le visage, coiffé les cheveux, et elle portait sa chemise de nuit neuve, un modèle à manches longues en coton bleu marine.

« Hé, on est jumelles ! » s'est-elle exclamée en se glissant sous la couette.

Elle a ramassé un chocolat qui était tombé par terre et l'a fourré dans sa bouche. J'ai réfléchi à ce que je pouvais lui dire pour l'aider.

« Tu m'as manqué, tu sais. »

Lentement, elle a déballé un autre chocolat, et m'a parlé sans croiser mon regard.

« Même si j'ai été vraiment salope ? Même si j'ai menti à ton sujet ?

— Tout n'était pas faux. J'étais réellement amoureuse de Dan. »

Elle a encore eu un petit rire amer.

« Grossière erreur.

— Et puis, si tu avais accusé Dan, certaines pom-pom girls t'auraient sans doute laissée tomber.

— Tu peux dire toutes. »

Ma gorge s'est serrée.

« Je pensais qu'elles te laisseraient tomber, et que tu aurais à nouveau besoin de moi. »

Elle n'a rien dit pendant un moment. Quand elle s'est mise sur le côté, j'ai cru qu'elle allait éteindre la lumière, mais elle a tendu le bras pour me prendre la main.

« J'ai toujours eu besoin de toi. On est amies ? »

J'ai senti la chaleur de sa paume contre la mienne. C'était si bon d'avoir quelqu'un avec qui je pouvais rire, voyager, et rester… jusqu'à la fin, si c'était ce qui nous attendait.

« Amies », ai-je répondu.

TROISIÈME PARTIE

Des amies de toujours

39

« “Qui cache ses fautes ne réussira pas, qui les avoue et y renonce obtiendra miséricorde” », récita Merry.

Sa voix était rauque. De l'autre côté de la fenêtre, le soleil se levait : si l'esprit embrouillé de Dan ne se trompait pas, ce devait être dimanche matin. Ça faisait des heures qu'ils étaient là, à genoux sur le parquet, avec seulement une tasse de bouillon de poule en guise de repas, quelques heures de sommeil et une seule pause pipi (lorsque Dan avait trouvé le courage d'en demander une autre, elle lui avait lancé un regard sévère, avant d'entamer une nouvelle prière).

Il pressa une main contre son front, au bord du malaise. Quand Merry le regardait, quand elle lui parlait de ses péchés, du mal qu'il avait fait à Addie et à Val, elle n'avait pas l'air en colère, elle avait l'air... Il secoua la tête. Peu importe de quoi elle avait l'air. Il fallait qu'il se tire d'ici.

« Écoute, Merry, dit-il d'une voix aussi éraillée que la sienne. J'ai un ami. »

Elle le dévisagea, impassible.

« Chip Mason, tu te souviens de lui ?

— Encore un mécréant. “Mais quiconque blasphème contre l'Esprit saint n'obtiendra jamais de pardon : il est coupable d'un péché éternel.”

— Il a changé, insista Dan, incapable de contrôler la note de désespoir qui perçait dans sa voix. Si j'ai fait quelque chose de mal, et je ne dis pas que c'est le cas…

— "Et ce jour-là, continua Merry en haussant le ton, le Seigneur fera rendre des comptes en haut à l'armée d'en haut, et sur la terre aux rois de la terre."

— Je veux parler à Chip, demanda Dan, la tête baissée. Il est prêtre, maintenant. Je veux me racheter. »

Elle se tut enfin, puis le regarda, les lèvres pincées, attendant la suite.

« Je veux aller dans mon église. Dans l'église de Chip. »

Il retint son souffle tandis que les secondes s'écoulaient, interminables, jusqu'à ce qu'elle accepte enfin d'un bref signe de tête. Elle lui tendit des vêtements qui devaient appartenir à son père – un pantalon en toile informe et usé, une chemise en tissu écossais qui sentait la naphtaline, et une vieille paire de bottes en caoutchouc qui lui serraient les orteils – et le conduisit dehors jusqu'à un monospace constellé d'autocollants SI VOUS AIMEZ LE SEIGNEUR, KLAXONNEZ. *Elle attendit qu'il ait attaché sa ceinture, puis démarra dans le soleil levant.*

40

À trente ans, j'avais dû atteindre les cent cinquante kilos. Ce n'était qu'une estimation. Je ne me pesais jamais, et je n'allais jamais chez le médecin – pour tout dire, je sortais rarement de chez moi. En 2004, on pouvait acheter à peu près tout (vêtements, produits d'épicerie, brosses à dents et fil dentaire, chocolats, fournitures artistiques) sur Internet. Ajoutez à cela les pizzas et les plats chinois, sans parler du pressing qui collectait et livrait à domicile, et les semaines pouvaient passer sans que je dépasse le bout de mon allée, sauf quand j'allais rendre visite à Jon.

Généralement, j'étais heureuse chez moi, où je passais mes journées à lire et à travailler, à jouer au Scrabble en ligne et à nourrir le petit chat noir qui se présentait parfois à ma porte. Mais, de temps en temps, ça me démangeait. J'avais envie d'essayer un nouveau parfum, de feuilleter des livres dans une librairie, de tenir leurs couvertures entre mes mains, de les ouvrir, de sentir l'odeur du papier. J'avais envie de me rendre au magasin de loisirs créatifs et de toucher les pinceaux, ou de m'asseoir dans un café ou un restaurant, d'écouter les conversations des gens, de voir des visages différents ; bref, de me mêler aux autres.

Un matin d'hiver, je me suis retrouvée au bureau de poste. Je pouvais commander mes timbres en ligne et planifier l'enlèvement de mes travaux par FedEx, mais il y avait une guichetière que j'aimais bien – elle se souvenait de mon prénom, et je lui demandais des nouvelles de ses petits-enfants et de ses vacances. Alors que je rejoignais ma voiture, marchant prudemment sur le trottoir couvert de neige fondue dans le petit centre-ville de Pleasant Ridge, je me suis arrêtée devant un restaurant avec, dans sa vitrine, une enseigne au néon indiquant : TARTE AUX POMMES TIÈDE. Clouée sur place, je suis restée là à regarder les mots s'allumer l'un après l'autre : TARTE… AUX… POMMES… TIÈDE. Une part de tarte aux pommes tiède, avec, peut-être, une boule de glace et un petit café, voilà qui semblait idéal par ce temps froid et couvert.

L'employée m'a regardée d'un air dubitatif, avant de me conduire jusqu'à un box. Car ils n'avaient que des box, hormis les chaises tournantes boulonnées au sol devant le long comptoir en courbe, sur lesquelles je savais pertinemment que je ne tiendrais pas.

J'ai retenu mon souffle, rentré le ventre, et je me suis glissée sur le banc. La serveuse a posé un menu devant moi et s'est éloignée bien vite. J'avais fait une erreur en venant ici, je le savais, avant même que le petit garçon assis dans le box devant moi se retourne pour me regarder. Je lui ai fait coucou. Ignorant mon geste amical, il s'est penché vers sa mère et lui a chuchoté très fort :

« Pourquoi elle est si grosse, la dame ?

— Parce qu'elle doit manger beaucoup trop de cochonneries », a répondu sa mère, sans même prendre la peine de baisser la voix.

J'ai rougi comme une pivoine.

Le temps que la serveuse arrive, j'avais abandonné l'idée de la part de tarte – j'avais trop honte pour la commander et la manger devant la maman-juge, et le bord de la table me cisaillait douloureusement le ventre. J'ai demandé un bol de soupe, que j'ai avalé le plus vite possible en me brûlant la bouche au passage ; j'ai posé un billet de dix dollars sur la table, et j'ai voulu m'enfuir… sauf que je n'ai pas pu. J'étais coincée.

Les mains appuyées sur la table, j'ai inspiré profondément et poussé le plus fort possible en tortillant des fesses. Sans résultat. J'ai réessayé, laissant échapper un petit cri. Toujours rien.

« Maman, a dit le gamin, la bouche pleine de frites à moitié mâchées (ce sale môme s'était retourné et mis à genoux sur le banc pour pouvoir profiter du spectacle), elle est coincée, la dame ? »

La serveuse s'est approchée.

« Tout va bien ?

— Ça va. »

Je transpirais à grosses gouttes et j'étais rouge de honte.

« Ça va », ai-je répété, tout en inspirant et en poussant.

Et quand, Dieu merci, j'ai enfin senti que je glissais progressivement vers la gauche, vers la liberté, un seul mot s'est élevé dans mon esprit, un mot qui aurait pu être écrit en lettres de trois mètres de haut aspergées d'essence et enflammées : ASSEZ. J'en avais ASSEZ.

Je suis sortie du restaurant la tête baissée et me suis hâtée vers ma voiture. Une fois chez moi, je me suis emparée d'un sac-poubelle, puis, avant de changer d'avis, j'y ai fourré toutes les cochonneries que je trouvais dans la maison : les chips, les gâteaux et les bonbons, les coupelles de pudding et les tartes surgelées, les boîtes de muffins et de brownies, les chocolats de la Saint-Valentin, les paquets de biscuits et de roulés à la cannelle prêts à cuire. J'ai rempli un sac, puis deux, je les ai mis dans le coffre de ma voiture et les ai portés à la décharge. Puis je suis allée voir le Dr Shoup, l'oncologue qui avait soigné ma mère douze ans plus tôt, le seul médecin que je connaissais.

J'ai expliqué à la secrétaire que je n'avais pas de rendez-vous, mais que j'avais besoin de voir le médecin au plus vite. Je me suis assise dans la salle d'attente en tenant un numéro de *Good Housekeeping* ouvert devant moi pour cacher mes larmes aux autres patientes, des dames portant des perruques ou des foulards, songeant qu'elles risquaient de penser que j'avais la même chose qu'elles.

Le Dr Shoup n'a montré aucun signe de surprise. Elle n'a pas cillé quand elle m'a vue pour la première fois depuis plus de dix ans, et ses mains n'ont pas tremblé tandis qu'elle prenait ma tension et écoutait mon cœur.

« Il n'y a pas de secret pour perdre du poids, m'a-t-elle dit. Brûlez plus de calories que vous n'en consommez, et vous pouvez espérer perdre cinq cents grammes ou un kilo par semaine. »

Le Dr Shoup m'a prescrit un régime à mille deux cents calories par jour, une pilule censée calmer mon appétit, et, comme je lui avais parlé de mes problèmes de sommeil, des somnifères.

Elle m'a souhaité bonne chance et m'a renvoyée chez moi.

Dès le lendemain, j'ai commencé mon régime, un mélange de tous ceux que j'avais pu croiser dans les magazines féminins. Au petit déjeuner, je prenais deux œufs pochés, une tranche de pain aux céréales et de l'eau. Au déjeuner, une grosse salade avec des choux de Bruxelles et des haricots, un filet d'huile d'olive et cent vingt grammes de saumon ou de poulet. Pour le goûter, des myrtilles, des amandes et un bâtonnet de fromage. Au dîner, cent vingt grammes de viande blanche ou de poisson et un bol de brocolis ou d'épinards, avec un peu de riz complet ou une demi-pomme de terre. Et en dessert, j'avalais suffisamment de somnifères pour m'assommer jusqu'au lendemain matin. Ma volonté n'excédait pas douze heures. Mes journées ne pouvaient pas durer plus longtemps.

Ç'a été brutal. Certains soirs, je restais allongée, au bord des larmes, en attendant que les comprimés fassent effet, et je voyais des muffins à la farine de maïs avec du beurre fondu et du miel, du poulet frit à la peau croustillante, du chili avec une cuillerée de crème fraîche et des oignons émincés par-dessus. Du quatre-quarts, des fraisiers, des forêts-noires, de la glace, des biscotti, des biscuits et des chaussons, du pop-corn au caramel et de la tarte aux pommes tiède, autant de choses que je ne pourrais sans doute plus jamais manger.

En huit mois, je suis passée de grosse à faire peur à normalement grosse ; j'ai pu enfin rentrer dans les vêtements du rayon grandes tailles, au lieu d'être obligée de tout commander sur Internet. J'ai pu enfin me promener dans la rue sans avoir l'impression que tout le monde me regardait et que j'allais m'effondrer à cause de l'effort. J'ai pu lacer mes chaussures sans transpirer. J'ai pu porter à nouveau des pantalons avec des boutons et des fermetures Éclair.

« Vous êtes superbe ! me disaient des gens à qui je n'avais jamais adressé la parole, des gens qui m'avaient remarquée sans que je m'en rende compte. Qu'est-ce que vous avez fait ?

— Rien de particulier, répondais-je. Un régime. »

Et dans ma tête, je me disais : J'ai souffert. Voilà ce que j'avais fait.

« Bravo, m'a dit le Dr Shoup lorsque je suis retournée la voir pour faire le point. On pourra envisager une lipo abdominale quand votre poids se sera vraiment stabilisé. »

Elle m'a observée froidement de la tête aux pieds.

« Vous devriez faire de l'exercice, pour tonifier un peu tout ça. Trouvez un sport qui vous plaise. »

Je l'ai dévisagée. Si un sport m'avait plu, serais-je devenue aussi grosse ?

« Essayez de trouver quelque chose que vous pouvez supporter, a-t-elle ajouté en voyant ma tête. Et faites-le au moins trente minutes, cinq fois par semaine.

— Le sexe, ça compte ? »

Ah ! Comme si j'étais concernée.

« N'importe quoi, pourvu que votre cœur travaille (le second degré, ce n'était pas son truc). Commencez peut-être par quelque chose de doux. La marche, ou la natation. »

Je suis rentrée chez moi en pensant à ma mère, à l'image que j'avais d'elle adolescente, en train de traverser le lac à la nage avec la flèche de mon père à la main. J'ai commandé un maillot de bain en ligne, un modèle une pièce violet foncé d'une enseigne spécialisée dans « la vie active des femmes rondes ». Le matin où j'ai reçu le maillot de bain, je l'ai fourré dans un sac avec une serviette de plage et je suis allée dans un club de remise en forme luxueux devant lequel je passais lorsque j'allais voir mon frère. Là, je me suis laissé embobiner par une fille d'à peine vingt-deux ans et à peu près aussi grosse que ma cuisse droite, qui m'a convaincue de prendre un abonnement d'un an. Ma carte de membre privilégié me donnait droit, a-t-elle dit en gardant les yeux fixés sur le mur derrière moi, à une séance avec un entraîneur personnel, à un accès gratuit aux serviettes, et à une réduction de cinquante pour cent sur les jus de fruits vendus au bar.

« Nous vous proposons également une analyse corporelle gratuite », a-t-elle ajouté.

En plus d'être petite, elle était très bronzée, presque trop. On aurait dit une mandarine avec une queue-de-cheval.

« C'est quoi, ça ?

— On mesure la taille, le poids, le pourcentage de graisses dans le corps…

— Non merci, ai-je répondu avec empressement.

— … et ensuite vous courez sur le tapis roulant pendant douze minutes… »

Elle m'a regardée.

« Ou vous marchez. Peu importe. On enchaîne avec un test d'abdominaux, un test de souplesse, et on entre toutes les données dans un ordinateur…

— Non merci, vraiment ! »

J'étais absolument certaine d'être incapable de faire un seul abdo, même si ma vie en dépendait. Et que me dirait l'ordinateur, une fois qu'il aurait reçu les informations ? Que je devais des excuses au tapis roulant, sans doute. J'ai jeté un coup d'œil à travers les baies vitrées, vers la piscine olympique. Il y avait trois nageurs, un homme et deux femmes, tous en bonnet de bain et lunettes. Je n'en avais pas.

« Est-ce que vous vendez des équipements de natation ? ai-je demandé à la petite mandarine.

— Oh, euh… non. »

Elle avait l'air gênée. J'imagine qu'elle n'avait jamais vu quelqu'un d'aussi gros que moi. Les gens de mon format devaient être assez rares au pays des haltères, des steppers et des cours de Yogalates. J'ai eu envie de lui dire qu'il ne fallait pas s'inquiéter, que je n'allais rien casser et que je ne mangerais personne, mais j'ai préféré ne pas accroître son malaise.

Je me suis extirpée tant bien que mal du petit fauteuil en mousse et métal en face de son bureau.

« À quel moment y a-t-il le plus de monde à la piscine ?

— Le matin. On a vraiment beaucoup de clients quand on ouvre, à six heures, et ça dure jusqu'à huit heures. Ensuite, ça recommence entre midi et deux, et c'est pire après seize ou dix-sept heures.

— Et à dix heures du matin ?

— Il n'y a presque personne. »

Je l'ai remerciée, avant de me diriger vers les vestiaires. Dans les miroirs impitoyables à trois faces, avec mon maillot de bain violet et ma chair flasque et blanche partout autour, je ressemblais de manière troublante à

Barney le dinosaure, même si j'avais maigri. Oh, tant pis, me suis-je dit, et je suis passée sous la douche avant de m'enfoncer dans l'atmosphère humide et chlorée de la piscine.

Les deux femmes étaient parties. Il ne restait qu'un homme aux cheveux argentés et à lunettes noires qui nageait le crawl dans la ligne la plus proche des baies vitrées. J'ai trempé un orteil dans l'eau, qui était aussi chaude qu'un bain, puis j'ai descendu les marches de l'échelle pour me glisser peu à peu dans le petit bassin, en m'agrippant à la rampe en métal. J'étais terrifiée à l'idée de glisser, de tomber, de me cogner la tête et de me noyer, et que ma mort soit annoncée dans la rubrique « Insolite » : UNE FEMME-PAQUEBOT SE NOIE LORS DE SON VOYAGE INAUGURAL.

J'ai fait quelques pas, avant de me laisser flotter sur le ventre. Puis, plongeant mon visage dans l'eau comme on me l'avait appris jadis en cours de natation, j'ai tendu les bras devant moi et écarté la surface de l'eau comme s'il s'agissait d'un rideau. Cela faisait des années que je n'avais pas nagé, mais j'espérais que cela reviendrait vite, comme le vélo.

Les pieds contre le bord, je me suis propulsée doucement et j'ai osé quelques mouvements de brasse en direction du bord opposé, cinquante mètres plus loin. Je pensais m'en tenir à deux longueurs, mais je me sentais bien, et sans m'en rendre compte, mes doigts touchaient déjà le mur du côté le plus profond. Je me suis retournée, j'ai poussé sur mes pieds, et nagé lentement jusqu'à l'autre bout. Là, j'ai jeté un coup d'œil sur l'horloge. L'aller-retour ne m'avait pris que trois minutes. Alors j'ai recommencé. Comme le chlore me piquait les yeux, j'ai gardé cette fois-ci la tête hors de l'eau. Toutes les quatre longueurs, je vérifiais l'heure, et bientôt vingt minutes s'étaient déjà écoulées.

Je n'avais pas conscience de l'effort que je venais de produire avant de me hisser hors de l'eau et de sentir trembler les muscles de mes cuisses et de mes mollets.

« C'est plus dur qu'on ne le croit, n'est-ce pas ? »

L'homme de l'autre ligne s'essuyait au bord du bassin. Il avait les épaules larges et le torse puissant, la peau brune et la poitrine recouverte de poils argentés assortis à ses cheveux gris coupés très courts. J'ai acquiescé, à bout de souffle, certaine que mes joues étaient rouges et que je dégoulinais autant de sueur que d'eau. Je me suis tamponné le visage avec la petite serviette que j'avais prise en rejoignant le bassin, en regrettant d'avoir laissé la mienne, beaucoup plus grande, dans mon casier, en regrettant aussi de haleter comme un vieux chien asthmatique.

« Bonne journée », m'a dit le type, et j'ai réussi à lui répondre : « Vous aussi », avant de retourner aux vestiaires d'un pas chancelant et de m'écrouler sur le banc en face de mon casier, où je suis restée jusqu'à ce que je puisse respirer normalement et tenir sur mes jambes.

Je suis retournée à la piscine tous les jours, du lundi au vendredi. J'y serais bien allée le week-end aussi, mais elle était envahie de gamins, ou réservée au cours d'aquagym, des femmes de soixante-dix ans et plus dont on voyait les bonnets de bain danser de façon distinguée à la surface de l'eau. À chaque séance, j'essayais de nager plus longtemps ou plus vite.

Après huit semaines à ce régime, mon maillot de bain Barney flottait autour de mes hanches. J'en ai commandé un autre plus petit et noir, en songeant que cette fois-ci je serais Orca la baleine tueuse, au lieu d'un gentil dinosaure.

« Un nouveau maillot ! » s'est exclamé le type de la ligne d'à côté.

Il m'a adressé un grand sourire d'approbation, découvrant ses dents très légèrement tachées et de travers.

« Vous êtes en train de fondre. »

Son accent découpait chacun de ses mots avec précision. Je l'ai observé tandis qu'il se passait les mains dans les cheveux pour en chasser l'eau, et se frottait les bras et les jambes sans la moindre gêne avec sa serviette. J'ai acquiescé et ramassé la mienne.

« Voulez-vous prendre un jus de fruits avec moi ? » a-t-il demandé.

J'ai été tellement surprise que je n'ai pas su comment lui dire non, ou comment lui faire croire que j'avais autre chose à faire.

Vingt minutes plus tard, j'étais assise au bar avec un smoothie et l'homme aux cheveux d'argent en face de moi. Il s'appelait Vijay. Il a glissé une carte sur la table : Vijay Kapoor, docteur en médecine.

« Vous êtes médecin ?

— À la retraite. »

Il roulait les *r*. J'imaginais sa langue vibrant légèrement contre son palais.

« Maintenant, je fais un peu de conseil pour l'industrie pharmaceutique. Je fais quelques remplacements, ici et là, pour m'occuper. Et vous ? »

Cela faisait tellement longtemps que je n'avais pas eu de conversation de ce genre, avec quelqu'un qui n'était pas payé pour me parler, prendre mes antécédents médicaux ou mes informations bancaires, me donner mes ordonnances, mon latte ou mes timbres…

« Je peins des illustrations pour des cartes de vœux. »

Il a souri gentiment.

« Et comment vous appelez-vous ? »

Je suis devenue toute rouge.

« Addie Downs. »

On a discuté un bon moment. Je lui ai dit où je vivais, lui ai raconté plus en détail ce que je faisais, et comment j'en étais arrivée à nager.

« J'ai perdu du poids, ai-je expliqué. J'essaie juste de me tonifier un peu. »

Il s'est contenté de hausser les sourcils. J'ai songé, gênée, qu'il essayait peut-être d'imaginer à quel point j'avais été grosse avant de perdre du poids.

« Vous êtes bien, comme ça », m'a-t-il assuré. J'ai encore rougi.

« Et vous ? »

Il m'a confié qu'il avait cinquante-neuf ans (je lui en donnais moins), qu'il était marié et père de deux grands garçons. Sa femme et lui vivaient dans une grande maison à Evanston. Elle était bénévole dans des associations caritatives et enseignait gratuitement à l'Art Institute. Lui s'occupait en travaillant à mi-temps, en conseillant les entreprises pharmaceutiques et en donnant quelques conférences pour les étudiants en médecine.

« Ma vie n'est pas si mal, a-t-il conclu en regardant sa montre, un disque d'or qui brillait contre sa peau dorée. On se revoit demain ? »

J'ai acquiescé timidement, comme une collégienne trop grosse dans son survêtement. Nous étions amis. Il était assez vieux pour être mon père, et il avait une femme, alors que pouvais-je espérer d'autre ?

Vijay était toujours là lorsque j'arrivais. Il sortait la tête de l'eau et levait la main. « Bonjour, Addie ! » lançait-il tandis que je m'enfonçais le plus gracieusement possible dans le bassin pour rejoindre la ligne voisine de la sienne. Au début, il allait toujours plus vite que moi, mais au bout d'un moment j'ai été capable de suivre son rythme. Nos doigts touchaient le mur en même temps. On relevait la tête, on inspirait, on replongeait sous l'eau et on repartait.

Ensuite, il m'aidait à sortir de l'eau en me tendant sa main carrée, et me donnait ma serviette. Je prenais ma douche, me changeais et le rejoignais au bar à jus de fruits, à la table que je commençais à considérer comme la nôtre.

Nous discutions de tout et de rien : des élections, du temps, d'une série télé se déroulant dans un hôpital à laquelle nous étions tous les deux accros, même s'il disait que les erreurs techniques lui hérissaient le poil et que la série entraînerait un « afflux d'imbéciles » en fac de médecine. Il m'a questionnée sur ma famille. Je lui ai parlé de mon frère, et il m'a écoutée avec attention, puis m'a posé des questions sur l'emplacement de la blessure de Jon et l'efficacité de son traitement.

« Et papa et maman ? »

J'ai cligné des yeux, surprise de l'entendre prononcer ces mots.

« Oh, ils sont morts quand j'étais adolescente. Mon père a fait une rupture d'anévrisme, et ma mère a eu un cancer du sein.

— Vous êtes donc orpheline. »

J'ai failli éclater de rire – ce terme paraissait tellement étrange, comme sorti d'un roman de Dickens, ou de cette chanson que j'avais entendu Emmylou Harris chanter.

« Je suis désolé », a murmuré Vijay en posant brièvement sa main sur la mienne.

Le soir, dans mon lit, je me suis remémoré tous les détails : la forme de ses pieds nus sur les carreaux de la piscine, son inclination de tête lorsqu'il me posait une question, la saillie agressive de son nez, ses dents un peu de travers qui le rendaient si charmant. Je savais que c'était ridicule, que je n'étais pour lui qu'une amie, quelqu'un qu'il voyait à la piscine, un compagnon de nage qu'il considérait à peine comme une femme.

Sauf que ce n'était pas vrai. Quand j'ai commencé à flotter dans mon maillot de bain noir, j'en ai commandé un nouveau. Plus je maigrissais, plus j'avais le choix dans les coupes et les couleurs. J'ai finalement opté pour une variante de mon maillot habituel, bien confortable, sauf que cette fois-ci j'ai choisi le modèle « framboise vif », en imaginant comme le visage de Vijay pourrait s'éclairer lorsqu'il me verrait.

Je ne m'étais pas trompée.

« Addie, a-t-il chantonné en me voyant arriver. Comme c'est joli ! »

Je lui ai souri modestement, j'ai fait un petit tour sur moi-même comme dans un défilé, avant d'entrer bien vite dans l'eau en enfonçant mon bonnet sur mes oreilles. Une heure plus tard, alors que nous discutions à la table du bar à jus de fruits, il s'est mis à me parler de ses fils.

« De vrais petits Américains », a-t-il confié d'une voix où pointaient à la fois la fierté et le regret.

Le premier avait obtenu un MBA, l'autre était en fac de médecine. Celui avec le MBA vivait au Texas, où il était marié et père d'un petit bébé ; l'autre était fiancé. Puis Vijay m'a parlé de sa femme, qui s'appelait Chitra. Leur mariage avait été arrangé, et célébré à Londres. Vijay l'avait rencontrée la veille de la cérémonie, et cela faisait quarante-deux ans qu'ils vivaient ensemble.

« Nous sommes perdus dans cette grande maison comme les deux derniers petits pois d'une boîte, m'a-t-il dit. Il n'y a plus de passion, plus de liens. Nous sommes comme des colocataires, deux personnes qui vivent l'une à côté de l'autre. »

Alors même que j'acquiesçais et que je souriais pour marquer ma sympathie, je savais qu'il ne faisait que me chanter la chanson de tous les maris infidèles : « Ma femme ne me comprend pas, mais toi, oh, toi… » Pourtant, je ne pouvais m'empêcher de me sentir pousser des ailes, ni ignorer la façon dont j'avais frissonné lorsqu'il avait posé la main sur la mienne. Alors que je retenais mon souffle, il m'a caressé la joue du bout du doigt.

« Addie, a-t-il murmuré. Sais-tu que tu es ravissante ? »

Il m'a emmenée dans un hôtel du centre-ville, pas trop cher, pas trop miteux non plus. Assise sur le lit, tandis que je le regardais retirer sa ceinture, ses chaussures, puis son alliance, j'ai songé que je n'étais pas mieux que la mère de Valerie, pas mieux que n'importe quelle femme qui se rendait complice d'un adultère. Il a des enfants, ai-je pensé pendant qu'il m'embrassait, sa peau légèrement parfumée au chlore. Je voyais notre reflet dans la glace au-dessus de la commode, son corps d'homme mûr, son petit ventre que toutes les longueurs n'avaient pu éliminer, les disques pourpres de ses tétons, les poils argentés de son torse. Ses mains paraissaient minuscules sur la vaste étendue blanche de mon dos, son corps semblait petit et compact à côté du mien. J'ai senti l'éternel dégoût de moi-même m'envahir et j'ai fermé les yeux pour m'obliger à ne pas voir, à ne pas penser, seulement ressentir, en me disant que je méritais bien un peu de bonheur ; après tout ce que j'avais enduré, je méritais un peu de douceur, même si cela ne devait durer qu'un après-midi, dans une chambre d'hôtel qui sentait le tabac froid et la javel, même avec le mari d'une autre.

Ses lèvres ont effleuré mon front, ma joue. J'ai frissonné. J'ai serré mes jambes l'une contre l'autre tandis qu'il me caressait, me chuchotait des choses à l'oreille, traçait des cercles du bout des doigts sur mes seins et mon ventre.

« Imagine que nous sommes dans l'eau », a-t-il murmuré en passant sa main sur mon sexe.

J'ai senti mes hanches se soulever, comme portées sur le haut d'une vague, mes cuisses serrées et tremblantes alors qu'il se penchait au-dessus de ma poitrine. Ça m'a fait un peu mal quand il s'est glissé en moi, mais je n'ai pas saigné, et Vijay n'a pas semblé remarquer que je retenais soudain mon souffle, ni que je m'étais mise à pleurer, à cause de la douleur et de la joie tout aussi intense. Pour la première fois j'avais l'impression d'être unie à quelqu'un, entièrement connectée. Je n'étais plus seule.

Je pensais à lui lorsque je me réveillais le matin. Le soir, je me souvenais de ses paroles, de la façon dont il avait refermé sa main sur la mienne pour me montrer comment le toucher. Je me sentais légère comme l'air. Pour la première fois de ma vie, j'oubliais de manger. Quand nous étions ensemble, je gravais tous les détails dans ma mémoire, ses gestes, ses expressions, ses mots, et je me les repassais à loisir quand j'étais seule et qu'il était avec Chitra. Je me laissais aller à imaginer une vie avec lui, je nous voyais rentrant tous les deux chez moi après la piscine, déjeunant ensemble dans la cuisine, ou marchant côte à côte dans la fraîcheur d'un soir d'été.

Vijay ne m'a jamais menti ni donné de faux espoirs. Pourtant, je ne pouvais m'empêcher de croire, chaque jour un peu plus, qu'il était en train de tomber amoureux de moi, qu'il quitterait sa femme pour moi, que nous aurions une vie ensemble.

Si cela devait arriver, certains changements s'imposaient. Ma maison lui semblerait bien misérable comparée à l'hôtel particulier avec ses huit chambres que Chitra et lui avaient acheté douze ans plus tôt (comment faisaient les amoureux éperdus avant Internet ? me suis-je demandé alors que je regardais les plans des rues, dénichais le prix de vente de la maison et téléchargeais des images satellite sur Google Earth). En observant les pièces dans lesquelles j'avais passé presque toute ma vie, j'ai vu tout ce qui n'allait pas : le linoléum élimé et grisâtre, la moquette tellement usée qu'on distinguait le parquet au-dessous par endroits, la peinture écaillée et la cuvette des toilettes rayée, le rhododendron difforme à côté de la porte d'entrée…

J'ai commencé doucement, en épluchant des magazines de décoration : *Cuisine et salle de bains, Style cottage, Maison métropolitaine, Mode campagne*, en me disant que je choisirais ce qu'il y avait de meilleur dans chacun de ces univers. Après quelques semaines de réflexion, j'ai commandé un nouveau carrelage pour la cuisine, de gros carreaux couleur caramel vernissés à la main, importés du Mexique, et une crédence carrelée aux motifs d'azur, d'or et de prune.

Tous les jours, je réparais, j'achetais, j'arrangeais quelque chose, en imaginant chaque fois la réaction de Vijay lorsqu'il entrerait dans une petite maison aussi douce et confortable. (Il s'était souvent plaint de l'extravagance de sa propre demeure, ce trophée que Chitra l'avait poussé à acheter, avec son vestibule sur deux étages, ses salles de bains pour lui et pour elle, et ces pièces dont Vijay prétendait qu'il ne comprenait même pas l'usage. (« Un vestiaire ? On est au gymnase, ou quoi ? »)

À l'extérieur de ma petite maison, les paysagistes ont planté des rosiers, des belles-de-jour et des bignones qui fleurissaient en abondance, et s'enroulaient autour des nouvelles rampes en fer forgé et du cadre treillissé que j'avais construit au-dessus de la porte d'entrée. En m'inspirant d'une photo que j'avais vue sur un magazine, j'ai fixé de nouveaux volets gris perle et fait repeindre la maison d'un blanc teinté de jaune que le catalogue appelait « sable ». J'ai arraché la vieille moquette et fait remettre en état le plancher en chêne d'origine ; j'ai peint les murs dans des tons qui portaient les noms d'aliments auxquels je n'avais plus droit : crème, vanille et miel. J'ai dessiné des plans pour refaire la cuisine, pour fusionner le salon et la salle à manger en une seule « grande salle », avec une de ces nouvelles télés à écran plat sur un mur, des canapés tout neufs et un tapis en laine rouge et or. J'ai fait poser des fenêtres plus grandes et des portes coulissantes, installer une nouvelle salle de bains avec un jacuzzi assez vaste pour deux, une douche qui se transformait en sauna… Je voulais que tout soit parfait pour Vijay.

En plus, je pouvais me le permettre. La maison était payée ; l'allocation d'invalidité couvrait les frais de Jon à Crossroads. L'assurance maladie et les remboursements de ma voiture constituaient mes seules dépenses, et cela faisait des années que je n'achetais pas grand-chose, en dehors de la nourriture et d'un soutien-gorge ou d'une culotte de temps à autre. Les petites économies que mes parents m'avaient laissées pour mes études et pour Jon avaient tranquillement fructifié, et je les alimentais chaque fois que je touchais mon salaire en ne gardant que le nécessaire pour payer mes factures. Je n'avais jamais été dépensière, je n'avais jamais voyagé, je n'avais jamais été attirée par les voitures ou par les fringues de luxe (à supposer que j'en aie trouvé qui m'aillent...), mais, à présent, j'avais l'impression de ne pas pouvoir me débarrasser de mon argent assez vite. Parfois, je l'entendais presque me chuchoter la nuit : « Dépense-moi, dépense-moi, dépense-moi. »

Je me suis donc plongée dans mes plans, j'ai peint les murs, arraché la moquette et labouré un coin de mon jardin pour y faire un potager. Le samedi après-midi, je suivais les cours gratuits du magasin de décoration intérieure, pour apprendre comment décaper les meubles, installer un nouvel évier et poser du papier peint (j'ai eu un pincement au cœur en repensant aux rayures roses et vertes dont Val avait rêvé, et j'entendais encore sa voix dans ma tête : « Je voulais juste une jolie chambre, avec du rose et du vert, une jolie chambre comme celle d'Addie »). Je n'ai pas échappé aux ampoules, échardes et brûlures, aux courbatures et aux ongles cassés, mais j'étais trop occupée à imaginer la joie de Vijay pour m'en soucier.

La première pièce que j'ai finie a été ma chambre : j'ai dépensé une fortune pour un matelas king size et une tête de lit, parce que Vijay m'avait confié, une fois, qu'il adorait lire au lit lorsque la journée était terminée. J'ai jeté les draps en percale qui dataient du mariage de mes parents et je les ai remplacés par d'autres en coton égyptien, les plus soyeux, les plus somptueux, les plus chers que je pouvais trouver. J'ai commandé un jeté de lit à franges en cachemire qui retombait au sol comme une flaque de caramel, et j'ai installé une table en bois contre un mur, avec une cafetière et un moulin à café dessus et un petit réfrigérateur dessous pour conserver les jus de fruits et la crème. Je nous imaginais tous les deux au lit, le dimanche matin, en train de nous échanger les pages du journal avant d'aller nager.

Je n'étais pas sa première maîtresse. Vijay me l'avait dit dès le début, un jour où nous attendions au bar à jus de fruits que la pluie se calme pour courir jusqu'à nos voitures.

« Au fil des années, j'ai eu des amies, m'a-t-il confié.

— Des amies ? »

Il a haussé les épaules en inclinant la tête, un geste qui laissait deviner sans peine le petit garçon qu'il avait été, remplissant ses poches de bonbons et décochant son sourire charmeur à quiconque le surprenait. Ses « amies » avaient été des infirmières, une psychologue qui travaillait au même étage que lui, une prof de l'un de ses fils. Il m'a expliqué que les choses avaient toujours été claires : il cherchait à avoir de la compagnie, et non à quitter son épouse.

« Et tes amies ? ai-je demandé. Qu'est-ce qu'elles cherchaient, elles ?

— Qui sait ?

— Toi, probablement. Tu es le mieux placé pour le savoir. »

Il m'a souri en me caressant la joue.

« Peut-être cherchaient-elles quelque chose d'excitant. Quelque chose de nouveau.

— Une friandise. »

Ses yeux se plissaient quand il me souriait.

« Une friandise. L'idée me plaît. »

Je savais, sans même le demander, que toutes ses « amies » avaient été blanches. Elles avaient dû le trouver exotique, avec son accent et sa peau brune, et même son mariage arrangé. Il avait été pour elles une sorte de diversion, un nouveau plat au menu – quelque chose d'épicé, au goût différent, un dessert somptueux qu'elles aimaient déguster mais dont elles n'auraient pas voulu tous les soirs. J'imagine qu'aucune n'était jamais tombée amoureuse de lui : car c'étaient sans doute des femmes expérimentées, des dames sophistiquées qui s'étaient fait une place dans le monde, qui n'avaient jamais été coincées à la maison, ni derrière une table de restaurant, ni nulle part ailleurs.

Il neigeait, la première fois qu'il est venu chez moi. On sortait du bar de la piscine, et Vijay m'a demandé si je voulais venir avec lui – sous-entendu, à l'hôtel ; c'était là que nous étions allés chaque fois.

« Viens plutôt chez moi, ai-je proposé.

— Addie. »

J'ai compris à son ton, à son regard, qu'il était prêt à me sortir le discours qu'il m'avait déjà tenu avant, prêt à me dire de ne pas me faire d'idées, prêt à me laisser tomber tranquillement.

« S'il te plaît. »

Ma voix était amère.

« S'il te plaît, ai-je répété, avec plus de douceur. Je voudrais juste que tu voies où je vis. C'est très important pour moi. »

Il a haussé les épaules avec son petit air penaud si charmant, m'a tenu la portière, avant de monter dans sa voiture et de me suivre jusqu'à Pleasant Ridge. Je l'imaginais pinçant les lèvres en voyant ma rue – toutes ces maisons vieilles de quarante ans avec leurs jardins minuscules, ça devait faire un choc quand on venait d'un quartier aussi luxueux que le sien –, mais, à l'intérieur, la maison était chaude et douillette, parfumée au chili verde que j'avais fait mijoter depuis la veille. Vijay est passé de pièce en pièce, marchant sur le parquet à peine terminé, en s'exclamant d'admiration devant chaque détail : la couleur éclatante du carrelage de la cuisine, le bouquet de roses disposé dans le vase en céramique peint par mes soins, le luxe de la chambre, la douceur, l'harmonie, la chaleur partout.

Alors qu'on venait de faire l'amour et que j'étais allongée à côté de lui, à moitié endormie, je l'ai vu prendre son téléphone sur la table à côté du lit, celle que j'avais recouverte d'une demi-douzaine de couches de laque couleur cerise. Une pluie glaciale tambourinait sur le toit. J'ai écouté Vijay s'excuser auprès de sa femme tandis qu'il posait une main sur mon ventre.

Par la suite, il est venu tous les mercredis après-midi après la piscine, et parfois le samedi. J'avais installé deux lampes de chevet avec des abat-jour en verre teintés de vert clair et de turquoise, qui donnaient à la pièce une couleur subaquatique apaisante. Je gardais les yeux ouverts le plus longtemps possible – j'avais encore tellement honte de mon corps qu'il m'était presque douloureux de le regarder –, mais je les ouvrais toujours, toujours, pour voir son visage au moment de l'orgasme. Il fermait alors les yeux très fort, serrait les lèvres, je le sentais trembler tout contre moi, et je pensais : C'est moi qui lui ai fait ça.

Ensuite, il roulait sur le côté et se tournait vers moi. Il m'embrassait l'oreille et le cou, dégageait les draps de mes poings serrés, me découvrait.

« Tu vois, Addie ? Tu es ravissante. Ravissante », disait-il, tout en pressant ses doigts contre moi à un rythme régulier qui s'accélérait progressivement, jusqu'à ce que je me cambre et que je me blottisse contre lui, à bout de souffle, épuisée.

Il ne m'a jamais menti. Et pourtant, je me suis permis d'espérer. Un après-midi de juillet, alors que le soleil déversait son or à travers la lucarne, je me suis lancée.

« Est-ce que tu crois qu'un jour on pourra... ? »

Je n'ai pas terminé ma phrase, pensant qu'il la reprendrait là où je l'avais laissée. Mais, au lieu de cela, il s'est assis brusquement au bord du lit.

« Addie. J'ai toujours été honnête avec toi. »

J'avais l'impression d'avoir avalé une pierre. J'ai fermé les yeux, redoutant ce qui allait suivre, incapable de m'y préparer, de m'épaissir le cuir ou d'endurcir mon cœur. Je n'étais pas comme ses autres maîtresses. Je n'avais aucune défense.

« Je suis navré, a-t-il ajouté avec son accent. Mais je ne quitterai jamais ma femme. Et je crois que... »

Cette fois-ci, c'est lui qui semblait hésiter.

« Peut-être serait-il préférable qu'on se sépare un moment.

— Tu ne veux plus me voir ? »

Je détestais le ton pathétique de ma voix.

« Mais si, on continuera à se voir, a-t-il répondu tout en enfilant son caleçon (un boxer blanc en coton qui avait tout l'air d'avoir été repassé. Pour la première fois, je me suis demandé par qui). Nous nagerons. »

Je me sentais hébétée, malade, triste, perdue. Mais je me suis forcée à me lever, à me draper dans ma robe de chambre, à le raccompagner à la porte. Je lui ai dit que je comprenais. Je lui ai assuré que ça irait, que j'avais passé de bons moments avec lui. « Ma friandise », ai-je murmuré, et j'ai même réussi à sourire. Mais rien de tout cela n'était vrai. Non, je ne comprenais pas : si nous étions heureux ensemble et s'il était malheureux avec sa femme, pourquoi ne pas divorcer et rester avec moi ? Non, ça n'irait pas : je me retrouverais à nouveau seule, à essayer de combler ces heures vides et ces pièces vides sans savoir avec quoi, puisque je ne pouvais plus compter sur les gâteaux. Ça irait encore plus mal qu'avant, parce que, maintenant, je savais exactement ce que je ratais : le contact de l'eau glissant sur ma peau, la chaleur de son corps à côté du mien dans une voiture ou sur un canapé, ses dents un peu de travers, son charmant sourire, ses doigts larges sur moi.

« Addie. »

Devant la porte, il a posé ses mains sur mes épaules.

« Ne sois pas si triste. Tu trouveras quelqu'un, j'en suis sûr. »

J'ai regardé son visage en essayant de le graver dans ma mémoire, car je savais que je ne le reverrais pas. Je savais aussi que je ne trouverais jamais quelqu'un d'autre. Je ne voyais pas comment je pourrais supporter cela à nouveau : être transportée par l'espoir, puis écrasée par le rejet. Je n'avais pas l'entraînement, ni les compétences. Je n'étais pas forte.

« Je comprends, me suis-je forcée à dire. Mais est-ce que tu pourrais faire quelque chose pour moi, avant ? Juste une chose ? »

Vijay a froncé les sourcils quand je lui ai expliqué de quoi il s'agissait.

« Ce n'est pas possible », a-t-il répondu d'un ton cassant.

En observant ses épaules tendues et sa nuque raide, j'ai songé que je voyais là une facette de Vijay que sa femme devait bien connaître, une facette que ses « amies » n'avaient sans doute jamais imaginée.

« S'il te plaît. Je te laisserai tranquille après, je ne te demanderai rien d'autre. Accorde-moi juste cette petite faveur. »

Et c'est ainsi que, le vendredi soir avant le week-end de la fête du Travail, dans une petite ville entre Milwaukee et Chicago, Vijay Kapoor a emmené Addie Downs à la fête foraine. Les lumières des manèges aux mille couleurs brillaient dans le ciel indigo. L'air était saturé d'odeurs de friture et de merguez, la lune suspendue, orange et lourde comme un potiron. Vijay a échangé vingt dollars contre un carnet de tickets, m'a offert une limonade, et, au bout de six tentatives, a réussi à gagner un ours en peluche en tirant dans des ballons avec un gros pistolet à eau.

Nous avons joué au Skee-Ball. Lancé des balles de ping-pong dans des bocaux à poissons rouges avec un canon, et fait glisser des pièces sur une plaque de plexiglas en essayant de les faire tomber sur nos numéros gagnants. Nous sommes montés dans la grande roue (un type au regard vide et aux mains tatouées a fait claquer la barre de sécurité devant nous, et j'ai songé qu'un an plus tôt cette barre n'aurait jamais pu fermer). Vijay ne m'a pas regardée, mais il m'a pris la main tandis que notre nacelle montait jusqu'en haut et s'arrêtait là, perchée dans le ciel.

« Une fleur pour la jolie dame ? » a proposé une femme dont les bras étaient chargés de roses.

Vijay m'en a offert une.

Près de la tente rafistolée de la cartomancienne, nous avons croisé un groupe de jeunes qui riaient. L'une des filles avait le même ours rose que moi, elle le tenait par un bras. Elle portait un jean taille basse qui révélait l'élastique rose de sa culotte, et quand elle est passée devant moi en courant et en riant aux éclats, je me suis sentie énorme et vieille, et délicieusement décalée.

J'ai laissé mon nounours sur un banc. Je suis restée silencieuse, les mains posées sur mes genoux, pendant que la grosse voiture de Vijay ronronnait sur l'autoroute. Et lorsqu'il s'est arrêté dans mon allée, j'ai dit : « Merci pour cette merveilleuse soirée », comme j'avais rêvé de le dire étant ado, en rentrant de rendez-vous galants que je n'avais jamais connus.

Son visage semblait troublé à la lumière diffuse du tableau de bord.

« Addie, tu es sûre que ça va aller ?

— Oui, oui. Je t'assure.

— Tu pleures, a-t-il observé en passant son index sur ma joue.

— Ce n'est rien. Merci encore », ai-je répété. Je suis partie bien vite. L'espace d'un instant, j'ai espéré qu'il me suivrait, qu'il traverserait le jardin en courant et monterait les marches pour me rattraper : « Addie, j'ai été stupide. Ne me quitte pas. Jamais. » En me retournant, je l'ai vu dans sa voiture, au volant, mais je n'ai pas pu distinguer son expression. J'ai ouvert la porte et je suis entrée. Quelques secondes plus tard, il est parti. Il a fait un appel de phares, a klaxonné une fois. Cette nuit-là, je n'ai pas dormi, je suis restée assise à côté du téléphone qui, bien sûr, n'a pas sonné. Le lundi matin, je suis allée à la piscine, comme d'habitude.

« Où est votre ami ? m'a demandé la mandarine en me tendant une serviette.

— Je ne sais pas. »

J'ai compris que Vijay avait dû se trouver une autre piscine. Après ce soir-là, je ne l'ai plus jamais revu.

41

« Oh non, dit Greg Levitson. Non, non, non. »

Il remuait sa grosse tête chauve en rythme avec ses « non ». C'était un dimanche matin, à la banque du centre-ville de Pleasant Ridge, et il semblait que tous ceux qui ne se trouvaient pas à la messe ou en train de faire leurs courses attendaient là aux guichets.

« Ça te prendrait dix secondes », insista Jordan sur un ton enjôleur.

Greg Levitson lui décocha un regard noir.

« Je pourrais me faire virer !

— C'est sûr, reconnut Jordan. Mais tu pourrais aussi te faire virer si certains faits venaient à être connus. »

Greg pinça les lèvres, ferma les yeux et poussa un gros soupir, envoyant son haleine de café au visage de Jordan.

« C'est du chantage.

— Pas du tout.

— Ce n'est pas juste.

— Personne n'a dit que la vie était juste. »

Jordan croisa les jambes, grignota un sucre d'orge et regarda le plafond comme s'il avait tout son temps.

Greg Levitson avait été dans sa promo au lycée. À l'époque, il avait les épaules voûtées et le visage tout rose, le torse creux et les hanches larges, presque féminines ; il avait commencé à perdre ses cheveux dès la dernière année de lycée. Parti en Pennsylvanie pour ses études, il avait passé les quelques années de rigueur dans une grande ville (dans son cas, Philadelphie), avant de revenir à Pleasant Ridge avec une femme et un bébé dans ses bagages. Greg et Jordan se croisaient de temps en temps – ils se saluaient au supermarché, échangeaient des « Comment ça va ? » à la station-service. Ç'aurait pu en rester là, si Jordan n'avait pas été obligé, un soir, d'arrêter une Chevrolet bleue qui roulait à cent quarante kilomètres-heure sur une route limitée à cent dix.

« S'il te plaît, avait supplié Greg en lui tendant ses papiers à travers la fenêtre. Par pitié, ne me fais pas sortir de la voiture. »

En baissant les yeux, Jordan avait eu la surprise de constater que Greg portait une robe de soirée bleu foncé qui laissait voir une de ses épaules roses et charnues, avec des chaussures à talons hauts et des collants noirs satinés. Il était également maquillé et ses ongles étaient vernis en rouge.

« Tu sais que c'est limité à cent dix, ici ? lui avait demandé Jordan.

— C'était un pari, avait murmuré Greg, son double menton tremblotant. Je ne fais jamais ça, d'habitude.

— Bon, je te donne juste un avertissement. Pas d'amende, pour cette fois. Et lève le pied. »

Quand Jordan lui avait rendu ses papiers, Greg s'était presque mis à pleurer de gratitude, et il avait promis que si jamais Jordan avait besoin de quoi que ce soit… si un jour il pouvait être utile à la police…

Jordan avait fait appel à lui deux fois au cours des trois dernières années, lorsqu'il voulait des renseignements financiers et qu'il n'avait pas – ou ne pouvait pas obtenir – de mandat. La première fois, Greg l'avait aidé avec empressement. La deuxième fois, il avait pincé les lèvres. Et maintenant, il semblait prêt à freiner des quatre fers – en talons hauts, songea Jordan en souriant malgré lui.

« Tu as bonne mine, observa-t-il, tout en reprenant un mini-sucre d'orge dans le bol posé sur le bureau de Greg. Tu as maigri ?

— Écoute, j'apprécie vraiment ce que tu as fait pour moi, mais là… Je ne peux vraiment pas…

— Ou peut-être que c'est ta chemise, le coupa Jordan. Je crois que le bleu te va à merveille.

— O.K. »

Greg se pencha vers son ordinateur et tapota le clavier de ses gros doigts.

« Valerie Adler. Je n'ai rien sur elle. Elle doit être dans une autre banque. »

Jordan se laissa aller en arrière sur sa chaise, attendant la suite.

« Adelaide Downs, 14, Crescent Drive. Dernières opérations : un paiement de quatre-vingt-sept dollars pour le magasin en ligne FreshDirect, dix-neuf dollars pour Netflix. »

Greg secoua soudain la main. « Oh, voilà qui est suspect.

— Je t'écoute.

— Visa, trois cent dix-neuf dollars. Club sportif de Lakeshore, cent quatre-vingt-dix-neuf. Ça, c'est un paiement régulier. Hum. »

Greg se pencha en avant et referma la bouche.

« Elle a retiré dix mille dollars en liquide, hier.

— Dix mille dollars, répéta Jordan.

— Pas ici. Dans l'agence 1119… »

Il tapota sur son clavier.

« C'est à Saint Louis.

— Tu veux dire qu'elle est allée à la banque et a simplement retiré dix mille dollars en liquide ?

— Il y a ce qu'il faut sur son compte. Voyons voir. Elle a soixante mille sur son compte courant, encore quarante mille sur un livret d'épargne… »

Greg se tut, conscient, sans doute, qu'il en avait trop dit.

« Dix mille dollars, répéta Jordan.

— Et il y a un dernier paiement. Dans une station-service à… Nashville. »

Elles vont vers le sud, songea Jordan, en notant toutes ces informations dans son carnet.

« Tu devrais partir, maintenant, lui conseilla Greg.

— Je suis parti. Tu as les remerciements de la patrie reconnaissante. »

Greg parut surpris.

« C'est une affaire nationale ?

— Internationale. Superimportante. Ultrasecrète.

— Bah, de rien, alors. Au fait, félicitations. »

Jordan se figea, la main sur la poignée de la porte.

« Pardon ?

— Pour ta petite fille. J'ai vu ta femme au magasin bio… »

Il dut aussi voir quelque chose dans l'expression de Jordan, car il s'arrêta net.

« On est divorcés depuis un an et demi. Patti s'est remariée.

— Oh ! Oh, désolé. »

Une petite fille ?

« Prends soin de toi, dit Jordan en rangeant la nouvelle dans un coin de son cerveau.

— D'accord. Euh…, je suis désolé, vraiment…

— Ça va. »

Et il répéta ces mots comme pour se convaincre lui-même.

42

Jordan rentra au poste en luttant contre l'envie d'appeler Patti, sa mère ou sa sœur, ou Rob Fine, docteur en chirurgie dentaire, ou d'aller directement chez eux pour connaître le fin mot de l'histoire. Patti avait-elle réussi à avoir un bébé, finalement ? Avaient-ils adopté ? Ou fait appel à une mère porteuse ?

Peu importe, songea-t-il tandis qu'il se garait sur sa place de parking et sentait la nouvelle s'installer en lui comme une infection. Reste concentré.

« Alors, chef, vous avez quelque chose ? demanda Gary Ryderdahl, installé à son bureau.

— Peut-être bien. »

Jordan s'assit dans le fauteuil de Holly et le fit rouler jusqu'au mur, où il s'arrêta, se balançant sur ses orteils.

Le visage de Gary s'éclaira.

« Faites-le.

— Ne me tente pas.

— Oh, allez, chef, personne ne le saura ! »

Jordan haussa les épaules. Peut-être que ça lui remonterait le moral, après tout. Il regarda à droite et à gauche, puis s'élança sur le fauteuil, traversa toute la pièce en tournant, avant de s'arrêter pile devant le bureau de Gary. Qui lui tapa dans la main.

« Comment arrivez-vous à faire ça ? Chaque fois que j'essaie, je me prends le mur.

— Des années d'entraînement, répondit Jordan avec désinvolture. Maintenant, écoute ça. Adelaide Downs a retiré dix mille dollars en liquide à Saint Louis. Elle a aussi payé par carte bleue dans une station-service à Nashville. Qu'est-ce que tu en conclus ? »

Gary se gratta la tête.

« Hum. Qu'elle est partie en voyage ? »

Jordan attendit patiemment. Comme Gary restait muet, il insista :

« Qu'est-ce qu'on sait avec certitude ?

— Qu'elle a de l'argent. Qu'elle est passée à Saint Louis et à Nashville.

— Elle *avait* de l'argent, corrigea Jordan. Elle n'en a peut-être plus, et elle peut se trouver n'importe où, à présent. Et si tu appelais les hôtels de Nashville ? Essaie de voir s'ils n'ont pas vu passer deux femmes du nom de Valerie Adler et d'Addie Downs, ou deux femmes qui correspondent à leur description.

— Et c'est quoi, leur description ? demanda Gary après un instant de réflexion.

— La trentaine. Blondes. Pas d'accent du Sud. Voyagent peut-être dans un vieux break immatriculé dans l'Illinois. Tu peux trouver la photo de Val sur le site de MyFox. »

Gary acquiesça.

« Une dernière chose, dit-il. Holly et moi, on a fait une recherche sur Internet, et on a découvert que, tous les ans, Addie Downs fait don d'une de ses peintures pour une vente aux enchères organisée en faveur de la recherche contre le cancer. »

Jordan haussa les épaules. Cela ne voulait pas dire grand-chose, à part que leur suspecte était généreuse.

« J'ai eu un pressentiment, continua Gary. Holly a appelé le médecin qui organise la vente aux enchères. Dr Elizabeth Shoup. C'est une oncologue. Holly s'est fait passer pour l'assistante d'Adelaide Downs, et elle a dit qu'elle voulait confirmer son prochain rendez-vous. »

Gary était rouge de plaisir.

« Et devinez quoi ?

— Elle a un rendez-vous ? »

Le visage de Gary se décomposa.

« Jeudi prochain. Comment vous le savez ?

— Simple coup de chance, répondit Jordan en lui tapotant l'épaule.

— Bon, je vais appeler les hôtels.

— Bonne idée. »

Jordan se dirigea vers son bureau et referma la porte derrière lui, savourant le calme. Holly était partie interroger les vendeurs et fournisseurs qui avaient eu affaire à Dan depuis que celui-ci travaillait chez Swansea Toyota ; elle avait même rencontré le type qui s'occupait des poubelles, à qui Dan avait menacé de trancher la gorge, si lui et ses collègues continuaient de laisser des canettes vides traîner sur le trottoir. Et aussi la réceptionniste du service après-vente, qui lui avait confié que Dan s'était permis des familiarités avec elle lors de la fête de Noël de la boîte, l'année précédente. Au poste de police, qui occupait le rez-de-chaussée du bâtiment de la mairie, il faisait comme d'habitude trop chaud, et une odeur de café et de sandwich à la viande flottait dans l'air. À travers sa fenêtre, Jordan voyait Gary penché sur son bureau, en train de toucher son clavier comme s'il s'agissait du cadavre d'un animal dont il craignait qu'il ne soit pas complètement mort.

Jordan feuilleta ses notes, appela les renseignements et fut mis en relation avec le club sportif de Lakeshore, qui proposait, selon la douce voix enregistrée, les meilleurs équipements de tout le Midwest en matière de fitness, de relaxation et de rajeunissement. Rien que ça, pensa Jordan. Il appuya sur la touche zéro jusqu'à ce qu'il entende une voix humaine, puis supporta cinq minutes de carillons et de gongs que certains considéraient sans doute comme de la musique, avant d'être enfin mis en communication avec un responsable.

« Bonjour ! s'exclama celui-ci, plein d'enthousiasme. Max à l'appareil ! Que puis-je pour vous ?

— Bonjour, je suis Sam Novick. »

Son frère Sam, dont Jordan empruntait parfois le prénom, travaillait comme ingénieur spécialisé dans les adhésifs, une occupation qui, dans une conversation, mettait bien en peine l'interlocuteur de poser d'autres questions.

« Je viens d'emménager dans la région. Ma belle-sœur, Addie Downs, est membre de votre club.

— Oh, Addie ! s'écria le responsable sans la moindre hésitation. Comment va-t-elle ?

— Très bien.

— Elle est superbe ! Vous savez, c'est l'un de nos plus grands succès.

— Une sacrée femme, admit Jordan. J'aurais voulu prendre rendez-vous, venir voir à quoi ressemble votre club.

— Mais bien sûr ! répondit l'homme, qui devait déjà rêver de commissions. Vous connaissez nos équipements ? Nous avons une piste de course ultramoderne, un bassin olympique, une pièce chauffée pour le yoga Bikram, deux salles d'aérobic, un terrain de basket, un mur d'escalade, et un spa de mille cinq cents mètres avec trois douches à l'italienne. Nous proposons différents cours individuels ou en groupe : yoga, Pilates, Yogalates, cycling, TRX, cardio-training, salsa, strip aérobic…

— Et du joggling ? demanda Jordan.

— Mais bien sûr ! Vous avez essayé ? C'est un exercice *incroyable* pour le haut du corps.

— Est-ce qu'Addie en fait ?

— Oh non. Addie nage. C'est tout ce que je l'ai vue faire. Je lui dis tout le temps qu'elle devrait essayer autre chose, faire un peu de cross-training. Mais on ne peut pas la sortir de l'eau. Elle vient cinq jours par semaine, sans faute.

— Waouh, fit Jordan en riant. Je ne suis pas sûr d'être aussi sérieux.

— Vous savez quoi, Sam ? Je vous offre une semaine d'essai gratuite. Venez assister à tous les cours que vous voulez, comme ça vous vous ferez une idée.

— Ça marche. »

Jordan le remercia, avant de raccrocher. Il sortit discrètement de son bureau, passa devant le petit sapin de Noël que Holly avait acheté et décoré, et ouvrit la porte au fond de la pièce qui menait aux trois cellules de la prison de Pleasant Ridge. Deux d'entre elles étaient de taille normale, deux mètres cinquante sur deux mètres cinquante, équipées d'une couchette métallique, d'un lavabo et d'un W-C en métal sans lunette. La troisième était plus grande, avec une porte plus large et un lavabo placé plus bas. Accessible aux personnes à mobilité réduite, selon les règles fédérales… comme si les voyous de Pleasant Ridge se déplaçaient en fauteuil roulant. Jordan entra dans cette cellule, s'assit en tailleur sur le matelas mince, chassa de ses pensées la question de son ex-femme et de sa fille, et songea à Adelaide Downs.

Il repensa à la photo qu'il avait vue dans la chambre de son frère, celle d'une femme pour qui les mots « normale » et « ordinaire » avaient dû paraître bien chimériques par le passé. Mais Addie avait fait peau neuve. À présent, elle se noyait dans la masse, on ne la remarquait pas forcément, on ne la regardait peut-être pas deux fois. Elle n'était plus énorme. Elle n'était même plus brune. Et il se pouvait qu'elle soit malade... Ou bien elle l'avait été, et elle passait simplement une visite de contrôle. Elle avait peut-être été confrontée à sa propre mort, et avait décidé de changer de vie. De quoi cela la rendait-il capable, au juste ?

Jordan était assis sur la couchette, immobile. Addie, Addie, Addie, songea-t-il, en se remémorant la forme de son visage, son odeur de sucre et de citron, ses lèvres pleines esquissant un sourire, ses cheveux blonds effleurant sa joue. Il s'adossa au mur en béton et tenta de rejoindre l'endroit où il aimait se retirer dans son esprit, un lieu qu'il imaginait un peu comme une petite remise, comme celle où Sam et lui rangeaient leurs vélos, leurs luges et leurs skate-boards lorsqu'ils étaient gamins. Il y entra, referma la porte derrière lui, s'assit dans l'obscurité et fit apparaître Adelaide Downs.

Addie, pensa-t-il tandis que le visage de la jeune femme flottait devant ses yeux. Comment était-elle ? Grosse, elle l'avait été, mais ne l'était plus. Timide... Pas tout à fait. Malade ? Possible... Dans ce cas, elle pouvait avoir décidé qu'elle n'avait rien à perdre. Effrayée, peut-être. Elle avait souffert étant ado, on l'avait harcelée, on s'était moqué d'elle, on l'avait exclue... Et, une fois adulte, pendant des années elle n'avait sans doute pas pu sortir de chez elle sans que les gens la regardent, sans qu'on chuchote dans son dos. À présent, elle avait un corps tout neuf ; à présent, elle était blonde, elle pouvait se glisser dans le courant des gens normaux et y flotter, sans être remarquée.

Et elle nageait. Il se représenta Addie en maillot de bain – un simple modèle une pièce noir, car elle n'était pas du genre à porter un bikini, peu importait le poids qu'elle avait perdu. Il lui ajouta un bonnet de bain blanc, un flacon de crème solaire, une serviette. Il imagina

Valerie Adler à côté d'elle. Val était sans nul doute du genre à porter un bikini, le plus petit possible, et peut-être aussi ces grosses lunettes de soleil avec lesquelles des femmes parfaitement séduisantes ressemblaient à d'énormes mouches. Deux filles en maillot de bain. Où iraient-elles pour échapper au triste hiver de Chicago, où le vent soufflait sur le lac Michigan et se faufilait sous votre manteau, aiguisé comme une lame ?

« À Key West », dit-il tout haut, en se rappelant l'inscription au dos de la photo de Valerie.

À travers la cloison, il entendit Gary Ryderdahl lâcher une flopée de jurons et raccrocher sèchement le téléphone. Jordan retourna à son bureau, alluma son ordinateur et ouvrit une carte des États-Unis ; Saint Louis et Nashville se trouvaient toutes deux sur la route de la Floride. Peut-être Addie et Valerie y étaient-elles déjà, rat des villes ct rat des champs, assises sur la plage avec une boisson glacée, quelque chose de mousseux et de sucré, avec une tranche d'ananas glissée sur le bord du verre, en train d'écouter les vagues, de sentir le vent dans leurs cheveux. Peut-être s'agissait-il de la dernière volonté d'une mourante, ou peut-être avaient-elles commis un crime horrible et décidé de fuir. Peu lui importait. Dans tous les cas, il ferait son boulot. Il se leva, enfila son manteau, fit signe à Gary qu'il partait, et monta dans sa voiture.

43

« Key West ? » répéta Sasha en haussant les sourcils d'un air sceptique.

Derrière la porte ouverte, la maison semblait silencieuse. Jordan se demanda où étaient les filles. Peut-être chez leur père. Sasha portait son chignon habituel, mais ses joues et son front étaient luisants de crème, qu'elle essuya avec sa manche avant de le conduire dans son bureau.

« Tu penses qu'elles sont à Key West ? »

Jordan ne répondit pas. Il avait décidé, en entrant, qu'il valait mieux en dire le moins possible. Sans compter qu'il n'avait pas tout à fait confiance dans sa voix. Il craignait qu'en ouvrant la bouche il ne pose pas les bonnes questions et lâche simplement : « Ma femme et le dentiste ont un bébé. »

« Et tu te bases sur quoi, au juste ?

— Elles sont allées à Chicago ensemble pour voir le frère d'Addie. Addie a retiré de l'argent à Saint Louis. Elle s'est servie de sa carte bancaire dans une station-service à Nashville, et je pense qu'elles sont encore ensemble, alors...

— Des enregistrements de conversations téléphoniques ? l'interrompit Sasha, comme si elle ne l'avait pas entendu. Des billets d'avion ? Des réservations d'hôtel ? Autre chose ? »

Elle s'essuya de nouveau la joue, avant de lever les yeux vers lui.

« Je…

— Elle t'a parlé, cette Adelaide Downs ? Elle est allée te trouver dans la petite remise au fond de ton esprit ? Ou bien tu es allé y réfléchir dans la cellule pour handicapés ? »

Gloups. La prochaine fois qu'il coucherait avec une femme, il serait moins bavard.

« Je sais qu'elle est là-bas.

— Simple supposition.

— Écoute, je sais qu'elle aime nager. Je crois qu'elle est allée à la plage. »

Sasha haussa les sourcils, bruns et brillants comme ses cheveux.

« Pourquoi la Floride, alors ? Pourquoi pas Nantucket ? Ou le Maine ?

— Parce qu'il gèle, là-bas.

— Et alors ? Certaines personnes aiment aller à la plage quand il fait froid. On se serre l'un contre l'autre, près du feu. On regarde les vagues. »

Sous-entendu : « Si tu ne t'étais pas comporté comme un enfoiré, tu y aurais eu droit, à la couverture, au feu dans la cheminée, et à Sasha, chaude et nue sous la couette. »

« Elle se dirige vers le sud, et elle aime nager », répéta-t-il.

Sasha le regardait avec cette expression typique des femmes, comme si elle lisait dans ses pensées : elle avait l'air de savoir parfaitement que ce qui le tracassait, ce n'était pas du tout la disparition de Daniel Swansea, mais le fait que son ex-femme avait eu un bébé.

« Pourquoi pas une piscine ? demanda-t-elle, les mains sur les hanches.

— Je crois qu'elle veut voir l'océan. »

Ça aussi, ce n'était que pure conjecture, mais bizarrement, cela lui semblait juste.

« Et elle est peut-être malade.

— Peut-être ? » répéta Sasha en haussant une fois de plus les sourcils.

Jordan se tut et attendit. Sasha poussa un soupir.

« Je t'aurais bien envoyé là-bas si j'avais pu, mais avec ça… Franchement, tu n'as rien de bien solide. Prendre de l'argent dans une ville et de l'essence dans une autre, ça ne mène pas nécessairement à la Floride.

— Tant pis, se força-t-il à dire. Je comprends. »

Il retourna au poste de police. Holly n'était toujours pas revenue du magasin Toyota. Devin n'avait pas bougé de chez lui, et Gary était encore au téléphone, à éplucher la liste de tous les hôtels de Nashville. Il fallut quinze minutes à Jordan pour trouver sur Internet un logement à Key West, un studio avec kitchenette et le mot « économique » dans la description. Il passa encore dix minutes à réserver un vol pour le lendemain matin. Il rédigea un message électronique qu'il prévoyait d'envoyer depuis l'aéroport, puis rentra chez lui pour fourrer dans une valise quelques chemises, des vestes et un vieux flacon à moitié vide de crème solaire qui avait dû être acheté à l'occasion de sa lune de miel. J'arrive, Addie, pensa-t-il. Puis il le dit tout haut, non pas comme une menace, mais plutôt comme une déclaration :

« Je te ramène à la maison. »

44

Je suis descendue de voiture en clignant des yeux dans la chaleur moite de ce lundi après-midi. Des coquillages blancs craquaient sous mes pieds. Les feuilles des palmiers bruissaient au-dessus de ma tête. Je sentais l'odeur du sel dans l'air humide et j'entendais – ou je croyais entendre – les vagues clapoter sur une plage non loin de là. Devant nous, nichée au fond d'un petit jardin aux haies taillées et aux palmiers hérissés, apparaissait une villa blanche avec une grande véranda et des fenêtres à persiennes, telle une image tirée d'un conte de fées. VILLA DES COQUILLAGES, indiquait une plaque à côté de la sonnette.

« Regarde un peu. »

Val a ouvert les portes-fenêtres. J'ai découvert le salon, avec un carrelage au sol et un ventilateur au plafond qui brassait l'air humide. Deux chambres se trouvaient au bout d'un petit couloir, séparées par une salle de bains. Un saladier, rempli de mangues, de papayes et de citrons verts, était posé à côté de l'évier de la cuisine. À l'arrière, j'ai aperçu un petit patio en brique, où les jasmins et les jacarandas embaumaient, et où poussaient des orchidées et des palmiers aux feuilles pointues.

Val m'a conduite jusqu'à la véranda, où elle a pris un pichet rempli d'un liquide vert pâle.

« Sirop de citron vert de Key. La propriétaire en laisse toujours pour les nouveaux occupants », m'a-t-elle expliqué en remplissant deux verres.

J'ai siroté le mien avec hésitation d'abord, puis plus goulûment : j'avais soif et c'était délicieux, un équilibre parfait entre l'acide et le sucré.

« C'est bon, hein ?

— Tu es déjà venue ici ?

— Deux fois. »

Elle s'est débarrassée de ses chaussures et s'est installée sur une chaise longue, en s'étirant et en soupirant de plaisir.

« Avec un ami. »

Elle a étalé ses cheveux contre les coussins, puis m'a coulé un regard en biais. J'ai compris le message.

« C'est quelqu'un que je connais ?

— Charles Carstairs. »

Elle avait prononcé le nom avec déférence. De toute évidence, j'étais censée connaître ce monsieur, mais malheureusement ça ne me disait rien.

« Ce ne serait pas…

— Le directeur de la chaîne.

— Ah. »

J'ai réfléchi.

« Attends. Ce n'est pas celui qui est marié à…

— C'est un mariage blanc, s'est-elle empressée de préciser.

— Ah. »

L'épouse de Charles Carstairs, Bonnie, une ancienne présentatrice télé, se consacrait maintenant entièrement à la collecte de fonds pour la recherche sur le cancer du sein. On la voyait dans le journal plusieurs fois dans l'année, la tête entourée d'un foulard rose vif, tout sourires, près de la ligne d'arrivée d'une course cycliste, d'un marathon ou d'une compétition de natation. Après la maladie de ma mère, ayant décidé de soutenir la recherche sur le cancer du sein, je m'étais retrouvée sur la liste de diffusion de Bonnie Carstairs ; une fois par mois, je voyais donc sa tête dans ma messagerie, avec son foulard rose et son sourire, en train de m'exhorter à courir contre le cancer, ou danser contre le cancer, ou acheter, jardiner, dîner contre le cancer.

« Tu sais, ses cheveux ont repoussé depuis belle lurette, m'a confié Val. Elle est en rémission depuis 1993. Elle porte le foulard pour la frime.

— Eh bien, dans ce cas, pique-lui son mari. Si elle a des cheveux, elle peut en trouver un autre. »

Val a fait la grimace. J'ai bu une gorgée de sirop.

« Tu sais, ils ne quittent jamais leur femme, ai-je fait remarquer. Même s'ils te disent qu'ils en ont envie. »

Elle a secoué la tête, faisant cliqueter les glaçons dans son verre.

« Attends, comme si j'avais envie qu'il quitte sa femme ! s'est-elle exclamée. Pitié ! Les parties de golf à six heures du mat' et les cigares qui puent après le dîner ! Une fois par semaine, c'est tout ce que je demande à Charlie. »

Elle s'est rallongée sur sa chaise, étirant ses bras au-dessus de sa tête. Ses yeux étaient cachés derrière les lunettes noires qu'elle avait achetées à Saint Louis, et le top rouge qu'elle avait trouvé à Atlanta laissait ses bras et ses épaules nus. Je me suis demandé si ses vieilles fringues lui manquaient – les jeans et les tee-shirts de garçon, les baskets sans lacets qu'elle portait jusqu'à ce que les semelles soient complètement trouées. Peut-être regrettait-elle l'époque où elle se coupait la frange avec des ciseaux de l'école, et où elle parcourait la ville sur son vélo de garçon trop grand pour elle, sans casque. Aujourd'hui, il ne restait plus un centimètre carré de son corps qui n'ait été retravaillé, amélioré, depuis le bout de ses orteils vernis jusqu'à ses jambes hâlées et épilées au laser. Son ventre était plat comme la plaine. Elle avait de faux ongles en acrylique et des extensions de cheveux (pour le volume, pas pour la longueur, m'a-t-elle expliqué) savamment tressées. Elle m'a avoué s'être offert quelques « ajustements » pour le nez et le menton en Californie, là où elle avait obtenu son premier job à l'antenne. Malgré tout, j'apercevais encore ma vieille copine sous la surface sophistiquée, comme une pièce ou un coquillage miroitant dans l'eau peu profonde. Elle se rongeait toujours les ongles lorsqu'elle était nerveuse, ramenait toujours ses cheveux derrière ses oreilles, préférait toujours les casse-croûte aux vrais repas, et restait, plus que jamais, débordante de projets, d'idées d'aventures qui ne me seraient jamais venues à l'esprit, comme échapper à la loi en partant en vacances sous les tropiques.

Alors que je me dirigeais vers la salle de bains, elle m'a crié :

« Ne prends pas de bain ! Il y a une douche à l'extérieur ! »

Elle m'a amenée dans la cour derrière la villa, où une pomme de douche dépassait du mur au-dessus d'un carré de planches en bois. La douche était entourée de cloisons blanches, avec une étagère intégrée sur laquelle reposaient un savon rose crémeux, des bouteilles de shampooing et de démêlant, et un gel douche à la framboise et à l'huile d'avocat.

« Normalement, c'est juste pour se rincer en revenant de la plage, a expliqué Val. Mais je m'en sers tout le temps. »

Elle a eu un petit sourire en coin.

« Et j'y suis allée avec Charlie une ou deux fois.

— Dis-moi juste que vous l'avez lavée après.

— Addie, c'est une douche. Les douches sont propres, par définition. »

Elle m'a tendu une serviette.

« On pourra aller faire du shopping après, si tu veux.

— Et ensuite ?

— Prends ta douche d'abord. On parlera après. »

Ça faisait bizarre de me déshabiller dehors en pleine journée, d'exposer les imperfections de mon corps au soleil. Mais, après quelques minutes sous le jet d'eau chaude, j'ai commencé à apprécier. Je sentais la brise, parfumée au sel et au jasmin, me caresser la peau. En penchant la tête en arrière pour me rincer les cheveux, j'ai vu le ciel bleu et sans nuages.

J'ai coupé l'eau quand elle est devenue froide. Dans le placard de la chambre, j'ai trouvé un peignoir blanc, moelleux et épais. Nouant la ceinture autour de ma taille, je suis retournée sur la véranda, pieds nus, pour m'installer sur une chaise longue à côté de Val. Je croyais qu'elle dormait – elle avait les yeux fermés –, mais, dès que je me suis assise, elle s'est mise à parler.

« Est-ce que tu es déjà tombée amoureuse ?

— Euh… »

Voyant les bosses que formaient mes genoux, j'ai pensé à celle dans mon ventre et pressé doucement ma main dessus. Devais-je lui en dire plus au sujet de Vijay ? Garder les détails pour moi ? Avant que j'aie pu me décider, Val s'est lancée :

« Écoute, ce que je veux dire, c'est qu'il faudra bien qu'on rentre à la maison, un jour ; tant qu'on est là, tu devrais en profiter. Fais tout ce que tu as toujours voulu faire ! Prends une cuite ! Défonce-toi ! Couche avec le mec qui s'occupe de la piscine ! »

J'ai regardé autour de moi.

« Il y a une piscine ?

— Là, derrière, de l'autre côté de la haie. On la partage avec les autres villas. »

Elle s'est rallongée, les yeux plissés.

« Je suis sûre que je peux te trouver un mec.

— Merci, mais ça ira. Je te propose autre chose : on loue des vélos et on part pique-niquer sur la plage.

— Pas très excitant. »

Elle a attrapé un sac en plastique bleu et blanc sous sa chaise.

« Un petit gratton ? m'a-t-elle proposé en m'en tendant un. C'est pauvre en sucre ! »

J'ai refusé. Elle a haussé les épaules, avant de fourrer le morceau de couenne de porc grillée dans sa bouche. Je l'ai écoutée mâcher en fronçant les sourcils. Quelque chose me turlupinait, et quand j'ai enfin mis le doigt dessus, j'ai retenu un cri.

Val a levé ses grands yeux bleus vers moi, la bouche pleine, les joues constellées de taches de rousseur.

« Quoi ?

— Val. »

J'ai lutté pour garder mon calme.

« Où as-tu acheté ces trucs ?

— À Nashville. Là où on s'est arrêtées pour prendre de l'essence, hier matin. »

Ça me revenait, maintenant. En sortant des toilettes, je l'avais trouvée avec un sac plastique et une grande boisson à la main, en train de se plaindre de l'absence de porte-gobelets dans la voiture. Sur le coup, je n'avais pas réagi, mais là…

« Comment as-tu payé ? »

L'endroit où nous nous étions arrêtées se trouvait juste à côté d'une station de lavage auto à six emplacements. Des types en jean attendaient, torse nu et chiffon à la main, que les voitures ressortent des machines pour les essuyer. Pendant ce temps, une radio braillait du reggaeton. Juste avant que j'aille aux toilettes – en laissant mon sac à main dans la voiture –, j'avais vu les gars sourire à Val, qui se trémoussait sur son siège. J'avais récupéré la garde de notre argent liquide, qui se trouvait en sécurité dans une des poches avant de mon jean, mais mon portefeuille était resté dans mon sac à main… avec mes cartes de crédit à l'intérieur. J'ai retenu mon souffle en espérant me tromper. Peut-être Val avait-elle glissé un billet de vingt dollars dans son soutien-gorge – un truc tout à fait dans le style de Naomi.

« J'ai utilisé… »

Son visage s'est décomposé, et sa voix est devenue toute faible.

« Oh ! Oh, merde.

— Tu t'es servie de ta carte de crédit ?

— Hum. »

Elle a refermé le sac de grattons et l'a reposé sous sa chaise.

« Non. De la tienne.

— Valerie !

— Désolée ! s'est-elle écriée en se levant d'un bond. J'avais laissé la mienne à la maison, et j'ai pensé que ça ne te dérangerait pas, et puis j'ai oublié qu'on n'était pas censées s'en servir.

— Comment as-tu pu oublier ?

— Je suis très préoccupée, en ce moment ! Tu sais, toute cette histoire avec Dan… Et je t'ai déjà dit que la chaîne passait à l'image haute définition. Je fais déjà un resurfacing au laser une fois par mois, mais même avec ça…

— Des grattons ! me suis-je exclamée en empoignant le sac et en le secouant sous son nez. Des grattons ! Je n'arrive pas à y croire ! On va se retrouver en taule parce qu'il fallait que tu manges tes foutus grattons !

— Je n'avais pas forcément besoin de grattons, a-t-elle répliqué, maussade. C'est juste que c'est relativement sain. »

Elle s'est mise à faire les cent pas.

« Bon. Ne paniquons pas. Ils vont peut-être penser qu'on est à Nashville.

— On a retiré de l'argent à Saint Louis. On a passé la nuit à Atlanta…

— Mais ça, ils ne le sauront pas, a-t-elle répliqué patiemment. On a payé les hôtels en liquide, sous de faux noms. »

Je me suis forcée à respirer calmement.

« Val, ça ne va pas marcher. Pas longtemps, en tout cas.

— Ce n'est pas ma faute », s'est-elle défendue, d'un air boudeur.

Elle a plongé la main dans le sac de grattons et en a fourré un dans sa bouche.

« Il faut qu'on parle de ce qui va se passer ensuite. » J'ai marqué une pause en la regardant droit dans les yeux.

« S'ils retrouvent Dan.

— On leur dira que c'était un accident. Demain, j'appelle la police et je leur raconte ce qui s'est passé.

— Tu leur diras ce que Dan t'a fait ? »

Une ride s'est creusée entre ses sourcils.

« Je ne sais pas. Ça se retrouverait dans tous les journaux. Et sur les blogs. On ne parlerait plus que de ça.

— Euh… Ça me semble un peu exagéré. »

Val n'a pas semblé m'entendre.

« En plus, je me suis enfuie. Je n'ai pas prévenu la police. »

Très juste.

« Tu peux peut-être dire que tu as été victime du syndrome de stress post-traumatique ? Que tu l'as vu, et que tu as paniqué ? »

Elle a secoué la tête, les sourcils froncés.

« Je ne vais jamais pouvoir garder mon job. La confiance entre le public et moi est capitale, tu sais.

— Écoute, Val. Je t'aime beaucoup, mais tu n'es quand même pas Walter Cronkite.

— Les gens vont se moquer de moi, a-t-elle ajouté sombrement en tirant sur une mèche de ses cheveux.

— Walter Cronkite n'est jamais monté sur un taureau mécanique…

— Bon, tu me lâches avec ça ?

— Qu'on se moque de toi, ce n'est pas ce qu'il y a de pire au monde. »

Je revoyais le petit garçon au restaurant des tartes aux pommes tièdes. Je revoyais sa mère. Je revoyais la conseillère d'orientation et son paquet de platitudes, le joueur de football à la fenêtre du car, en train de crier : « Encore un effort, gros sac ! »

« Peut-être que Dan va bien, ai-je dit en lui touchant l'épaule.

— Je l'ai renversé avec ma voiture. » Elle avait le menton rentré dans la poitrine, les yeux rivés sur ses genoux.

« En général, on ne va pas très bien après ce genre d'expérience. Il est sans doute mort dans un fossé.

— On a vérifié les fossés, lui ai-je rappelé.

— On va avoir des ennuis. Quand même, on a braqué une banque.

— On n'aura qu'à dire que c'était un malentendu », ai-je suggéré.

J'ai décidé de lui laisser croire qu'on avait réellement braqué la banque. Ça lui avait fait tellement plaisir, sur le coup.

« Peut-être qu'ils goberont ça, a-t-elle répondu en fermant les yeux. Je peux leur expliquer qu'on voulait juste faire un retrait, mais que la fille a paniqué en voyant mon flingue. »

Elle s'est mise à gratter le vernis sur ses ongles, laissant tomber les petites poussières écarlates autour d'elle. Le soleil se couchait, comme une balle rougeoyante qui descendait majestueusement sur l'eau.

« Et puis merde, a grommelé Val. Qui en a besoin, de toute façon ? Météo à la con. Rien à foutre. Je vais rester ici, bosser comme serveuse. Ou n'importe quoi d'autre. »

Elle s'est tournée vers moi.

« Tu pourrais rester, toi aussi. La lumière, tout ça, ça doit être génial pour peindre. Et Jon pourrait venir. On l'emmènerait à la plage… »

J'ai fermé les yeux. C'était Val tout craché, toujours en train de fuir. Vers la Californie, le Kentucky, Dallas, Boston… Elle, elle pouvait le faire, mais moi, j'étais coincée, et cela jusqu'à ma mort.

« Tu pourrais vendre ta maison, a-t-elle ajouté. Et moi, je vendrais mon appart. On travaillerait dans un bar. Je suis sûre que la moitié des boîtes cherchent des…

— Il faut que je te dise quelque chose », ai-je déclaré soudain.

Elle n'a pas semblé surprise. Elle s'est rassise sur sa chaise et m'a tendu le sac.

« Un petit gratton ? »

J'ai secoué la tête.

« Je crois que je suis malade.

— Hein ? Mais tu n'en as même pas mangé !

— J'ai une boule. »

Val s'est redressée d'un coup.

« Où ça ? Depuis quand ?

— Je l'ai sentie une semaine avant la réunion, à peu près. Je crois… »

J'ai dégluti. Je n'étais pas certaine de pouvoir prononcer les mots tout haut.

« Je crois que c'est la même chose que ma mère.

— Oh, mon Dieu. »

Val m'a dévisagée.

« Tu vas faire quoi ?

— Je suis censée voir un médecin jeudi. L'oncologue de ma mère. Elle ne pouvait pas me prendre plus tôt. C'est jeudi matin.

— On va rentrer, m'a promis Val. Dès demain matin, pour que tu puisses voir le médecin. On va aller à la police et je vais leur dire ce que j'ai fait. »

Elle a réfléchi un instant.

« Mais j'ai bien l'intention de leur sortir le machin du stress post-traumatique. Il faudrait peut-être que je trouve un livre là-dessus. Ou que je regarde sur Wikipedia.

— D'accord.

— Est-ce que je peux rester avec toi ? »

Avant que j'aie eu le temps de répondre, elle a ajouté, l'air décidé :

« Ouais. Si je ne vais pas en prison, je reste avec toi. »

J'avais la gorge nouée, les yeux qui me piquaient. Personne n'était jamais resté avec moi. Vijay n'avait jamais passé ne serait-ce qu'une nuit avec moi. J'étais toute seule à la maison depuis que ma mère était morte.

« Tu peux rester combien de temps, tu crois ? »

Val m'a pris la main et j'ai senti ses doigts, fins et fermes, s'entrelacer aux miens.

« Aussi longtemps que tu auras besoin de moi. »

45

Malgré son chagrin, malgré les mots « petite fille » qui tournaient en boucle dans sa tête, Jordan Novick fut quand même impressionné lorsque son avion, appartenant à une compagnie dont il n'avait jamais entendu parler, décolla à l'heure, le lundi matin, et atterrit seulement quinze minutes après l'horaire prévu. Dans l'aéroport bruyant de Miami, il attendit pendant une éternité derrière une famille qui parlait une langue inconnue, avant de se retrouver face à un employé de l'agence de location de voitures (depuis Miami, on pouvait rejoindre Key West à bord d'un petit coucou, mais cela coûtait moins cher par la route et il détestait les petits avions).

Le temps de récupérer la voiture et de rejoindre l'Interstate 95 Sud, il était déjà plus de quatorze heures. Il sortit de l'autoroute pour manger un hamburger-frites, puis roula jusqu'à ce que la route se réduise à deux voies, un ruban de bitume posé comme un collier sur l'eau d'un bleu-vert étonnant. Sa voiture de location avait la radio satellite, avec une station qui ne passait que du Bruce Springsteen – une belle surprise. En dépassant le Centre de recherche sur les dauphins, à Marathon (VENEZ NAGER AVEC LES DAUPHINS ! indiquait une pancarte), il leva le pouce vers la statue en béton de la taille d'un car scolaire qui représentait ledit animal bondissant dans le parking, tout en chantant « Badlands » en chœur avec la radio, d'une voix qui, à ses oreilles, n'imitait pas trop mal celle de Bruce. Il traversa Key Largo et Islamorada, Lower Matecumbe et Conch Key, Little Duck Key et Little Torch Key, roulant tout droit vers le soleil couchant, toutes vitres baissées.

À dix-huit heures, il était arrivé à Key West. Alors qu'il se trouvait encore en périphérie de la ville, Jordan songea que celle-ci n'était pas bien différente de n'importe quelle autre ville américaine de taille moyenne, avec ses hypermarchés et ses chaînes de restauration rapide, mais, à mesure qu'il approchait du bord de la mer, les rues se firent plus étroites, les palmiers plus abondants, les piétons et les chats plus nombreux que les voitures. L'air sentait le sel et l'alcool, et les gens semblaient tous joyeux (même si, pour être juste, beaucoup avaient l'air surtout ivres). Après avoir tourné un moment, il trouva son hôtel et s'installa dans sa chambre, une pièce triste et carrée au premier étage d'un immeuble en parpaings de deux étages, avec un lit dont le matelas s'affaissait au milieu et une odeur de moisi et de produit nettoyant à l'huile de pin. Il accrocha ses vestes dans la penderie, rangea ses chemises et ses sous-vêtements dans un des tiroirs de la commode, et fixa le téléphone un long moment avant de se forcer à regarder ailleurs.

À dix-neuf heures, il mit la vieille clim au maximum, s'assura qu'il avait bien son portefeuille et la clé de sa chambre (l'endroit était tellement « économique » qu'il y avait encore de vraies clés attachées à un losange en plastique turquoise, avec le numéro de chambre imprimé en blanc), puis il se rendit à Duval Street, rue principale de Key West selon la brochure qu'il avait dégotée. Avant de quitter Pleasant Ridge, il avait imprimé la liste des agences de location, et il vit avec satisfaction que l'une d'elles était encore ouverte. Mais sa chance s'arrêta là :

l'employé n'avait jamais rien loué à Charles Carstairs, Valerie Adler ou Adelaide Downs, et il ne reconnaissait personne sur les photos (Jordan avait téléchargé celle de Valerie sur le site de MyFox, et piqué celle d'Adelaide au centre Crossroads).

« Il s'agit peut-être d'une location de particuliers à particuliers, lui dit un jeune employé. Vous savez, elles peuvent très bien avoir organisé la transaction par Internet avec un propriétaire, sans passer par une agence. »

Super. Jordan arpenta la rue dans un sens, puis dans l'autre, entra dans les magasins de location de scooters et les boutiques de souvenirs, dans les galeries, les échoppes et les bars, en se faufilant parmi les ivrognes, les voyous et les parents en sueur qui poussaient des poussettes grosses comme des chars d'assaut et fusillaient du regard ceux qui ne s'écartaient pas assez vite ; à tous, il montra les photos de Valerie et d'Addie, à tous, il demanda s'ils les avaient vues, et tous, sans grande surprise, lui répondirent non.

À vingt-deux heures, il était sonné. Il rêvait d'une bonne bière et d'un hamburger. (« Deux hamburgers dans la même journée ? » demanda Patti dans sa tête, et Jordan lui dit de la fermer. Qu'est-ce que ça pouvait bien lui faire, maintenant, qu'il mange mal ? Elle avait un nouveau mari et probablement un bébé, à moins que le banquier travesti ne se soit trompé.) Il s'arrêta dans la première gargote qu'il croisa, et c'est seulement une fois installé au bar, lorsqu'on lui tendit le menu plastifié, qu'il se rendit compte qu'il se trouvait moins dans un restaurant que dans un parc à thème dédié au célèbre chanteur Jimmy Buffett, avec une boutique de cadeaux à l'entrée et une carte proposant des plats inspirés de ses chansons.

Si tu n'es pas sûr de les vaincre, mets-toi de leur côté, songea Jordan. Il commanda un « Cheeseburger au Paradis » et une bière Red Stripe. À cette bière s'ajoutèrent une deuxième et une troisième, puis le type assis au bar à côté de lui paya sa tournée de Corona et glissa cinquante dollars au barman pour qu'il passe « Fins » en boucle. Jordan fut forcé de boire encore plus de bière, et même un verre de tequila, pour supporter le vacarme de la centaine de fans d'âge mûr à la peau cramée par le soleil qui chantaient à tue-tête en agitant les bras en l'air.

« Ça va ? » lui demanda la serveuse à queue-de-cheval en lui apportant la note.

Elle arborait une petite barre en métal à travers l'oreille, dans ce qu'on appelle le tragus, un mot bien utile au Scrabble. Jordan et Patti avaient été des mordus de ce jeu. Ils emportaient leur Scrabble de voyage partout où ils risquaient d'avoir à attendre. Ils y avaient joué sur la plage lors de leur dernier voyage aux Bahamas, dans la salle d'attente du médecin, et aussi à l'hôpital, quand Patti attendait sur son lit, le visage blême, une perfusion dans la main et du gel d'échographie sur le ventre, en faisant tout pour qu'il ne voie pas qu'elle pleurait.

« Est-ce que je peux vous poser une question ? »

Il fouilla dans sa poche sous le regard curieux de la serveuse, tout en se demandant combien de fois elle avait reçu les avances de vacanciers du Middle West assez vieux pour être sinon son père, au moins un grand frère beaucoup plus âgé.

« Avez-vous vu l'une ou l'autre de ces femmes ? »

Elle jeta un coup d'œil aux photos, avant de secouer la tête.

« Vous avez perdu quelqu'un ? » demanda-t-elle.

Oh, que oui, songea-t-il.

« Bonne chance », dit-elle.

Il lui laissa un gros pourboire et se traîna dehors, dans la nuit lourde et poisseuse. Trois types en short et portant une casquette consultaient un plan à la lumière d'un lampadaire. Jordan tapota l'épaule du plus petit et lui montra les photos.

« Est-ce que par hasard vous avez vu... ? »

Il avala sa salive, tentant de se rappeler le reste de la phrase. Le gars lui donna une tape amicale dans le dos.

« Eh, mec, t'es complètement bourré. »

Jordan s'humecta les lèvres.

« Qu'est-ce que vous buvez ? »

Ils avaient chacun un seau en plastique – les verres étaient trop énormes pour être appelés autrement – rempli d'un liquide brun pâle tellement fort que Jordan en avait les larmes aux yeux.

« Un Voodoo Bucket », répondit l'un des gars. Et il leva son seau, hilare, avant de pointer du coude un bar en plein air, de l'autre côté de la rue. Les murs de l'échoppe étaient recouverts de billets dédicacés. Un homme bronzé en maillot de bain, avec un chapeau de cow-boy, était assis tout seul au bar, les coudes appuyés sur le bois lustré. Non loin de là, un groupe de steel-drum jouait « Oye Como Va ». Jordan traversa la rue et attira l'attention du barman.

« Un Voodoo Bucket, s'il vous plaît. »

Le Voodoo Bucket, pensa Jordan tandis qu'il rapportait avec précaution sa boisson jusqu'à sa voiture, puis à l'hôtel, était quelque chose de festif. Le genre de cocktail qu'on dégustait sur le pont d'un bateau de croisière, ou sur une chaise longue au bord d'une piscine. Ça avait le goût de rhum et de jus de fruits. Peut-être d'alcool de grain. Ou d'antigel, il ne savait pas vraiment. Dans sa chambre, vêtu d'un simple caleçon, il s'assit le plus près possible de la clim, sirota sa boisson, et appela le poste pour prendre des nouvelles. Holly lui assura que tout allait bien. Ils suivaient l'affaire, recherchaient des pistes, surveillaient les téléphones. Parfait.

Jordan les félicita et les encouragea, promit de rappeler le lendemain matin, et raccrocha avant que Holly ait eu le temps de lui demander d'une voix attendrie comment il allait. Et puis, alors que les aiguilles de l'horloge passaient minuit, il fit ce qu'il s'était retenu de faire depuis plus de vingt-quatre heures : il composa le numéro du téléphone portable de Patti, qui n'avait pas changé depuis qu'ils s'étaient quittés.

Elle répondit à la troisième sonnerie.

« Jordan ? »

Raccroche, se dit-il. Raccroche tout de suite. Au lieu de ça, il demanda :

« Tu te souviens quand on jouait au Scrabble ? »

Trois mille kilomètres plus loin, il entendit son ex-femme soupirer.

« Oh, Jordan.

— Tu te souviens ? À l'hôpital, la dernière fois ? Tu avais mis "risotto" et j'avais refusé parce que c'était un mot étranger, et ensuite ils étaient venus te faire cette piqûre...

— La péridurale », précisa Patti.

Elle avait l'air triste. Il l'avait rendue malheureuse, comme d'habitude.

« J'avais raison, tu sais. Tu ne peux pas mettre des mots italiens. »

Il ferma les yeux très fort. Son visage était mouillé. La transpiration, songea-t-il, ou alors il avait renversé du Voodoo.

« Devine d'où je t'appelle.

— Où que tu sois, j'espère que quelqu'un d'autre a tes clés de voiture, répondit Patti.

— Key West. »

Il prononça chaque mot soigneusement.

« Je suis à Key West pour une enquête. »

Et merde. Ça se passait plutôt bien jusqu'au mot « enquête », qu'il eut un peu de peine à prononcer.

« Jordan, est-ce que tu vois quelqu'un ?

— Une femme ? demanda-t-il bêtement. Non, Patti, je n'en ai pas envie. » Je ne veux que toi, pensa-t-il. Que ma femme.

« Je ne te parle pas d'une femme, mais d'un thérapeute.

— Oh ! Oui, j'en vois un, mentit-il.

— Je ne te crois pas. Tu sais ce que tu devrais faire ? Trouve-toi du paracétamol et une grande bouteille d'eau, avale les cachets, bois toute l'eau, et va te coucher.

— Je ne peux pas. Je suis sur une enquête, je t'ai dit.

— Ton enquête peut attendre demain.

— Je vais peut-être m'installer ici, annonça-t-il avant d'avaler une gorgée d'alcool. Il fait très chaud. »

Il posa son seau et s'essuya le visage avec la serviette qu'il avait trouvée dans la salle de bains.

« Il y a des palmiers. Jimmy Buffett a un restaurant, ici.

— Ç'a l'air sympa. »

Elle le caressait dans le sens du poil. Il l'imaginait très bien prenant ce ton avec les élèves à qui elle apprenait à lire. C'est parfait ! Ce n'était pas facile, bravo !

« Rejoins-moi, dit-il. Il y a un aéroport. Tu vas jusqu'à Miami, et tu prends une correspondance. Ou alors je viens te chercher là-bas. Prévois juste un maillot de bain, je peux t'acheter tout ce dont tu as besoin.

— Oh, Jordan. »

Il entendit un petit bruit à l'autre bout du téléphone et s'aperçut qu'il l'avait fait pleurer.

« Tu me manques. »

C'était vrai, mais il n'y avait pas que ça : c'était aussi le fait d'être un mari qui lui manquait, d'avoir un foyer à rejoindre le soir après le boulot, d'avoir une femme en face de lui à table, à côté de lui en voiture ou en avion ;

une femme qui connaissait toute son histoire – comment il s'était fait piquer par une méduse aux Bahamas, et comment il avait essayé de se pisser dessus pour soulager la brûlure, à quel point il détestait les betteraves, les petits avions et l'odeur d'essence ; une femme qui lui chantait « I Loves You Porgy » quand elle était ivre, dans le dialecte politiquement incorrect d'origine.

« Bois de l'eau », conseilla Patti depuis son lit douillet à Chicago.

Rob Fine, chirurgien-dentiste, se trouvait sans nul doute à côté d'elle, peut-être en train de ronfler, ou alors en train de fulminer à l'idée qu'il ne leur restait que quelques heures de sommeil avant que le réveil sonne. « Prends du paracétamol.

— J'ai appris que tu avais un bébé. »

Il y eut un long silence. Jordan pensa qu'elle n'allait pas répondre, ou même qu'elle allait raccrocher.

Lorsqu'elle se décida enfin, sa voix était à la fois fière, timide et gênée.

« Rob et moi avons adopté une petite fille du Guatemala. On l'a ramenée à la maison, il y a trois semaines. Elle s'appelle Lily, en hommage à ma grand-mère. »

Lily. Le prénom qu'ils avaient choisi pour une petite fille. Jordan se frotta la joue avec la paume de la main, pensant qu'il n'arriverait pas à parler avec cette boule dans sa gorge.

« Je suis désolé pour "risotto", murmura-t-il. J'aurais dû te laisser les points. »

Mais il parlait à une tonalité, qui se transforma en bip-bip déplaisant, qui fut lui-même remplacé par une voix enregistrée. « Si vous désirez appeler quelqu'un, veuillez raccrocher et réessayer. Si vous avez besoin d'aide, appuyez sur la touche zéro pour être mis en communication avec un opérateur. »

J'ai besoin d'aide, songea Jordan. Il avala une gorgée de son Voodoo Bucket, puis s'allongea sur le lit, ferma les yeux et imagina Patti, Patti avec des talons hauts et une jupe noire moulante qu'il aimait bien, marchant prestement dans un couloir en tirant une valise derrière elle et, peut-être, en tenant une petite fille par la main ; Patti au volant d'une voiture de location, dans les rues qui menaient à l'océan, en train de le chercher.

Après être resté comme ça trois quarts d'heure sans parvenir à dormir, il décida qu'il ferait aussi bien de travailler. Il prit ses clés de voiture et son Voodoo Bucket et sortit pour poursuivre ses recherches.

46

« Dan ? »

C'était le matin, le lundi matin, et Chip Mason le secouait par l'épaule. Dan poussa un grognement et plissa les yeux face à la lumière du jour. Merry l'avait déposé chez Chip la veille, en début de journée. Il s'était précipité vers la porte et jeté sur Chip dès que celui-ci lui avait ouvert.

« Ne fais pas ton cureton avec moi, lui avait-il soufflé. Cette femme est complètement allumée, il faut que tu me laisses entrer. »

Surpris, Chip avait regardé derrière Dan en direction du monospace de Merry, avant de lui ouvrir toute grande la porte.

« Tu as de la bière ? »

Dan était allé tout droit vers la cuisine, en espérant que Chip ne lui demanderait pas ce qui s'était passé, ni comment il s'était retrouvé à se balader en voiture avec sainte Merry Armbruster.

« Il est neuf heures du matin, avait dit Chip.

— Fais pas ta fillette. »

Dan avait ouvert le réfrigérateur, où, bien sûr, il n'avait trouvé aucune bière. Du lait, du jus de pomme (du jus de pomme ? Quel vrai homme buvait ça ?), mais rien de plus fort que du Sprite.

« Que s'est-il passé ? » avait demandé Chip tandis que Dan portait la bouteille verte à sa bouche et commençait à boire à grandes gorgées. Et là, il avait dû y avoir quelque chose dans sa voix, une intonation familière, entre scepticisme et indulgence – oh, Danny, qu'est-ce que tu as encore fait ? – qui lui avait brutalement rappelé sa mère. Il se rendit compte, stupéfait et pris de nausée, que c'était exactement ce qu'il avait ressenti chez Merry... la façon dont elle l'avait regardé, non pas avec colère, mais avec déception. Avec peine. C'était sa mère qui venait le chercher lorsqu'il se faisait renvoyer du lycée, qui le ramenait à la maison lorsqu'il était exclu d'un match de football. Chaque fois, elle lui posait cette question, puis elle soupirait. « Tu me tues », disait-elle.

Il reposa la bouteille sur la table. Quand lui et ses copains avaient eu des ennuis après avoir écrit des conneries dans l'allée d'Addie Downs (Downs Syndrome[1]*, ils l'appelaient, un surnom qu'il avait trouvé lui-même et qui l'avait toujours fait rire), il avait raconté le minimum à sa mère. Ils avaient peint quelques graffitis, c'était juste une blague, pas grand-chose, ce salaud de principal adjoint l'avait dans le nez. Voilà ce qu'il avait dit. Il lui avait rappelé qu'au départ c'était Addie qui l'avait accusé – à tort, bien sûr – d'avoir embêté Valerie Adler. Il n'avait pas précisé qu'Addie l'avait bien cherché, mais c'était sous-entendu. Sauf que cette fois-ci sa mère n'avait pas soupiré, elle n'avait pas cédé. Elle l'avait fait asseoir à la table de la cuisine – à l'époque, il la dépassait déjà d'une tête et pesait bien cinquante kilos de plus qu'elle, mais elle arrivait toujours à lui faire peur – et elle l'avait dévisagé, avant de baisser les yeux et de se mettre à pleurer.*

« Quoi ? Qu'est-ce qu'il y a, maman ? »

1. Syndrome de Down, autre appellation de la trisomie 21.

Elle s'était essuyé le visage et l'avait regardé, furieuse, comme si... Il lui avait fallu un moment pour déchiffrer son expression, mais, lorsqu'il avait compris, il avait éprouvé la même sensation de stupéfaction et de nausée qui l'avait saisi dans la cuisine de Chip : sa mère avait honte de lui. « Est-ce que tu sais ce que ça fait, lui avait-elle demandé, d'élever un vaurien ? As-tu la moindre idée de ce que ça fait ? »

Il avait commencé à protester, à sortir tout un tas d'excuses – il n'y avait pas mort d'homme, ce n'était que de la peinture, ça partirait vite –, mais, soudain, sa mère s'était levée et lui avait tourné le dos. « J'en ai assez de toi, avait-elle dit. J'abandonne. » Et même si elle avait continué à lui préparer ses repas et à laver ses vêtements, même si elle l'avait accompagné en voiture le jour de sa rentrée universitaire et avait organisé Thanksgiving et Noël pendant des années, ce qu'elle avait dit ce jour-là était vrai. D'une manière à la fois indéfinissable et incontestable, qui se ressentait principalement dans les manques et les omissions, dans les questions qu'elle ne lui posait pas (sur ses petites copines, sur ses projets), elle l'avait abandonné. Il l'avait déçue. Il lui avait brisé le cœur.

Lentement, il s'effondra sur une chaise dans la cuisine de Chip.

« Que s'est-il passé ? » répéta son vieil ami.

Dan secoua la tête, puis se cacha le visage entre les mains et resta les yeux fermés jusqu'à ce que Chip le prévienne que la messe allait bientôt commencer. Dan l'avait surpris, et s'était surpris lui-même, en répondant :

« Je viens. »

C'était la première fois qu'il entrait dans une église depuis qu'il était parti de chez ses parents. Lorsque Chip, très solennel devant l'autel, avait invité l'assistance à prier, Dan avait baissé la tête tellement vite qu'il avait senti sa nuque craquer. Il avait aussi passé l'après-midi à genoux, toujours muet quand Chip lui demandait ce qui le tracassait et s'il avait envie d'en parler. Pour ne pas penser, il avait lavé tous les sols de Chip avec une brosse et un seau trouvés sous l'évier, avant de s'attaquer à la salle de bains avec une vieille brosse à dents. Malgré le ménage, malgré les prières et le jeûne (presque imposé, puisqu'il avait tellement la gueule de bois qu'il ne pouvait rien garder de ce qu'il avalait), il n'arrivait pas à chasser Valerie Adler de son esprit. Il revoyait son visage sur le parking du country-club, ses traits déformés tandis qu'elle lui lançait qu'il lui avait pourri la vie, il revoyait son visage plus jeune, en larmes, ses mains qui le repoussaient, ses lèvres qui disaient : « Je t'en prie. » Qui disaient : « Non. » Les prières de Val se mêlaient à la voix de sa mère lui demandant doucement s'il savait ce que ça faisait d'élever un vaurien.

Chip avait préparé le dîner – des spaghettis avec de la sauce en bocal, une salade en sachet. Dan ne pouvait pas manger.

« Qu'est-ce qui ne va pas ? » lui avait demandé son ami pour la troisième fois. Cette fois-ci, il lui avait répondu.

« Elle m'a dit qu'elle raconterait tout à son père, avait-il grogné à la fin de son histoire. Et tu sais ce que je lui ai répondu ? Je lui ai dit : "Tu n'as même pas de père." »

Il avait fermé les yeux très fort, détestant l'ado stupide qu'il avait été, soûlé à la mauvaise bière, prenant ce qu'il voulait et brisant le cœur de sa mère. Chip l'avait écouté tout du long vomir son histoire comme un morceau de viande pourrie, parler jusqu'à s'enrouer, puis il avait installé un drap sur le canapé et lui avait dit de se reposer.

Maintenant, c'était le matin. Dan se leva du canapé, encore vêtu des affaires que Merry lui avait données, le pantalon trop court, la chemise dont l'odeur poussait à croire que quelqu'un était mort dedans, probablement en fumant une cartouche entière de cigarettes sans filtres. Il enfila les bottes en caoutchouc trop petites et regarda vers la porte d'entrée, où Chip l'attendait.

« Est-ce que tu peux me déposer quelque part ? »

Il attendit que Chip acquiesce, puis alla dans la cuisine boire deux grands verres d'eau du robinet, tiède et calcaire. L'idée lui traversa l'esprit qu'il s'agissait peut-être de la dernière chose qu'il goûtait en homme libre, et cette pensée lui donna un tel haut-le-cœur qu'il chancela au-dessus de la table, avant de s'effondrer sur une chaise. Chip l'observa un moment, puis traversa la cuisine pour lui presser gentiment les épaules.

« Où allons-nous ? demanda-t-il.

— Je te le dirai, répondit Dan en se levant. Je te le dirai dans la voiture. »

Chip prit ses clés et conduisit Dan dehors.

47

« Ne conduis pas », lui avait conseillé Patti. Mais Jordan n'avait plus à écouter Patti. « J'ai mal aux gencives », avait-elle prétendu, et il l'avait crue. Patti la baiseuse de dentiste, avec sa nouvelle petite fille... Jordan ouvrit la voiture de location, s'installa au volant et se mit en route, remontant une rue, redescendant l'autre. Key West n'était pas si grand que ça. Il pouvait sûrement avoir fait le tour de toutes les maisons avant l'aube.

Il se retrouva dans le quartier d'East End, composé de rues étroites avec des villas coquettes posées sur des pelouses de la taille de timbres-poste. Il conduisait lentement, prenant le temps de repérer les lumières allumées, de lire les plaques des véhicules stationnés dans les allées. Au bout d'une heure, il s'arrêta devant un vieux break vert immatriculé dans l'Illinois, qu'il avait vu pour la dernière fois quittant Crescent Drive à vive allure.

Il s'adossa à son siège et regarda les fenêtres sombres de la petite villa blanche, blottie derrière les feuilles pointues des palmiers d'un jardin débordant de fleurs rouges et roses. Je vous tiens, songea-t-il, et il s'attendait à être envahi par un sentiment de victoire, mais il ne se passa rien. Il se sentait juste seul, triste et nauséeux.

Tuons le mal par le mal, décida-t-il en se remémorant Judy Nadeau en train de lui sourire, complètement ivre, et de lui demander s'il avait envie de baiser. Il avala une gorgée du Voodoo Bucket qu'il avait emporté avec lui et ceinturé sur le siège passager. La voix de Patti, dans sa tête, répétait : « Elle s'appelle Lily ». Il était à peine plus de trois heures du matin. Laissons-les dormir, pensa-t-il. Il confirmerait la présence de Val et d'Addie dans cette maison dès qu'elles pointeraient leur nez dehors, ce qu'elles seraient bien obligées de faire à un moment ou à un autre. Il les coincerait, leur parlerait, les convaincrait d'avouer. Il les conduirait au poste de police de Key West, où elles se rendraient. Ensuite, il appellerait Sasha pour lui annoncer qu'il avait élucidé l'affaire.

Jordan appuya sa tête contre la vitre. Ses yeux durent se fermer tout seuls, car lorsqu'il les rouvrit, le soleil se levait, baignant le ciel d'un rose surnaturel. Il entendait le vent souffler à travers les arbres et, au loin, le murmure de l'océan… et aussi le bruit de quelqu'un qui frappait à la fenêtre. Il se redressa, s'apprêtant à faire face à un voisin indigné ou, pire, à un collègue fonctionnaire de police qui lui demanderait ce qu'il faisait là et lui dirait de dégager. Au lieu de cela – il cligna des yeux et essuya celui qui coulait –, il vit la Dame de la Nuit. Sans sa marionnette escargot, mais il la reconnut quand même. Elle avait pris des couleurs et, avec le ciel rose derrière elle, elle était encore plus belle en vrai qu'à la télé.

« Jordan ? »

Elle avait l'air étonnée, et même presque effrayée.

« Jordan Novick ? »

Il cligna encore des yeux, et les traits de la Dame de la Nuit se dissipèrent pour faire place à ceux d'Addie Downs. Il sortit de la voiture, les jambes raides et le corps endolori, attendant l'effet de cette fameuse poussée d'adrénaline.

« Qu'est-ce que vous faites ici ? demanda-t-elle.

— Et vous, qu'est-ce que vous faites ici ? » répliqua-t-il.

Elle lança un regard de biais vers un palmier.

« En vacances. »

Sa voix était presque inaudible.

« Je suis en vacances. »

Il s'éclaircit la gorge, espérant paraître autoritaire et professionnel, mais, lorsque l'oxygène atteignit son cerveau, il comprit qu'il était beaucoup, beaucoup plus soûl qu'il ne l'avait prévu.

Il parla lentement, tenta de prononcer chaque mot, chaque syllabe distinctement :

« Où est Dan Swansea ?

— Je ne sais pas. »

Il n'avait pas l'impression qu'elle mentait – elle avait parlé sans marquer d'hésitation, sans détourner les yeux, sans se toucher les cheveux ou la bouche.

« Pourquoi avez-vous fui ?

— Je n'ai pas fui. J'ai juste décidé de prendre quelques vacances. »

Jordan s'avança – pour faire quoi, pour dire quoi, il n'en savait rien. Le bout de sa chaussure buta contre la racine d'un arbre et il bascula, étonné par la vitesse avec laquelle le sol lui sautait au visage. Il entendit Addie crier, sentit ses doigts effleurer sa manche, puis son front rebondit sur le trottoir et, avant que tout devienne noir, il songea que les choses commençaient bien mal.

48

« Le chef de la police ? »

Valerie a baissé les yeux sur le permis de conduire de Jordan Novick, avant de les relever vers moi.

« Qu'est-ce qu'il fait là ?

— J'imagine qu'il est venu nous chercher. Il avait des photos de nous dans la poche. »

Valerie a réfléchi un instant.

« C'était une bonne photo, au moins ? Seigneur ! J'espère que ce n'est pas celle de Wikipedia. Il y a un trou du cul qui fait une fixette sur moi, il n'arrête pas de poster cette photo où on dirait que j'ai trois mentons...

— Valerie. Concentre-toi. »

Elle s'est assise en tailleur dans un fauteuil.

« Bon. Je t'écoute. Qu'est-ce qu'on va faire, maintenant ? »

Je n'en savais rien. J'étais sortie pour contempler le lever du soleil, dans l'idée de prendre quelques photos avec le petit appareil que j'avais acheté et peut-être de faire quelques croquis du ciel. Quand nous nous étions baladées sur la plage la veille, le coucher de soleil, le jeu de cette étrange lumière rougeoyante sur l'eau, m'avait enchantée. J'avais envie de le peindre, et pas en miniature comme j'avais l'habitude de le faire. Ce genre de scène demandait une grande toile, peut-être même une qui prendrait tout un mur, et autre chose que mes aquarelles. Peut-être utiliserais-je de l'encaustique. La cire colorée donnait une riche impression de dégradé, l'illusion de profondeur. Le rendu était formidable pour l'eau, et je me disais qu'il ne serait pas mal non plus pour le ciel d'ici.

J'étais donc sortie pieds nus, en chemise de nuit, l'appareil photo dans une main et une clé de la maison dans l'autre, lorsque j'avais remarqué la voiture garée devant notre allée, avec Jordan Novick endormi à l'intérieur. Après sa chute, j'avais pensé appeler les secours, leur dire qu'un homme avait perdu connaissance devant notre villa, et simplement raccrocher en le laissant là. Mais, quand je m'étais penchée pour voir s'il avait un téléphone, Jordan avait gémi et attrapé l'ourlet de ma chemise de nuit. « S'il vous plaît », avait-il murmuré. Je l'avais aidé à entrer en le traînant à moitié jusque dans la chambre, où je l'avais hissé sur mon lit, tourné sur le côté pour qu'il ne s'étouffe pas avec son vomi. Puis j'avais intercepté Val, qui se rendait aux toilettes. Elle avait jeté un coup d'œil dans la chambre, juste le temps de voir sa silhouette recroquevillée sur le lit, et m'avait lancé : « Hé ! T'as rencontré quelqu'un ! »

Je lui avais raconté ce qui s'était passé. Ensemble, nous avions retiré ses chaussures à Jordan Novick et nettoyé son visage. Puis nous étions passées au salon pour essayer de trouver un plan.

« Voilà ce que je propose, a dit Val. On le met dans un chariot et on le laisse devant les urgences. Comme ils le font avec la fille dans *American College*. »

N'importe quoi !

« Pour commencer, je ne pense pas que ce film ait été fait pour être pris en exemple. Et puis il est peut-être vraiment blessé. Et où allons-nous trouver un chariot ?

— Pas bête. O.K. Alors on n'a qu'à appeler un taxi…

— Je crois qu'on ferait mieux de l'amener au poste de police. Et de se rendre.

— Attends, attends, a fait Val, les sourcils froncés. Il n'a pas l'air en pleine possession de ses moyens, à l'heure actuelle. »

Elle s'est gratté une petite peau sur un ongle.

« Surtout depuis que je lui ai enlevé son pantalon. »

Je l'ai dévisagée, ahurie.

« Tu as fait ça ?

— Ouaip, a-t-elle répondu, l'air fier.

— Pourquoi ?

— Il était sale. »

Elle s'est rongé l'ongle.

« Et puis c'est aussi au cas où il essaierait de s'enfuir. C'est très dur de s'enfuir, quand on n'a pas de pantalon. Je n'en ai pas fait directement l'expérience, mais....

— Valerie... »

J'ai lutté pour garder patience.

« Tu ne peux pas être sérieuse deux secondes ?

— Ben quoi ? Je ne vois pas où est le problème », a-t-elle rétorqué avec un sourire candide.

J'ai décroché le téléphone.

« On devrait appeler la police.

— Attends au moins qu'il se réveille. »

Elle s'est levée, s'est étirée.

« Pourquoi précipiter les choses ?

— Je vais aller voir s'il va bien.

— Oui, occupe-t'en. Tu n'en fais qu'à ta tête, de toute façon. »

Elle s'est éloignée en direction de sa chambre, et, après quelques instants, je suis allée dans la mienne.

Jordan Novick était étendu sous un drap ; son visage commençait déjà à gonfler là où il s'était cogné. J'ai dégagé les cheveux de son front, sentant leur épaisseur sous mes doigts. Je ne faisais que regarder, me suis-je dit.

Mon intérêt était purement altruiste. Il fallait que je m'assure qu'il ne saignait pas. Il a soupiré dans son sommeil et enfoui sa tête dans l'oreiller, comme un petit garçon. Je suis allée dans la cuisine, j'ai emballé des glaçons dans un torchon, puis je suis revenue pour le presser contre sa joue. Il a grogné et s'est retourné.

« Patti.

— Chut… »

Je me suis permis de lui caresser les cheveux, très doucement, une seule fois, puis j'ai touché sa joue. Voilà ce que j'avais voulu, peut-être même ce dont j'avais toujours rêvé : un homme à côté de qui m'allonger le soir, un homme qui me connaîtrait et qui prononcerait mon prénom. Ou qui serait allongé à côté de moi et dirait le prénom d'une autre, peu importe. Au point où j'en étais, j'étais prête à tout accepter.

« Au lit, les petits ! » a marmonné Jordan.

C'était quand même bizarre. Et s'il avait une commotion ? Et si son cerveau était en train de saigner ? J'ai réfléchi un instant, tentant de me rappeler les dialogues que j'avais lus dans les romans médicaux ou entendus à la télé. Les pupilles fixes et dilatées, c'était mauvais signe. Les pupilles réactives, c'était bien, tout comme un patient se repérant dans le temps et dans l'espace. Je me suis agenouillée sur le lit à côté de Jordan Novick, j'ai retiré l'abat-jour de la lampe de chevet et approché l'ampoule de son visage.

« Jordan », ai-je murmuré.

Il a ouvert les yeux. Ses pupilles se sont aussitôt rétractées, aussi petites que des têtes d'épingle, puis il s'est protégé les yeux avec la main.

« Ouille ! »

J'ai éteint la lumière.

« Vous savez où vous êtes ? ai-je chuchoté.

— Dans un lit. »

Il a marqué une pause.
« En Floride.
— Est-ce que je peux prévenir quelqu'un ? Votre femme, ou...
— Non... pas de femme. »
Tandis qu'il s'asseyait à grand-peine, le drap a glissé, exposant un boxer blanc.
« Divorcé. »
Il s'est frotté la tête en grimaçant.
« Elle est partie avec notre dentiste. Ils ont adopté une fille.
— Oh. »
Que répondre à cela ?
« Vous êtes sûre que vous ne savez pas où est Dan Swansea ? »
J'ai soupiré.
« Valerie, mon amie Valerie Adler pense qu'elle l'a peut-être renversé avec sa voiture sur le parking du country-club, après la réunion.
— Elle pense ? »
Je ne voyais pas son expression dans l'obscurité – je ne distinguais que le contour de son visage et de son corps –, mais j'imaginais sans peine son air sceptique.
« N'est-ce pas le genre de chose dont on se souvient, normalement ?
— Pour la plupart d'entre nous, oui, ai-je concédé. Mon amie est une exception à de nombreuses règles. »
Je lui ai laissé un peu de temps pour digérer l'information, avant de continuer.
« Elle est arrivée chez moi dans tous ses états, parce qu'elle pensait l'avoir renversé... Pour sa défense, elle dit qu'il a sauté devant sa voiture. Et il était nu. Val l'avait fait se déshabiller. »
J'ai attendu que Jordan me demande pourquoi, mais il n'a rien dit. Alors, je me suis rappelé que Val lui avait

enlevé son pantalon. Peut-être qu'il s'en souvenait, lui aussi, et qu'il s'imaginait qu'avec Valerie Adler c'était la procédure habituelle.

« On est retournées au country-club…

— Vous n'avez pas appelé la police ? »

J'ai replié mes genoux sous mon menton.

« On voulait voir s'il allait bien.

— En plein mois de novembre, alors qu'il était nu et qu'il venait de se faire renverser par une voiture. »

Jordan semblait douter.

« Oui, mais Val n'était pas sûre de l'avoir vraiment percuté. On voulait juste voir… »

Jordan a soupiré lentement, délibérément, comme j'avais entendu les mamans de la cafétéria le faire lorsque leurs gamins renversaient leur lait par terre.

« O.K. Val se pointe, vous retournez sur le parking…

— Et Dan n'était plus là ! On a trouvé sa ceinture, et ensuite on est parties à sa recherche…

— À Key West ? »

Je me suis mordu la lèvre.

« Euh… non. En fait, on a commencé à chercher à Pleasant Ridge. On est parties à Key West quand on a vu qu'on ne le trouvait pas. On s'est dit qu'on ferait peut-être mieux de s'éloigner, le temps qu'il réapparaisse. »

Jordan a remué, faisant grincer le lit.

« Il n'a pas réapparu. »

J'ai passé mes bras autour de mes genoux. Jordan a encore soupiré, et quand il s'est remis à parler, sa voix était rauque.

« Je vous aimais bien, a-t-il confié.

— Ah… Ah bon ?

— J'aimais bien votre maison. »

J'ai cru que j'allais pleurer.

« Oh.

— Et votre chambre.

— Attendez. »

J'ai soudain eu la chair de poule.

« Vous êtes entré dans ma chambre ?

— Je vous cherchais. C'est seulement parce que je vous cherchais. Votre voisine s'inquiète. »

J'ai poussé un soupir. Mme Bass, Dieu la bénisse. Mais quand même. Combien de temps avais-je attendu qu'un homme me dise qu'il aimait ma maison, qu'il m'avait cherchée ? Dans d'autres circonstances, bien sûr, et avec une signification complètement différente. Jordan a posé une main sur ma joue et a tourné mon visage vers lui.

« Je vous aimais bien », a-t-il répété d'une voix bouleversée, tandis qu'il m'attirait contre lui.

J'ai senti ses lèvres chaudes contre les miennes, ses mains dans mes cheveux, son corps qui entraînait le mien dans le lit. J'ai eu l'impression de glisser sous l'eau, comme si l'air tiède, le parfum entêtant des fleurs, le soleil à l'extérieur s'étaient donné le mot pour me pousser à agir comme jamais je ne l'aurais fait dans la ville sobre et froide de Chicago. La joue mal rasée de Jordan a effleuré la mienne.

« Addie. »

Nous nous sommes embrassés, encore et encore. Le lit tanguait comme un bateau sur l'eau, et j'avais l'impression de m'enflammer, comme si chaque centimètre de ma peau s'embrasait de l'intérieur ; quelque part, près de nous, quelque chose sonnait de plus en plus fort.

J'ai dû faire appel à toute ma volonté pour m'écarter de lui, reconnaître le bruit et articuler le mot : « Téléphone. » Je me suis penchée au-dessus de lui pour rallumer la lumière.

Il s'est redressé, couvert de bleus, en clignant des yeux.

« Hein ?

— Téléphone », ai-je chuchoté en montrant la chaise sur laquelle Val avait laissé le pantalon de Jordan.

Il a traversé la pièce en trois longues enjambées, a sorti son portable et regardé l'écran.

« Novick, l'ai-je entendu dire. C'est toi, Gary ? »

Il a écouté un instant en se frottant la tête, les sourcils froncés, son corps – trapu, mais souple – tourné de côté.

« Il est là ? »

Il parlait soudain plus fort, d'une voix déconcertée.

« Il s'est livré pour quoi ? »

Je n'ai pas réussi à me taire.

« C'est Dan Swansea ? Est-ce qu'il va bien ? »

Mais à peine avais-je prononcé ces mots que Val a surgi dans la pièce, vêtue de sa chemise de nuit de chez Gap et brandissant un petit pistolet argenté.

« Haut les mains ! Lâchez votre arme. »

Jordan s'est tourné vers elle et a laissé son téléphone tomber par terre.

« Chef ? a fait une voix lointaine. Chef, vous êtes là ? »

Valerie a envoyé d'un coup de pied le téléphone vers un coin de la pièce, les yeux – et le canon du pistolet – rivés sur Jordan, qui avait levé les mains en l'air.

« Maintenant, écoute-moi bien, sale fils de pute, a-t-elle dit. Ma copine et moi, on va se tirer d'ici. Aucune différence pour moi si t'es vivant ou mort quand on s'en va.

— Val, ai-je murmuré.

— Chef ? a fait la voix dans le téléphone. Chef, vous m'entendez ?

— Elle est malade, a ajouté Val en me pointant du menton. Elle doit rentrer chez elle. Elle doit voir un médecin, et...

— CHEF ! QU'EST-CE QUE VOUS VOULEZ QUE JE FASSE DE SWANSEA ? » a hurlé le téléphone.

Il y a eu un instant de silence. Puis Jordan a regardé Valerie, les sourcils levés.

« Puis-je ? »

Elle a hésité, avant d'acquiescer et de baisser son arme. Jordan a traversé la pièce, gardant les mains en l'air, et a attendu la permission de Val pour ramasser son téléphone.

« Gary ? Qu'est-ce qui se passe ? »

Val est venue s'asseoir à côté de moi et m'a pris la main. De l'autre, elle braquait le pistolet sur la tête de Jordan.

« Tu ferais peut-être mieux de poser ça, ai-je chuchoté.

— Pas question.

— J'arrive, a grommelé Jordan. Je vous appellerai de l'aéroport. »

Et il a refermé son téléphone.

Nous sommes restés tous les trois sans bouger, sans rien dire, comme figés sur place – Val et moi sur le lit, Jordan debout dans sa chemise maculée de sang et son boxer. Val le tenait toujours en joue.

« Swansea s'est rendu », a-t-il annoncé. Val a rangé bien vite son pistolet en poussant un gros soupir. Les jambes tremblantes, je me suis levée et j'ai regardé Jordan. Son visage était aussi fermé que son téléphone tandis qu'il enfilait son pantalon.

« On se reverra », a-t-il dit, avant de fourrer son portable dans sa poche et de partir sans se retourner.

49

Jordan devait le reconnaître : Daniel Swansea s'accrochait à sa version des faits.

« Une dernière fois, s'il vous plaît », demanda-t-il pour la quatrième fois ce soir-là.

Il était épuisé : les deux heures de route pour rejoindre l'aéroport de Miami, l'attente de la navette devant l'agence de location de voitures, le contrôle de sécurité approfondi qui allait de pair avec l'achat à la dernière minute d'un aller simple, tout cela l'avait éreinté.

« Vous avez laissé votre ceinture sur le parking du country-club ?

— Si vous l'avez trouvée sur le parking, c'est que je l'ai laissée là. »

Assis en face de Jordan à la table de conférence, les mains jointes devant lui, Dan Swansea était, comme l'avait dit Christie Keogh, un type assez beau, sauf qu'il portait un pantalon de vieux qui laissait huit bons centimètres de ses tibias poilus à l'air, et une chemise qui empestait tellement qu'on l'aurait crue sortie d'un grenier, sinon d'un cercueil. Grand et élancé, assez costaud, Dan avait la mâchoire carrée, des cheveux bruns épais et un regard hébété. Il n'avait pas une tête à saccager des casiers et à dégrader des allées, ni à violer une copine de lycée. Assis là, tout pâle et rasé de près, il avait plutôt la tête d'un homme qui n'avait plus une once d'énergie en lui.

« Vous rappelez-vous avoir quitté la soirée avec Valerie Adler ? »

Swansea se frotta la tête sans rien dire.

« Vous rappelez-vous avoir été renversé par une voiture ? »

Dan parut perplexe.

« Non, monsieur. Je ne me souviens de rien de tout ça. Je crois que je suis tombé sur le parking. »

Il se gratta le front et gratifia Jordan d'un sourire qui se voulait contrit, sauf qu'on aurait dit qu'il venait tout juste d'apprendre à sourire et qu'il n'y arrivait pas encore vraiment.

« J'étais soûl. Il y avait un open bar, à la réunion.

— Et vous êtes rentré avec une femme. »

Une expression étrange passa sur le visage de Swansea.

« Oui. C'est ça.

— Vous ne voulez pas nous dire son nom ?

— Un gentleman ne dévoile jamais ses secrets d'alcôve. »

Jordan retint un soupir de frustration et regarda ses notes.

« Vous avez passé le dimanche et le lundi avec votre ami le révérend Charles Mason.

— Chip. Il est pasteur.

— Et vous dites que vous voulez confesser quelque chose ? »

Dan serra les poings et les posa sur la table, le regard fixé droit devant lui.

« Au lycée, j'étais à une fête avec Valerie Adler. On avait tous les deux bu, on est sortis ensemble, on est allés dans les bois, et… »

Il se frotta de nouveau la tête en avalant sa salive.

« Elle m'a dit non, reprit-il d'une voix à peine audible. Je ne l'ai pas écoutée. Je l'ai violée. C'est ça que je voulais confesser.

— C'est arrivé quand ?

— En dernière année. À l'automne 1991. En octobre, je crois. »

Jordan fit glisser une feuille de papier et un stylo sur la table.

« Écrivez-moi tout ça. »

Dan se pencha sur la feuille, le stylo en l'air, puis se mit à écrire. Jordan sortit de la pièce en refermant doucement la porte derrière lui, avant d'entrer dans son bureau. Quelques minutes plus tard, il avait le procureur du comté au bout du fil.

« Attends, répète-moi ça. Il veut quoi ? demanda Glenn Hammond.

— Se confesser.

— Diable, est-ce qu'il aurait entendu un sermon particulièrement émouvant à Thanksgiving ?

— Pas sûr.

— Et il dit que c'est arrivé quand ?

— En octobre 1991.

— C'est de l'histoire ancienne ! s'exclama Glenn Hammond en riant dans sa barbe. Écoute, je n'aime pas être porteur de mauvaises nouvelles, chef, mais ton mec a vraiment du pot. Au bout de dix ans, il y a prescription. Même s'il s'était filmé, lui et ses potes, en train de se faire des fillettes de neuf ans et leurs petits chiens en prime, l'État de l'Illinois n'en aurait officiellement plus rien à faire. »

Jordan raccrocha et s'assit à son bureau pour réfléchir. C'était ce que papy Sam aurait appelé une fumisterie, avec son épais accent de la Nouvelle-Angleterre (« Une vaste fumist'rie, Jordy ! aurait-il caqueté, tout en conduisant sa Cadillac d'une main à travers le centre-ville de New London. Voilà c'que c'est ! »). Il ne pouvait arrêter ni Addie ni Valerie. Sans victime pour porter plainte, sans témoins, sans même aucune preuve qu'un crime avait été commis, il n'y avait pas d'affaire. Et il ne pouvait pas non plus inculper Daniel Swansea de viol. Ce qui le laissait avec un gros seau fumant rempli de rien, comme son grand-père avait aussi l'habitude de le dire.

Dans la salle d'interrogatoire, Dan leva la tête de sa feuille lorsque Jordan poussa la porte.

« Bon, commença Jordan, mal à l'aise. On ne peut pas vous poursuivre. Il y a prescription. »

Dan pressa une main contre son front, puis regarda Jordan.

« Qu'est-ce que ça veut dire ?

— Que, même si l'on avait des preuves, même si vous avez avoué, on ne peut pas vous inculper. C'était il y a trop longtemps.

— Mais ce que j'ai fait est terrible, protesta Dan. Je le sais, maintenant. Je veux me racheter.

— Ah... »

Merde. Jordan était doué pour plein de choses : élucider des affaires, punir des malfaiteurs, retrouver des voitures perdues, des chats perdus, des clés perdues. Des dames perdues en Floride. Mais il n'avait pas les compétences pour rendre la justice sur demande du coupable, si les tribunaux et le système ne voulaient pas en entendre parler.

« Vous pourriez faire des choses bien, j'imagine. De bonnes actions.

— De bonnes actions », répéta Dan, l'air malheureux. Il se leva et tendit la main à Jordan.

« Je suis désolé de vous avoir dérangé, dit-il. Que des gens m'aient cherché pendant un week-end prolongé.

— Vous comprenez pourquoi on s'est inquiétés. »

Jordan lui serra la main.

« Je suis désolé », répéta Dan.

Il le dévisagea un long moment, sans lâcher sa main.

« Si j'étais coupable… si on m'arrêtait… où est-ce qu'on me mettrait ?

— Dans une de ces cellules, jusqu'à la lecture de l'acte d'accusation, répondit Jordan, les sourcils froncés.

— Je peux voir ? »

Songeant qu'il n'y avait pas de mal à cela, Jordan accompagna Dan au-delà du banc étroit en métal et de ses trois paires de menottes intégrées, ouvrit la lourde porte et lui montra les trois cellules du poste de police, dont celle qu'il préférait. Dan poussa un soupir. C'était le bruit d'un homme affamé découvrant un festin, le bruit d'un homme assoiffé dans le désert apercevant de l'eau… Un bruit que Jordan croyait reconnaître. N'avait-il pas entendu les mêmes soupirs s'échapper de ses propres lèvres lorsqu'il s'asseyait sur sa chaise pliante avec sa bière et sa télécommande, dans l'espoir d'oublier pendant vingt-deux minutes Patti et le dentiste, et toutes les choses dont il avait rêvé mais qui restaient hors de sa portée ?

Dan toucha les barreaux en métal.

« Est-ce que je pourrais… ?

— Non, répliqua aussitôt Jordan. Vous ne pouvez pas.

— S'il vous plaît. Vous n'êtes pas obligé de fermer la porte. Vous n'êtes pas obligé de dire que je suis ici. Je ne vous embêterai pas, c'est juste que… Je ne peux pas… »

Il tremblait de tout son corps.

« S'il vous plaît », répéta-t-il. Et Jordan, ahuri, ouvrit la première cellule et regarda Daniel Swansea y entrer. Celui-ci étendit le fin matelas recouvert de plastique sur la couchette et s'allongea en chien de fusil, ses chaussures aux pieds, dos au couloir, la joue posée sur ses mains. Jordan l'observa un moment, puis il ferma la porte et le laissa là.

Il était arrivé quelque chose à Daniel Swansea, même si celui-ci ne voulait pas l'admettre. Et Jordan Novick, chef de police, était bien décidé à découvrir de quoi il s'agissait.

50

« Comment s'est passé Thanksgiving ? m'a demandé le Dr Shoup depuis le lavabo où elle se lavait les mains.

— Bien. »

Je n'arrivais pas à croire qu'il se soit passé aussi peu de temps. J'avais l'impression d'avoir vécu une année entière depuis que Valerie avait frappé à ma porte. Mais on était jeudi matin, à peine une semaine s'était écoulée. Il faisait bon pour la saison, le ciel était d'un bleu limpide, une petite brise remuait les dernières feuilles des arbres. J'étais allongée sur la table d'examen, en blouse, chaussettes et culotte, honorant le rendez-vous que j'avais pris dans une autre vie, pendant que Val patientait dans la salle d'attente.

« Je suis allée à Key West. Vous connaissez ? »

Le Dr Shoup a secoué la tête.

« Et pour vous, comment s'est passé Thanksgiving ?

— Très calmement. »

On ne pouvait pas dire que le Dr Shoup était quelqu'un de très bavard, mais je ne l'avais pas choisi pour sa conversation.

« Voyons voir. »

J'ai levé les yeux vers la lumière. L'après-midi, si je n'étais pas obligée de me rendre tout de suite à l'hôpital, j'irais nager. Mon sac se trouvait déjà dans le coffre de la voiture, avec mon maillot de bain, mes lunettes et ma serviette. Peut-être Val viendrait-elle avec moi. Peut-être l'emmènerais-je au bar à jus de fruits ensuite, pour lui montrer la table à laquelle nous nous asseyions, Vijay et moi, avant qu'il fiche le camp vers des eaux plus bleues et d'autres aventures. Les doigts frais du Dr Shoup effleuraient les contours de la bosse, appuyaient légèrement d'un côté, puis de l'autre.

« Ce n'est pas l'os de ma hanche, n'est-ce pas ? » ai-je demandé, tout en connaissant déjà la réponse.

Le Dr Shoup n'a pas répondu.

« Ça fait mal ? »

Elle a appuyé un peu plus fort.

« Pas vraiment.

— Et là ? »

J'ai secoué la tête.

« C'est mon foie ? »

Elle est restée silencieuse, ce qui ne présageait rien de bon.

« Comment vous sentez-vous, ces derniers temps ?

— Bien, ai-je répondu, le cœur battant. Inquiète. »

Ses doigts se sont promenés sur mon ventre, pressant ici, appuyant là. Puis elle s'est écartée de la table sur son petit tabouret à roulettes, en retirant d'un coup sec ses gants de caoutchouc.

« Suivez-moi.

— Où ?

— En salle d'échographie. »

Tout en tenant ma blouse fermée dans mon dos, je l'ai suivie dans un long couloir, tellement effrayée que j'avais du mal à respirer. Cela devait être grave, si elle me faisait une échographie sans rendez-vous, sans m'avoir envoyée vers un spécialiste, sans avoir prévenu l'assurance. Je me suis allongée sur un petit lit, la blouse relevée sous les seins, n'osant rien dire, osant à peine respirer.

Elle a étalé du gel sur mon ventre et posé la sonde sur ma peau.

« Pas de nausées ? De prise ou de perte de poids ?

— Non. Je n'ai rien remarqué. Juste la bosse.

— Quelle contraception avez-vous utilisée ?

— Pardon ? Ah ! »

Je suis devenue toute rouge.

« Des préservatifs, principalement. »

La vérité, c'était plutôt « des préservatifs, occasionnellement ». Vijay n'aimait pas en mettre, et j'avais pensé qu'il n'y avait aucun risque. Il m'avait assuré qu'il avait fait des tests… et moi, bien sûr, comme j'étais vierge, si j'avais eu le sida ou autre chose, j'aurais été la première personne au monde à l'attraper sur une cuvette de toilettes. Quant au problème de la grossesse…

« Mes règles n'ont jamais été vraiment régulières quand j'étais grosse, vous voyez, et ensuite ça ne s'est pas tellement arrangé quand j'ai maigri. » Super. Maintenant, en plus d'un cancer du foie en phase terminale, j'étais probablement aussi porteuse d'une MST.

Le Dr Shoup a incliné l'écran pour que je puisse voir… Quoi donc, au juste ? Quelque chose qui ressemblait à un haricot gris et qui tremblotait comme un stroboscope.

« Je dirais que vous en êtes à quatre mois. »

L'espace d'un instant, j'ai cru qu'elle m'annonçait que j'avais un cancer depuis quatre mois. Quand j'ai compris ce qu'elle voulait dire, je suis restée muette de stupeur. Je ne pouvais détacher mon regard du haricot gris tremblotant qui n'était pas une tumeur, qui était tout sauf une tumeur.

« Je pensais… »

J'ai dégluti, je me suis humecté les lèvres.

« Je ne pensais pas… »

Elle m'a jeté un coup d'œil, avec une certaine gentillesse, avant de déplacer la sonde sur mon ventre et de s'intéresser de nouveau à l'écran.

« Si je comprends bien, c'est une surprise ?

— Une surprise, ai-je répété. Eh bien, étant donné que je m'attendais à un cancer, oui, on peut dire que je suis surprise. »

J'ai cru discerner le début d'un sourire sur ses lèvres.

« C'est une erreur compréhensible. »

Elle m'avait dit la même chose, bien sûr, pour l'histoire de l'os de la hanche. Elle s'est tournée vers moi en retirant ses gants, puis a appuyé sur la pédale de la poubelle en métal.

« Vous voulez prendre un peu de temps pour réfléchir aux différentes possibilités ?

— Non. Non. »

J'ai secoué la tête et posé les mains sur la grosseur. La bosse. Le bébé. Plus tard, je retrouverais l'étreinte familière de l'eau, et la maison dont j'avais fait mon chez-moi. Je sortirais au soleil avec ma meilleure amie, je lui annoncerais la nouvelle, et nous la fêterions ensemble. Le temps que j'avais passé avec Vijay et les baisers partagés avec Jordan deviendraient des souvenirs à cultiver et à chérir, puis à ranger, comme j'avais jadis mis de côté mes vieux et doux rêves sur Dan Swansea. Je me tournerais vers l'avenir sans regarder en arrière. « Merci », ai-je dit, et si le Dr Shoup a été surpris que je le prenne dans mes bras et que je l'embrasse sur la joue, il n'en a rien laissé paraître.

Valerie était assise dans la salle d'attente, les cheveux relevés en une queue-de-cheval désordonnée qu'elle portait depuis la Floride, perdue dans un de mes joggings et un tee-shirt à manches longues, en train de pianoter sur son BlackBerry. À l'aéroport de Key West, pendant que le porteur chargeait nos sacs en échange des clés de la vieille voiture de mon père, Val avait trouvé une cabine téléphonique, d'où elle avait appelé Charles Carstairs. Elle avait eu une longue conversation à voix basse avec lui. Selon elle, il avait accepté avec une facilité surprenante de lui accorder un congé d'un mois, qu'elle avait promis de passer avec moi. Elle a rangé son BlackBerry dans sa poche et s'est levée tandis que je passais devant le bureau de la réceptionniste, les mains pleines de papiers : numéro de téléphone d'un gynécologue-obstétricien, ordonnance pour des vitamines, dépliants sur le régime de la femme enceinte et le développement du fœtus.

« Ça va ? m'a-t-elle demandé, le visage tendu, les sourcils froncés. Est-ce qu'on doit aller à l'hôpital ? »

J'ai secoué la tête.

« C'est quoi, alors ? »

Je lui ai pris la main et l'ai entraînée dans l'escalier, jusque dehors, dans la lumière du jour.

« Qu'est-ce qui se passe ? »

Je l'ai regardée avec un large sourire, les yeux brillants.

« Je suis enceinte.

— Tu es... Attends. Quoi ? Du type marié ? Du médecin ?

— Peu importe. »

J'ai sautillé sur place, incapable de contenir ma joie.

« Peu importe. C'est mon bébé !

— Oh, mon Dieu ! »

Valerie s'est appuyée contre sa Jaguar, qu'elle avait sortie de mon garage dès l'instant où nous étions arrivées à Pleasant Ridge.

« Oh, mon Dieu ! a-t-elle répété en me faisant un grand sourire. Un bébé ! Je peux l'avoir ? »

Je l'ai regardée, éberluée.

« Comment ça, tu peux l'avoir ?

— Je plaisante ! Je plaisante ! Allez, viens ! »

Elle m'a pris les mains.

« Allons acheter des trucs pour bébé et boire du champagne !

— Je n'ai pas le droit de boire... »

J'ai jeté un coup d'œil sur les dépliants. Je ne connaissais rien aux bébés, avant ou après leur naissance. Il faudrait que je me procure des livres. Que je consulte Wikipedia.

« On peut faire comme si tu n'étais pas au courant. Ou alors, tu boiras du jus de pomme à bulles ou un autre truc dégueu dans le genre. Allez, a-t-elle répété, cet endroit me fout la chair de poule. »

Elle me tenait toujours les mains quand elle m'a regardée, soudain sérieuse.

« Je plaisantais quand je disais que je voulais ton bébé.

— Je sais, Val.

— Je veux que tu aies tout ce que tu désires. Tu es ma meilleure amie. »

Le vent soulevait ses cheveux, et, l'espace d'un instant, je nous ai imaginées encore petites filles, flottant dans l'eau avec nos cheveux qui traînaient derrière nous comme des rubans. Elle m'a ouvert la porte et, comme d'habitude, je n'ai pas pu résister.

« Allez, monte. Il y a plein de petits vêtements bien chers qui nous attendent. »

51

« Elle s'apprête à partir », dit Holly en se penchant en avant, toute frémissante, comme un chien à l'affût.

Elle avait les yeux rivés sur la fenêtre du salon, les seins pressés contre sa ceinture de sécurité. Jordan le remarqua à peine : de son côté, il surveillait la porte d'entrée de Merry Armbruster. Merry Armbruster, de la promo de 1992, qui selon Christie Keogh avait passé la quinzième réunion des anciens élèves à tenter de convertir ses camarades sur le parking... et qui, selon Jordan, pouvait bien être la dame mystérieuse de Dan Swansea. C'était Glenn Hammond, le procureur, qui lui avait mis la puce à l'oreille en demandant si Dan avait entendu un sermon particulièrement émouvant. Et lorsque Jordan avait appelé Chip Mason, celui-ci lui avait confié que Merry Armbruster avait déposé Dan chez lui le dimanche matin, ce qui devait sans doute signifier que Dan et Merry avaient passé la nuit ensemble.

Lorsque la porte d'entrée s'ouvrit, il s'attendait à voir cette femme du film *Misery*, jouée par Kathy Bates, avec du feu dans les yeux et une hache à la main. Mais la personne qui sortait ramasser son courrier faisait à peine un mètre cinquante, était dépourvue de hache et pas menaçante pour deux sous. Elle portait un long manteau à fermeture Éclair qui frôlait ses grosses bottes violettes, celles qu'on appelait « Moon Boots » lorsque Jordan était gamin.

Il descendit de voiture. Holly bondit derrière lui.

« Mademoiselle Armbruster ?

— Oui ?

— Nous aimerions vous poser quelques questions à propos de la réunion des anciens élèves du lycée. »

Elle tira sur son bonnet.

« Entrez », dit-elle en les menant au salon.

Jordan et Holly s'assirent côte à côte sur un canapé de cuir lisse et brillant, devant une télévision à écran plat qui occupait presque toute la largeur du mur.

« Il est immense », observa Holly en montrant l'écran.

Merry pinça les lèvres.

« C'est celui de mes parents. C'est leur maison.

— Ils sont là ?

— Non, ils sont à Las Vegas. »

Elle leva le menton.

« "La richesse mal acquise diminue, mais celui qui amasse peu à peu l'augmente."

— Alors ils sont dans un casino ? demanda Holly.

— Que puis-je pour vous ? » s'enquit Merry.

Jordan se pencha en avant.

« Avez-vous croisé Daniel Swansea, vendredi soir ? »

L'espace d'un instant, il crut qu'elle n'allait rien dire, qu'elle serrerait encore davantage ses lèvres minces, lèverait plus haut son menton pointu, refuserait de lui répondre ou lui dirait qu'elle ne parlerait pas sans son avocat. Mais, au bout d'une minute, elle se décida :

« Nous avons prié ensemble.

— Prié pour quoi ? » demanda Holly.

Merry les regarda avec fierté.

« Il avait un lourd péché sur le cœur. Mais, maintenant, il s'est repenti de sa méchanceté. Maintenant, il marche dans la lumière du Seigneur et du pardon. Maintenant, il voit...

— Mademoiselle, l'interrompit Jordan, était-il blessé la nuit où vous l'avez trouvé ?

— Il était perdu, répondit gentiment Merry, comme une institutrice corrigeant un très jeune enfant. Il était perdu, maintenant il est retrouvé. Il était aveugle, maintenant il voit. »

Holly lança un regard désespéré à Jordan, qui réfléchit un instant avant de se lever. Il sortit une carte de son portefeuille et la tendit à Merry.

« Merci pour votre aide, dit-il en imaginant l'expression qui accompagnait le cri étouffé de Holly. N'hésitez pas à appeler, si vous avez besoin de nous. »

Merry rangea la carte dans sa poche.

« Prenez soin de vous, ajouta Jordan.

— Dieu vous bénisse », répondit Merry, avant de refermer la porte derrière eux

« Qu'est-ce qu'on fait, maintenant ? » demanda Holly lorsqu'ils eurent mis le chauffage en route et attaché leurs ceintures.

Elle regarda la maison des Armbruster.

« On ne peut pas faire une perquisition ? »

Elle semblait connaître la réponse à sa question avant même de l'avoir posée.

« Elle lui a fait quelque chose. J'en suis certaine.

— Je suis d'accord, concéda Jordan. Mais je ne suis pas sûr que ce qu'elle lui a fait soit mauvais. »

Il marqua une pause, cherchant ses mots.

« C'était peut-être une sorte de correction. »

Il repensa à Dan Swansea, blotti dans la cellule pour handicapés, et à ce qu'il lui avait dit : « Ce que j'ai fait est terrible. Je le sais, maintenant. »

« On ne peut rien faire d'autre, de toute façon. On n'a aucun mandat, aucun motif valable pour la mettre en garde à vue.

— Alors c'est tout ? s'écria Holly. Elle s'en tire comme ça ?

— On gardera un œil sur elle, promit Jordan. Sur elle et sur Swansea. S'ils dérapent encore, on sera prêts. »

52

« Tu as rencontré quelqu'un », déclara Sasha Devine.

Elle toisa Jordan des pieds à la tête.

« C'est cette Adelaide Downs ? »

Il la dévisagea, bouche bée, tandis qu'elle soutenait son regard en souriant.

« Peut-être que tu n'es pas le seul à avoir un petit endroit tranquille dans ta tête. »

Il resta muet.

« Tu as craqué pour la suspecte ? ajouta-t-elle, amusée. Est-ce que c'est quelqu'un de bien ?

— Je crois.

— Elle est rentrée chez elle ?

— Je pense. Je ne sais pas si elle a envie de me voir.

— Passe chez elle, suggéra Sasha. Apporte-lui des fleurs, ou autre chose. Les femmes adorent les fleurs.

— J'étais sur le point de l'arrêter. Est-ce que ça ne va pas faire bizarre ? »

Il garda pour lui qu'il était déjà allé chez elle, qu'il était tombé devant elle, et qu'ils s'étaient embrassés, ce qui, évidemment, rendait les choses encore plus bizarres et n'augurait rien de bon pour sa prochaine évaluation de performances.

« Tu sais, je me suis bien remise avec un de mes ex alors qu'il m'avait trompée avec ma sœur, confia Sasha.

Et qu'il nous avait refilé des chlamydiae à toutes les deux. »

Elle fit la grimace.

« Bon, c'est un mauvais exemple. Mais je suis sûre qu'elle sera ravie de te voir. »

Jordan n'en était pas du tout certain.

« Alors, ton avis sur cette affaire ? »

Il savait ce qu'elle lui demandait : qu'était-il arrivé à Daniel Swansea, ce soir-là ? Val et Addie avaient-elles commis un crime sans en être inquiétées ?

« Je crois que Dan Swansea s'est amendé, répondit-il après un moment de réflexion. Et je crois qu'il en avait bien besoin.

— Soit. »

Jordan retourna à sa voiture. La petite boutique feutrée du centre-ville qui vendait des bougies et des pots-pourris avait été remplacée par un fleuriste, À Cœur de Fleurs. Il y acheta un bouquet de tulipes rose vif emballées dans du papier crépon vert pâle, qui n'étaient pas de saison et coûtaient la peau des fesses. Il fit le plein, lava les vitres de sa voiture, et, quand il ne trouva plus d'excuses, il se rendit à Crescent Drive.

53

Addie ne répondit pas lorsqu'il frappa à la porte. Elle ne réagit pas non plus à son coup de sonnette. Quand il tenta de l'appeler sur son téléphone portable, celui-ci sonna, sonna, puis bascula sur le répondeur, où une voix enregistrée l'invita à laisser un message sur un ton complètement indifférent. Jordan raccrocha, attendit cinq minutes, puis se remit à frapper en criant : « Police ! » Enfin, il entendit la voix d'Addie provenant de la fenêtre de la chambre, à l'étage.

« Jordan ? »

Sur son visage, il distingua la même expression que celle qu'il avait devinée sur la photo, chez son frère : l'espoir. Maigre, mais présent quand même. Puis elle se détourna.

« Addie, attendez ! Je veux juste vous parler.

— Il n'y a pas grand-chose à dire, fit sa voix à travers la fenêtre.

— Si, au contraire ! Allons, Addie. S'il vous plaît ! »

Pendant une minute, il crut qu'elle n'allait pas descendre, qu'elle le laisserait là avec ses tulipes. Mais bientôt elle apparut à la porte d'entrée, en pantalon noir et haut rouge et ample, une serviette à la main et les cheveux – châtain clair et non plus blonds – encore mouillés.

Il la dévisagea.

« Vos cheveux ont changé.

— J'ai décidé que je n'étais pas faite pour être blonde », répondit-elle en se touchant timidement la tête.

Elle passa une main sur le devant de son chemisier.

« C'est Valerie, la blonde.

— Vous n'avez pas eu de problème sur le trajet du retour ?

— Non, ça s'est bien passé.

— Et vous… »

Il s'éclaircit la gorge.

« En Floride, votre amie a dit que vous étiez malade. »

Elle sourit, puis baissa la tête.

« Je ne suis pas malade. C'était un malentendu. Je vais bien, je suis… »

Du haut de l'escalier, quelqu'un cria : « Addie ? » C'était Val, qui descendait les marches pieds nus, en survêtement, un livre à la main.

« Est-ce que tu as déjà lu celle-là ? Tu es censée manger du chou frisé. Mais vraiment des tonnes ! Sinon ton gamin pourrait avoir… »

Elle sauta de la dernière marche. Jordan reconnut le livre pour l'avoir vu dans la bibliothèque de Patti : *J'attends un enfant.*

« Une anomalie du tube neural ? Qu'est-ce que c'est que ce truc ? »

Jordan regarda Valerie, puis Addie.

« Vous êtes enceinte ?

— Un petit peu, oui », répondit-elle en rougissant.

Jordan sentit la tête lui tourner. Il se souvint des préservatifs, et aussi de Mme Bass lui assurant qu'Addie n'avait pas de petit ami.

« Vous… Vous êtes allée à une banque de sperme ?

— Quelque chose comme ça. »

Il se força à détourner le regard et tenta de se rappeler pourquoi il était venu.

« Je voulais m'excuser, dit-il. Par rapport à... »

Sa voix s'éteignit. Il ne savait pas du tout comment appeler ce qui s'était passé entre eux, ni pour quoi il voulait s'excuser au juste. La seule chose de sûre, c'était qu'il se sentait réellement désolé.

« Merci. Dan va bien ? »

Ça dépend de ce qu'on entend par « bien », songea Jordan, en repensant à Dan couché en chien de fusil dans la cellule, et à Meredith Armbruster déclarant calmement qu'ils avaient prié ensemble.

« Oui, il va bien. Mais c'est aussi pour ça que je suis venu. Je voulais m'assurer qu'il ne vous avait pas ennuyées. »

Le visage de Val s'assombrit. La main d'Addie remonta vers son ventre.

« Non. Pourquoi, je devrais m'inquiéter ?

— Je ne crois pas. Je pense qu'il s'est acheté une conduite, ou, en tout cas, il essaie. »

Val poussa un petit grognement dubitatif. Addie resta muette. Le vent se mit à souffler, faisant trembler les branches nues des arbres devant la maison. En voyant Addie frissonner, il fut pris d'une soudaine envie d'ouvrir sa veste et de la serrer contre lui.

« Rentrez, conseilla-t-il d'un ton bourru. Il fait froid, dehors. »

Puis il se souvint des fleurs, et les lui tendit.

« Tenez, c'est pour vous.

— Oh ! »

Elle les prit d'un air gêné, sans remarquer que, derrière elle, Val remontait discrètement l'escalier.

« Merci, elles sont magnifiques.

— Addie, ça vous dirait de sortir avec moi, un de ces jours ? D'aller boire un verre, ou de dîner au restaurant ? »

Son cœur tambourinait à ses oreilles, ses mains et ses aisselles étaient moites.

Le sourire d'Addie s'évanouit.

« Vous êtes entré chez moi. »

Il ne répondit pas.

« Vous êtes allé voir mon frère, je suppose. »

Il attendit.

« Vous m'avez poursuivie jusqu'en Floride…

— "Poursuivie", c'est un peu exagéré. C'était une filature. »

Il la regarda, très sérieux.

« Une enquête de police officielle.

— Vous avez montré ma photo à plein de gens, dit-elle, les yeux plissés. Et en plus, c'était même pas une bonne. Et on s'est… »

Elle baissa la tête. Cette jolie couleur rose avait de nouveau envahi ses joues et son cou.

« Oui, mais c'est la procédure habituelle, répondit-il. Je n'en ai pas parlé la dernière fois que je suis venu ? On fait ça avec tous nos suspects. D'abord les baisers, ensuite l'arrestation. Les baisers, ça les calme. »

Le rire d'Addie avait une charmante sonorité musicale.

« Je suis désolé d'être entré chez vous, reprit-il. Mais on avait quand même de sérieuses présomptions. Et votre porte était ouverte.

— Bien sûr que non.

— Bien sûr que si. Il y avait une clé sous le paillasson.

— Ce n'est pas la même chose.

— Venez dîner avec moi. »

Elle s'appuya contre le chambranle de la porte en soupirant, une main sur le ventre.

« Ça ne marchera pas.

— C'est à cause du bébé ? »

Elle ne répondit pas. Jordan s'essuya les mains sur son pantalon, avant de se lancer :

« Ma femme et moi, enfin, mon ex-femme et moi, on ne pouvait pas avoir d'enfants. J'en ai toujours voulu, et elle aussi, mais… »

Addie secoua la tête, au bord des larmes.

« J'aimerais tant que les choses soient différentes. Mais je ne suis pas courageuse.

— Oh, que si. »

Il la regarda dans les yeux, tentant de la convaincre. À présent, il transpirait de partout, des mains, des aisselles et derrière les genoux : il était à la fois conscient de l'importance du moment, et certain qu'il allait tout faire foirer, comme d'habitude.

« On va bien ensemble, vous le savez. »

Elle ne répondit rien. Ni oui ni non. Jordan ne put s'empêcher de continuer à parler.

« Juste une chance. C'est tout ce que je vous demande. »

Elle secoua la tête.

« Le bébé… Le… hum, le père…

— Ça, je m'en fous, l'interrompit Jordan. Tant que c'est fini.

— Oh oui, c'est bien fini.

— Alors tout va bien. »

Elle le regarda, immobile dans le froid. Pendant un long moment, il pensa qu'elle fermerait la porte. Mais elle poussa un long soupir et lui sourit, le visage rayonnant.

« Vous voulez entrer ? » demanda-t-elle. Et Jordan la suivit dans la chaleur et la lumière.

54

« Tu sais que je trouve ça vraiment génial ? » m'a confié Val.

C'était une fin d'après-midi de juin. Nous étions dans le jardin, pieds nus, en short, tee-shirt et gants de toile, en train de retourner un carré de terre là où ma mère avait jadis cultivé son potager.

« Quoi donc, arracher les mauvaises herbes ?

— Non, ta situation. »

Elle s'est tournée vers moi, un grand sourire aux lèvres. Elle avait noué ses cheveux avec un bandana.

« Toi, Jordan, le bébé. Ça fait tellement *South Pacific* !

— Les gens vont trouver ça bizarre. »

J'ai planté ma pelle dans la terre et je me suis levée, les mains en bas du dos, pour m'étirer. Je devais accoucher dans dix jours et commençais juste à penser à la logistique : selon toute probabilité, ma fille aurait la peau plus foncée que moi et que Jordan. Les gens penseraient peut-être qu'elle avait été adoptée… ou que j'étais sa nounou. Voilà qui serait intéressant, sans doute.

Je me suis frotté le dos et gratté le ventre, qui me démangeait tout le temps. À la suite de notre aventure – c'est en ces termes que Val y faisait tout le temps référence –, j'avais beaucoup vu ma meilleure amie. Après ses quatre semaines de congés, Val était repartie travailler et vivre à Chicago, mais elle s'était inscrite à un cours d'improvisation – au cas où elle déciderait de troquer sa vie glamour de météorologue pour celle, encore plus glamour, d'une trentenaire aspirante actrice. Tous les week-ends, elle venait à Pleasant Ridge occuper la chambre d'amis où aucun ami n'avait jamais dormi, envahissait la maison avec sa musique, ses conversations, ses livres de développement personnel et de bébés, ses sacs de vêtements de grossesse haute couture et ses cagettes de chou frisé, ses baskets qu'elle laissait près de la porte avec ses chaussettes dedans. De temps en temps, elle se joignait à Jon et à moi pour les pierogi du mercredi soir. Jon était enchanté de devenir tonton : il avait affiché la date prévue de la naissance dans sa chambre et sur le réfrigérateur, et gardait une carte dans son portefeuille ; il avait également utilisé ses avantages en tant qu'employé chez Walgreens pour acheter un body JE SUIS LE PLUS BEAU, un chauffe-biberon dernier cri, et assez de couches pour tenir plus d'un an.

« Qu'est-ce que tu en as à faire, dc ce que les gens pensent ? m'a demandé Val avec impatience. Il ne faut pas te prendre la tête avec ça. Tu devrais voir ce qu'ils disent de moi, sur Internet. »

J'ai souri face à cette nouvelle attitude qu'elle avait adoptée depuis Key West. En vérité, Jordan et moi en avions déjà discuté. Selon lui, je me faisais trop de souci – je « m'inventais des problèmes ». Maintenant, on en voyait partout, des enfants qui ne ressemblaient pas à leurs parents ; et les arrangements non traditionnels étaient monnaie courante – « presque la norme », je crois qu'il a dit. Il connaissait des enfants avec une maman célibataire, d'autres avec deux mamans ou deux papas, ce qui signifiait que personne ne nous regarderait bizarrement ni ne ferait de commentaires. « Si on te pose la question, tu n'as qu'à répondre que tu l'as achetée chez Target », m'avait-il suggéré. Un jour ou l'autre, je serais pourtant bien obligée de trouver une explication : pour le monde, pour ma fille, et peut-être même pour Vijay, qui n'était pas au courant. Mais cela pouvait attendre. Pour l'instant, je peignais la chambre, je préparais le berceau, j'installais le siège-auto, j'apprenais les gestes de premiers secours pour bébés... et je passais du temps avec Jordan, qui venait à la maison tous les soirs après le travail.

Val s'est redressée en poussant un gros soupir (cela faisait bien sept minutes qu'elle désherbait). Puis elle a regardé de l'autre côté de la rue en se protégeant les yeux avec la main.

« Tiens, tu as de nouveaux voisins.

— Ah bon ? »

La maison des DiMeo – car c'était ainsi que je l'appellerais toujours, peu importait le nombre de fois où elle avait changé de propriétaires – avait été mise en vente en avril. La pancarte À VENDRE avait été retirée six semaines plus tard, mais, dans l'euphorie de ma grossesse et de ma relation avec Jordan, je ne m'étais pas intéressée une seule seconde aux nouveaux propriétaires. Un camion de déménagement s'est garé le long du trottoir et deux hommes en sont descendus. L'un d'eux portait un bouc tressé et un iPod attaché au bras, l'autre des piercings en caoutchouc aussi gros que des bouchons de bouteille dans les lobes d'oreille. Ils ont fait le tour du camion pour ouvrir le hayon.

Une voiture hybride s'est arrêtée sans bruit juste derrière, et un homme et une femme en sont sortis. Cette dernière, qui devait avoir notre âge – la petite trentaine –, était enceinte.

« Mais c'est parfait ! a crié Val en me poussant en avant. Allez, va lui dire bonjour ! »

J'ai secoué la tête, soudain envahie par ma timidité de petite fille. La jeune femme a observé la maison des DiMeo – sa maison. Puis elle s'est tournée vers nous.

« Vas-y ! » a insisté Val.

J'ai inspiré profondément, avant de traverser la rue.

« Bonjour. Je suis Addie Downs. Bienvenue dans le quartier. »

Le visage de la jeune femme s'est éclairé.

« Oh, vous aussi !

— Moi aussi, ai-je répondu en posant une main sur mon ventre.

— Vous savez ce que c'est ?

— Une fille. »

Son sourire s'est élargi.

« Moi aussi ! »

Pam Rollins, mariée à Sean, en était à sa vingt-deuxième semaine de grossesse.

« C'est superjoli, ici. Je ne pensais pas que j'aimerais. Sean et moi, on vivait dans un gratte-ciel, alors… »

Elle a regardé autour d'elle avec une grimace rigolote.

« Ça fait un sacré changement ! On n'est pas habitués à tout ce vert. Mais vous savez, la ville… On voulait fonder notre famille dans un endroit sûr. »

J'ai acquiescé. J'aurais pu lui dire que parfois les lieux qui ont l'air sûrs ne le sont pas. Que les jolies maisons et les pelouses bien entretenues n'empêchent pas qu'il se passe des choses graves dans les caves, les jardins ou les bois… Mais je me suis tue. Peut-être le découvrirait-elle un jour. Ou peut-être aurait-elle la chance de ne jamais le savoir.

Valerie, qui avait coincé ses gants dans la poche arrière de son short, a traversé la rue pour nous rejoindre.

« Valerie, je te présente Pam Rollins.

— J'ai habité dans votre maison », a dit Val.

Pam a acquiescé, puis, timidement, elle a demandé :

« Vous travaillez à Fox News, non ?

— Tout à fait. Tu vois, Addie, tout le monde ne regarde pas la météo sur son téléphone portable.

— C'est vrai, ai-je répondu en souriant à mon amie, avant de me tourner vers Pam. Vous avez besoin de quelque chose ? Des indications pour aller à l'épicerie ? Des noms de pédiatres ?

— C'est bon, on a tout. C'est parfait !

— Oui, c'est parfait, a répété Val. Qui sait, vos filles deviendront peut-être amies ? »

Remerciements

Comme toujours, je remercie mon agent, Joanna Pulcini, pour son dur travail d'intendance, son dévouement, son enthousiasme et sa propension à écrire : « Fais plus poétique ! » dans mes marges (ce qui, en fin de compte, ne veut pas dire que le passage en question doit rimer). Joanna continue à croire en moi après six livres, et je suis vraiment heureuse de notre collaboration. Et de pouvoir cesser d'essayer d'introduire à tout prix le mot « Nantucket » dans mes romans.

Ma formidable éditrice, Greer Hendricks, m'a accompagnée pour tous les livres que j'ai écrits. Greer est un trésor de conseils, d'humour, de générosité, de gentillesse et de patience.

Merci à l'assistante de Joanna, Molly Ahrens ; à celle de Greer, Sarah Walsh ; et à mon assistante, l'amusante, l'amicale et la fabuleuse Meghan Burnett.

Je suis ravie de travailler avec les gens d'Atria Books, la maison la plus enthousiaste, à l'écoute et sérieuse du marché. Merci à mes éditrices, Judith Curr chez Atria et Carolyn Reidy chez Simon & Schuster ; à Nancy Inglis, à qui revient le rôle peu enviable de corriger mes manuscrits ; et à Deb Darrock, Natalie White, Kathleen Schmidt, Lisa Keim, Christine Duplessis, Craig Dean et Jeanne Lee. Je suis heureuse de travailler outre-Atlantique avec

Suzanne Baboneau, Julie Wright, Ian Chapman, Jessica Leeke et Nigel Stoneman chez Simon & Schuster UK.

C'est un immense atout pour un auteur d'avoir dans son équipe l'agent publicitaire Marcy Engelman et ses filles, Dana Gidney Fetaya et Emily Gambir, ainsi que la merveilleuse Jessica Fee pour organiser ses apparitions publiques.

Merci au sergent-détective Gary Pierce, du département de police de Haddonfield dans le New Jersey, et au sergent-détective John Stillwagon du département de police de Lower Merion, pour leurs conseils techniques ; à Sara Jacobson, pour son explication sur l'aspect légal d'un accident fictif avec délit de fuite lors d'une réunion d'anciens élèves du lycée ; et à Sue Serio, de la Fox 29 Philadelphia, pour ses détails sur la vie secrète des personnalités du petit écran.

Curtis Sittenfeld et Elizabeth LaBan ont été des premiers lecteurs généreux et perspicaces.

J'ai la chance d'avoir une famille et des amis fantastiques près de moi, loin de moi et sur Facebook, chez qui je trouve des éclats de rire, de la compagnie et de la matière première (une ovation spéciale à Jeff Greenstein, pour son humour décapant et son aide, et pour avoir aimé *Body* de Harry Crews autant que moi). Jake et Joe Weiner, en plus d'être mes frères, s'occupent de moi sur la côte, et ma sœur Molly reste une source intarissable d'inspiration et d'amusement. Je remercie ma Nanna, Faye Frumin ; ma maman, Fran ; et sa partenaire, Clair Kaplan, qui veut bien rire avec moi et se moquer de moi. Merci aussi à Terri Gottlieb, qui s'occupe de mes filles pendant que je travaille.

Enfin, mes affectueuses pensées à mon mari, Adam, et à nos filles, Phoebe et Lucy, sans qui rien n'aurait de sens… et à mes lecteurs qui m'ont suivie jusqu'ici

MILLE COMÉDIES

Cyber coup de foudre de Dan ALLAN, 2005

Sur un site de chat érotique, Tag fait la connaissance de Lisa : un vrai cyber coup de foudre ! Hélas, l'univers d'Internet est impitoyable et nos deux tourtereaux virtuels vont l'apprendre à leurs dépens...
Dan Allan vit à Wellesley, près de Boston, dans le Massachusetts. Cyber coup de foudre *est son premier roman.*

—•◆•—

Tout pour être heureuse ? de Maria BEAUMONT, 2008

Dans la veine de Jennifer Weiner et Marian Keyes, une comédie à la fois émouvante et chaleureuse sur les difficultés d'une jeune mère qui trouve un peu trop souvent le réconfort dans le chardonnay.

—•◆•—

Mais qui est le père ? de Maria BEAUMONT, 2008

Alors qu'elle est en train de donner naissance à son premier enfant, une jeune femme se remémore la liste de tous ses princes, pas toujours très charmants, et son trajet, souvent mouvementé, sur la route chaotique qui mène au bonheur.
Mariée et mère de deux enfants, Maria Beaumont vit à Londres. Après Tout pour être heureuse ? *(2008)*, Mais qui est le père ? *est son deuxième roman à paraître chez Belfond.*

—•◆•—

Sexe, amour et amitié de Paul BURSTON, 2003

Quand Armistead Maupin rencontre Bridget Jones... Les mésaventures tragi-comiques d'un trio prêt à tout au cœur du gay London.
Journaliste et présentateur sur Channel 4, Paul Burston a trente-sept ans et vit à Londres.

Beaucoup de bruit pour un cadavre de Victoria CLAYTON, 2004

Être ou ne pas être au bord de la crise de nerfs... telle est la cruelle question que se pose Harriet Byng. Il faut dire qu'entre son père, Waldo, acteur shakespearien sur le déclin, sa mère, professionnelle du lifting, et ses quatre frères et sœurs, il y a de quoi faire !
Après L'Amie de Daisy *(1998)*, Un mariage trop parfait *(2000)*, Accordez-moi cette danse *(2002) et* La Chaleur des moissons *(2003)*, Beaucoup de bruit pour un cadavre *est le cinquième roman de Victoria Clayton paru chez Belfond.*

Un tout petit mensonge de Francesca CLEMENTIS, 2005

Lauren a beau être une brillante femme d'affaires, en société elle se transforme en reine des gaffes. Pas facile, dans ces conditions, de lier connaissance...
Après Lorna et ses filles *(2004)*, Un tout petit mensonge *est le deuxième roman de Francesca Clementis à paraître chez Belfond.*

Bonheur, marque déposée de Will FERGUSON, 2003

Un éditeur aux abois découvre un livre qui promet la recette du bonheur. Seul problème : ça marche.
Will Ferguson est né au Canada en 1964. Après un ouvrage polémique, Why I Hate Canadians*, et d'autres essais*, Bonheur, marque déposée *est son premier roman.*

Cerises givrées d'Emma FORREST, 2007

Une jeune femme rencontre l'homme de ses rêves. Problème, l'homme en question a déjà une femme dans sa vie : sa fille de huit ans. Une nouvelle perle de l'humour anglais pour une comédie sur l'amour, la jalousie et le maquillage.
D'origine anglaise, Emma Forrest vit à Los Angeles. Cerises givrées, *son premier roman à paraître en France, va faire l'objet d'une adaptation télévisée.*

Une exquise vengeance de Brian GALLAGHER, 2002

Revenue de vacances plus tôt que prévu, Julie découvre son mari dans les bras d'une blonde pulpeuse. Que faire ? Leur mitonner une revanche des plus originales...

Neuf mois de sursis de Brian GALLAGHER, 2004

Comment persuader son époux qu'il est temps de faire un bébé, a fortiori quand l'époux en question est lui-même un grand enfant ?
De nationalité irlandaise, Brian Gallagher est né en 1964 à Stockholm. Après Une exquise vengeance *(2002),* Neuf mois de sursis *est son second roman paru chez Belfond.*

Ex & the city, manuel de survie à l'usage des filles larguées d'Alexandra HEMINSLEY, 2009

Une première incursion dans la non-fiction pour Mille Comédies avec cet indispensable et très hilarant manuel à l'usage de toutes les filles qui ont eu, une fois dans leur vie, le cœur en lambeaux.
Alexandra Heminsley est journaliste. Responsable de la rubrique livres de Elle *(UK), elle est également critique sur Radio 2, ainsi que pour* Time Out *et* The Observer. *Elle vit à Londres.*

Chez les anges de Marian KEYES, 2004

Les pérégrinations d'une jeune Irlandaise dans le monde merveilleux de la Cité des Anges. Un endroit magique où la manucure est un art majeur, où toute marque de bronzage est formellement proscrite et où même les palmiers sont sveltissimes...

Réponds, si tu m'entends de Marian KEYES, 2008

Quand il s'agit de reprendre contact avec celui qu'on aime le plus au monde, tous les moyens sont bons, même les plus extravagants...

Un homme trop charmant de Marian KEYES, 2009

Quatre femmes, un homme, un lourd secret qui les relie tous et cette question : peut-on tout pardonner à un homme trop charmant ?
Née en Irlande en 1963, Marian Keyes vit à Dublin. Après, entre autres, Les Vacances de Rachel *(2000)*, Chez les anges *(2004) et* Réponds, si tu m'entends *(2008)*, Un homme trop charmant *est son sixième roman à paraître chez Belfond*

Les Confessions d'une accro du shopping de Sophie KINSELLA, 2002, rééd. 2004

Votre job vous ennuie à mourir ? Vos amours laissent à désirer ? Rien de tel que le shopping pour se remonter le moral... Telle est la devise de Becky Bloomwood. Et ce n'est pas son découvert abyssal qui l'en fera démordre.

Becky à Manhattan de Sophie KINSELLA, 2003

Après une légère rémission, l'accro du shopping est à nouveau soumise à la fièvre acheteuse. Destination : New York, sa 5e Avenue, ses boutiques...

L'accro du shopping dit oui de Sophie KINSELLA, 2004

Luke Brandon vient de demander Becky en mariage. Pour une accro du shopping, c'est la consécration… ou le début du cauchemar !

—•◆•—

L'accro du shopping a une sœur de Sophie KINSELLA, 2006

De retour d'un très long voyage de noces, Becky Bloomwood-Brandon découvre qu'elle a une demi-sœur. Et quelle sœur !

—•◆•—

L'accro du shopping attend un bébé de Sophie KINSELLA, 2008

L'accro du shopping est enceinte ! Neuf mois bénis pendant lesquels elle va pouvoir se livrer à un shopping effréné, pour la bonne cause…

—•◆•—

Les Confessions d'une accro du shopping suivi de **Becky à Manhattan** de Sophie KINSELLA (édition collector 2009)

Pour toutes celles qui pensent que « le shopping devrait figurer dans les risques cardio-vasculaires », découvrez ou redécouvrez les deux premières aventures de la plus drôle, la plus délirante, la plus touchante des fashion victims…

—•◆•—

Les Petits Secrets d'Emma de Sophie KINSELLA, 2005

Ce n'est pas qu'Emma soit menteuse, c'est plutôt qu'elle a ses petits secrets. Rien de bien méchant, mais plutôt mourir que de l'avouer… Quiproquos, coups de théâtre et douce mythomanie, une nouvelle héroïne, par l'auteur de *L'Accro du shopping.*

—•◆•—

Samantha, bonne à rien faire de Sophie KINSELLA, 2007

Une comédie follement rafraîchissante qui démontre qu'on peut être une star du droit financier et ne pas savoir faire cuire un œuf…

—•◆•—

Lexi Smart a la mémoire qui flanche de Sophie KINSELLA, 2009

Quand Lexi se réveille dans sa chambre d'hôpital, elle ne reconnaît ni ce superbeau gosse qui prétend être son mari, ni cette snobinarde qui dit être sa meilleure amie. Trois ans de sa vie viennent de s'effacer d'un coup...

Très chère Sadie de Sophie KINSELLA, 2010

Obligée d'assister à l'enterrement de sa grand-tante Sadie, Lara va se retrouver confrontée au fantôme de cette dernière. Un drôle de fantôme de vingt-trois ans, qui aime le charleston et les belles toilettes, et qui n'a de cesse de retrouver un mystérieux collier...
Sophie Kinsella est une véritable star : auteur des Petits Secrets d'Emma, *de* Samantha, bonne à rien faire *et de* Lexi Smart a la mémoire qui flanche, *elle est également reconnue dans le monde entier pour sa série-culte des aventures de l'accro du shopping.*

Un week-end entre amis de Madeleine WICKHAM alias Sophie KINSELLA, 2007

Un régal de comédie à l'anglaise, caustique et hilarante, pour une vision décapante des relations au sein de la jeune bourgeoisie britannique. La redécouverte des premiers romans d'une jeune romancière aujourd'hui plus connue sous le nom de Sophie Kinsella.

Une maison de rêve de Madeleine WICKHAM alias Sophie KINSELLA, 2007

Entre désordres professionnels et démêlés conjugaux, une comédie aussi féroce que réjouissante sur trois couples au bord de l'explosion.

La Madone des enterrements de Madeleine WICKHAM alias Sophie KINSELLA, 2008

Aussi charmante que vénale, Fleur séduit les hommes pour mieux mettre la main sur leur fortune. Mais à ce petit jeu, telle est prise qui croyait un peu trop prendre…

Drôle de mariage de Madeleine WICKHAM alias Sophie KINSELLA, 2008

Quoi de plus naturel que rendre service à un ami dans le besoin ? Sauf quand cela peut ruiner le plus beau jour de votre vie et vous coûter l'homme de vos rêves…

Des vacances inoubliables de Madeleine WICKHAM alias Sophie KINSELLA, 2009

À la suite d'une regrettable méprise, deux couples vont devoir passer leurs vacances ensemble… pour le meilleur et pour le pire !

Sœurs mais pas trop d'Anna MAXTED, 2008

Cassie, la cadette, est mince, vive, charismatique et ambitieuse ; Lizbet, l'aînée, est ronde, un peu paresseuse, souvent gaffeuse et très désordonnée. Malgré leurs différences, les deux sœurs s'adorent… jusqu'au jour où Lizbet annonce qu'elle est enceinte. Une situation explosive !
Mariée et mère de deux garçons, Anna Maxted vit à Londres. Sœurs mais pas trop *est son premier roman traduit en français.*

Cruautés conjugales de Damien OWENS, 2004

Peter et Mary s'apprêtent à fêter le premier anniversaire de ce jour béni où ils se sont dit oui, pour le meilleur et pour le pire. Depuis quelque temps, c'est surtout pour le pire, car Mary a un problème : Peter l'agace prodigieusement…

Damien Owens est un Irlandais de trente-deux ans. Après Les Trottoirs de Dublin *(Belfond, 2002)*, Cruautés conjugales *est son deuxième roman.*

Cul et chemise de Robyn SISMAN, 2002

Comme cul et chemise, Jack et Freya le sont depuis bien longtemps : c'est simple, ils se connaissent par cœur. Du moins le pensent-ils…
Née aux États-Unis, Robyn Sisman vit en Angleterre. Après le succès de Nuits blanches à Manhattan, Cul et chemise *est son deuxième roman publié chez Belfond.*

Le Prochain Truc sur ma liste de Jill SMOLINSKI, 2007

Une comédie chaleureuse et pleine de charme sur une jeune femme qui donne irrésistiblement envie de profiter des petits bonheurs de tous les jours.
Jill Smolinski a été journaliste pour de nombreux magazines féminins, avant de se consacrer à l'écriture. Le Prochain Truc sur ma liste *est son premier roman traduit en français.*

Alors, heureuse ? de Jennifer WEINER, 2002

Comment vivre heureuse quand on a trop de rondeurs et qu'on découvre sa vie sexuelle relatée par le menu dans un grand mensuel féminin ?

Chaussure à son pied de Jennifer WEINER, 2004

Rose et Maggie ont beau être sœurs, elles n'ont rien en commun. Rien, à part l'ADN, leur pointure, un drame familial et une revanche à prendre sur la vie…

Envies de fraises de Jennifer WEINER, 2005

Fous rires, petites contrariétés et envies de fraises... Une tendre comédie, sincère et émouvante, sur trois jeunes femmes lancées dans l'aventure de la maternité.

Crime et couches-culottes de Jennifer WEINER, 2006

Quand une mère de famille mène l'enquête sur la mort mystérieuse de sa voisine... Entre couches et biberons, lessives et goûters, difficile de s'improviser détective !

La Fille de sa mère de Jennifer WEINER, 2009

Une comédie douce-amère où l'on apprend comment concilier avec grâce vie de couple, kilos en trop et rébellion adolescente.
Jennifer Weiner est née en 1970 en Louisiane. Après Alors, heureuse ? *(2002, Pocket, 2004)*, Chaussure à son pied *(2004) – adapté au cinéma en 2005 –*, Envies de fraises *(2005), et* Crime et couches-culottes, La Fille de sa mère *est son cinquième roman publié par Belfond.*

Cet ouvrage a été imprimé en France par

à Saint-Amand-Montrond (Cher)
en janvier 2011

Composition et mise en pages : FACOMPO, LISIEUX

N° d'édition : 4766 – N° d'impression : 103488/1
Dépôt légal : février 2011